D0808278

LES YEUX
DES TÉNÈBRES

COLLECTION TERREUR
Dirigée par Patrice Duvic

Iain Banks
LE SEIGNEUR DES GUÊPES

Robert Bloch
PSYCHOSE

Ramsey Campbell
ENVOÛTEMENT
LA SECTE SANS NOM

John Farris
LE FILS DE LA NUIT ÉTERNELLE

Thomas Harris
DRAGON ROUGE

James Herbert
LES RATS
LE REPAIRE DES RATS

Stephen King
SALEM

Dean R. Koontz
LE MASQUE DE L'OUBLI
MIROIR DE SANG
LA VOIX DES TÉNÈBRES

Steven Laws
TRAIN FANTÔME

Graham Masterton
LE DÉMON DES MORTS
LE PORTRAIT DU MAL
LE JOUR « J » DU JUGEMENT

Peter Straub
JULIA

Sheri S. Tepper
OSSEMENTS

Thomas Tessier
L'ANTRE DU CAUCHEMAR

Jack Vance
MÉCHANT GARÇON

DEAN R. KOONTZ

LES YEUX DES TÉNÈBRES

PRESSES POCKET

Édition originale américaine :

THE EYES OF DARKNESS
Traduit par Jacqueline Lenclud

© 1981 by Nkui, Inc.
© 1989, Presses Pocket pour la traduction française.
ISBN : 2-266-02566-X

Première Partie

Mardi 30 décembre

1

Peu après minuit, dans la nuit du lundi au mardi, en revenant chez elle, après une répétition tardive de sa nouvelle pièce, Tina Evans crut voir son fils Danny installé dans la voiture d'un étranger mais, bien sûr, ce ne pouvait être qu'une cruelle illusion puisqu'il était mort depuis plus d'un an.

Elle s'était arrêtée à une centaine de mètres de sa maison pour s'acheter un quart de lait, ainsi qu'un pain complet, à un supermarché ouvert jour et nuit, et s'était garée à côté d'une imposante Chevrolet couleur crème ; c'est à ce moment qu'à la lumière jaunâtre du lampadaire voisin elle vit de profil le garçon assis à l'avant — il attendait sans doute son père ou sa mère partis faire des courses — et son sang se glaça dans ses veines.

Danny...

Le garçon devait avoir dans les douze ans, l'âge de Danny, et il avait la même chevelure brune et drue, le même nez, le même tracé délicat du menton. Inconscient d'être observé, il se mit à mordiller la phalange de son pouce replié. Exactement la manie de Danny, une manie contractée l'année précédant sa mort et dont elle avait essayé en vain de le débarrasser.

Tandis qu'elle le regardait intensément, elle avait l'étrange intuition qu'il ne s'agissait pas d'une simple coïncidence, d'une ressemblance fortuite. Elle n'arrivait plus à avaler sa salive et son cœur battait la chamade. En fait, jamais elle n'avait accepté la perte de son unique

9

enfant, jamais elle ne s'était résignée. « Alors, se dit-elle, la gorge nouée, parce que je vois ce gosse qui lui ressemble, je vais recommencer à me monter la tête, à croire qu'il n'est pas mort... Mon Dieu, et si c'était lui... »

Plus elle y pensait et plus cela lui paraissait vraisemblable ; après tout, elle n'avait pas vu de ses yeux le cadavre, la police et les gens des Pompes funèbres ayant prétendu qu'il était atrocement défiguré et qu'il valait mieux pour elle conserver le souvenir de son fils bien vivant. Trop écrasée par la douleur pour avoir la force de protester, elle n'avait contemplé qu'un cercueil fermé. Alors... s'il n'avait pas été tué dans l'accident, s'il avait souffert d'un léger traumatisme crânien qui aurait tout de même entraîné une amnésie ? On connaissait des cas analogues.

Elle le voyait errant à des kilomètres du bus déchiqueté, sans papiers, ayant perdu totalement le sens de son identité, incapable de dire aux bons Samaritains qui voulaient l'aider qui il était, ni d'où il venait. Tout à fait possible : elle avait vu un film à la télévision qui relatait un cas semblable. Qui sait s'il n'était pas aujourd'hui installé chez une famille d'accueil, dans un home de jeunes, en train de se refaire une nouvelle vie ? Et maintenant dans cette Chevrolet. Le destin le lui avait arraché mais le cauchemar était terminé, elle n'avait qu'à tendre les bras et...

Au beau milieu de ce rêve éveillé, le garçon, sentant le regard insistant posé sur lui, se retourna. Elle en eut le souffle coupé ; leurs yeux se rencontrèrent et, sous cette lumière blafarde, elle eut l'impression qu'ils entraient en contact malgré les espaces infinis qui les séparaient, avant de prendre conscience que ce visage ne ressemblait pas le moins du monde à celui de son enfant.

Elle détourna vivement la tête et s'aperçut que ses mains se cramponnaient si fort au volant qu'elles en étaient toutes meurtries. « Pauvre imbécile ! » gémit-elle. Elle qui se prenait pour une femme solide, équilibrée, capable d'affronter et de surmonter tous les coups du sort, voilà qu'elle était absolument impuissante à admettre que Danny fût mort.

Après le choc initial, après les obsèques, elle s'était colletée avec la terrible réalité. Progressivement, jour après jour, semaine après semaine, elle s'était efforcée de reléguer Danny dans le passé, avec chagrin, avec culpabilité, dans les larmes et l'amertume, mais avec détermination et, l'année passée, elle avait franchi victorieusement plusieurs échelons dans sa carrière. Elle s'était jetée à corps perdu dans ses tâches professionnelles en se disant que le travail agirait comme la morphine, endormirait la douleur en attendant que le temps la cicatrisât.

Et puis, voici deux semaines, elle était retombée dans ses divagations : comme dans les moments qui avaient suivi immédiatement la nouvelle de l'accident, elle était hantée, obsédée, par le sentiment que Danny était vivant. Elle qui comptait sur le temps pour calmer un peu ses angoisses, elle se retrouvait plongée dans le même abîme de douleur.

Ce n'était pas la première fois qu'il lui semblait reconnaître son fils ; ces dernières semaines, c'est bien simple, elle croyait le voir partout. Il y avait aussi ce rêve qui revenait sans cesse, où Danny était vivant, et il lui fallait plusieurs heures après son réveil pour réaliser qu'il n'était plus là, qu'il ne serait plus jamais là. Alors elle se persuadait que ce rêve était prémonitoire, qu'il signifiait son retour prochain. Cela lui faisait chaud au cœur mais le soulagement était si fugitif... Elle avait beau résister de toutes ses forces à la lugubre réalité, la lutte était inégale, elle s'y usait puisque, chaque fois, elle se laissait berner par un fol espoir et retombait de tout son haut.

C'était malsain et même pathologique.

Nouveau coup d'œil furtif au garçon de la Chevrolet qui continuait à la fixer, puis enfin elle réussit à décrisper ses mains : elle n'allait pas sombrer dans la folie. « Non, pas question, se dit-elle, il y a des gens qui deviennent cinglés après un choc pareil, je l'ai lu quelque part. Il faut absolument que je me prenne en main, j'ai follement aimé Danny bien sûr, mais il n'y a plus rien à espérer, il faut que je me mette ça dans la tête : mon petit garçon est mort, écrabouillé dans un accident de bus avec quatorze autres écoliers — un drame personnel parmi d'autres — défiguré, méconnaissable, *mort*, enfermé dans un cercueil, sous la terre, disparu pour toujours de ma vie. »

Sa lèvre inférieure tremblait mais elle maîtrisa son envie de pleurer. Le garçon dans la Chevrolet se désintéressait d'elle à présent ; il lorgnait du côté du magasin, guettant l'apparition de celui ou de celle qui l'avait amené jusqu'ici. Tina s'extirpa de sa Volkswagen, aspira une profonde bouffée de la plaisante fraîcheur nocturne avant de s'engouffrer dans le magasin où il faisait trop froid et où l'éclairage blessait les yeux. Elle acheta son quart de litre de lait écrémé et le pain complet coupé en tranches ultra-fines pour personnes au régime — ainsi chaque tartine leur apporte moitié moins de calories. Tina ne dansait plus et s'occupait de la réalisation du spectacle mais elle se sentait mieux physiquement et psychiquement quand elle ne dépassait pas le poids de ses jeunes années.

Cinq minutes plus tard, rentrée chez elle, elle s'assit à sa table de cuisine devant deux tartines de beurre de cacahuètes et un verre de lait froid. Quand Danny était petit, commençant tout juste à marcher, il adorait les toasts au beurre de cacahuètes, alors qu'il faisait le difficile devant d'autres mets. Dans son langage il appelait ça « peurre de tatahuètes ». En fermant les yeux elle le voyait, petit bonhomme de trois ans, tout barbouillé, réclamant à cor et à cri une autre « tatine de peurre de tatahuètes ». La vision était si intense qu'elle sursauta. Non, surtout ne pas évoquer de souvenirs. Mais c'était trop tard, elle sentit un poids de cent kilos dans la poitrine, inclina la tête, le front contre la table, et laissa libre cours à ses larmes.

Cette nuit-là, elle fit de nouveau le rêve.

Danny est en vie, quelque part, et il a besoin de son aide. Il est sur le bord d'une falaise surplombant une gorge dont on ne voit pas le fond et elle est du côté opposé, il leur est impossible de se rejoindre, l'abîme est infranchissable ; il est seul, il a peur, il l'appelle d'une voix lamentable et elle se sent totalement impuissante. Le ciel s'assombrit de minute en minute, d'énormes nuages noirs s'amassent au-dessus de leur tête. Leurs cris se répondent, de plus en plus aigus, de plus en plus désespérés, car ils savent que, si elle n'est pas près de lui pour le protéger, la nuit qui descend recèle un danger terrifiant pour l'enfant. Soudain le ciel est zébré d'éclairs, les ténèbres s'épaississent, l'orage éclate brutalement.

Tina se dressa sur son séant, elle était sûre d'avoir entendu un bruit dans la maison, un bruit distinct du coup de tonnerre de son rêve, elle ne l'avait pas imaginé. Elle tendit l'oreille, prête à rejeter ses couvertures et à bondir hors de son lit... Silence, un silence profond. « Ça y est, je recommence à me faire des idées. Dieu que je suis nerveuse ! Depuis quinze jours, ça fait au moins six fois que je crois entendre quelqu'un, songea-t-elle, et quand je vais de pièce en pièce, mon pistolet à la main, il n'y a jamais personne. » Certes, dernièrement elle avait eu pas mal de soucis personnels et professionnels ; elle était loin d'avoir retrouvé son équilibre d'antan. Après tout, ce devait être le coup de tonnerre du rêve qu'elle avait pris pour la réalité...

Elle resta aux aguets mais au bout de quelques minutes elle dut se rendre à l'évidence : tout était calme. Son cœur se remit à battre normalement et elle se rallongea. En pareilles circonstances elle aurait tant aimé vivre encore avec Michael, pouvoir se blottir contre lui dans le noir ; il l'aurait réchauffée, rassurée et elle se serait rendormie la tête au creux de son épaule.

« Encore cette fichue imagination qui me joue des tours », marmonna-t-elle ; si Michael était ici, ça ne se passerait pas du tout comme ça, pas de gestes de tendresse ni d'amour, il se débrouillerait pour trouver un sujet de dispute. Ça commencerait par une broutille et de fil en aiguille ils en arriveraient à une sanglante querelle. A la fin de leur vie commune ça se terminait toujours de cette façon, Michael était perpétuellement agressif et prêt à engager les hostilités. Elle l'avait aimé jusqu'au bout et avait beaucoup souffert de la rupture, mais finalement elle en avait éprouvé un certain soulagement.

Elle avait perdu la même année son enfant et son mari, l'homme en premier, ensuite le garçon ; ils s'en étaient allés l'un vers la tombe, l'autre vers un avenir qu'il espérait modeler à sa guise. Pendant les douze années vécues ensemble elle avait changé du tout au tout mais Michael était demeuré pareil à lui-même. Au début follement épris, n'ayant rien de secret l'un pour l'autre, à la fin ils étaient devenus de parfaits étrangers. Michael qui vivait toujours dans la ville, dans une rue toute proche, était à certains égards aussi loin, aussi inaccessible que Danny.

Elle poussa un gros soupir et ouvrit les yeux. Le sommeil l'avait fuie mais elle savait qu'elle devait se reposer encore afin d'être fraîche et dispose le lendemain. Ce serait un des jours les plus importants de sa vie : le 30 décembre. Les autres années, cette date n'avait aucune signification spéciale mais ce 30 décembre-ci, pour le meilleur ou pour le pire, son destin allait basculer.

Pendant quinze ans, à partir de ses dix-huit ans (deux ans avant son mariage avec Michael), elle avait vécu et travaillé à Las Vegas. Elle avait débuté sa carrière de danseuse au « Lido de Paris », une gigantesque salle de spectacle appartenant au Stardust Hotel. La revue du Lido était une de ces productions somptueuses dont Las Vegas avait le secret ; c'était la seule ville au monde où l'on pût monter tous les ans un spectacle qui coûtait des millions et des millions, en décors, costumes, salaires et cachets. Avec de telles dépenses la direction de l'hôtel s'estimait satisfaite si elle arrivait, grâce à la vente des billets et des boissons, à s'en tirer sans pertes ni bénéfices. D'ailleurs le spectacle, aussi splendide qu'il fût, n'avait pas d'autre but que d'attirer le client — quelques milliers de clients — dans l'hôtel. En se rendant à la salle de spectacle ou en en sortant, les gens passaient devant les tables de jeu, roulette, craps[1], et les files de machines à sous, et c'est là que se récoltait l'argent.

1. Zanzi américain, jeu de dés.

14

Tina aimait danser dans la revue du Lido et elle y fut fidèle pendant deux ans et demi jusqu'au moment où elle sut qu'elle était enceinte. Elle demanda alors un congé pour mener à terme sa grossesse et s'occuper de Danny pendant les premiers mois de son existence. Quand il eut six mois, elle reprit son entraînement pour se remettre en forme et, après douze semaines de travail acharné, obtint de danser dans un nouveau spectacle. Elle réussit à concilier son double rôle de girl et de mère de famille, ce qui n'est pas une sinécure, mais elle adorait Danny et elle tirait également de grandes joies de son métier. Et puis elle n'avait jamais rechigné à la tâche.

Cinq ans plus tôt, cependant, le jour de son vingt-cinquième anniversaire, elle s'était dit qu'il ne lui restait plus que dix ans à pouvoir exercer son métier et elle avait décidé d'étudier le music-hall sous un autre angle de manière à ne pas se faire virer à trente-huit ans. Elle se retrouva alors chorégraphe pour une revue de deuxième ordre qui n'était qu'une pâle imitation de celles du Lido. Elle fut chargée en même temps des costumes. Petit à petit on lui confia les mêmes fonctions dans de plus grandes salles ; elle acceptait parfois de monter des spectacles dans les salons de petits hôtels devant un public de cinq à six cents personnes.

Puis elle dirigea une revue, assuma non seulement la direction mais la mise en scène d'une autre. C'est ainsi qu'elle acquit rapidement de la notoriété dans la sphère du show-biz de Las Vegas où tout le monde se connaissait et se serrait les coudes. Et, il y avait moins d'un an, peu après la mort de Danny, on lui avait enfin proposé de monter un spectacle en collaboration avec un autre metteur en scène — ils disposeraient d'un budget extravagant de trois millions de dollars — dans l'immense salle (deux mille places) du Desert Mirage, un des hôtels les plus cotés du Strip[1].

Elle en voulut terriblement au destin de lui offrir ce mirobolant présent en plein deuil comme s'il s'agissait d'une compensation. Malgré son chagrin, son amer-

1. Quartier des boîtes de nuit, des dancings, des maisons de jeu dans certaines grandes villes des Etats-Unis.

tume, son dégoût de la vie, elle accepta la proposition, se rendant parfaitement compte que c'était le seul moyen pour elle de survivre à sa douleur. Si elle ne relevait pas ce défi, si elle restait prostrée chez elle ou n'entreprenait que de petits travaux, elle aurait trop de temps pour pleurer son fils et elle ne s'en sortirait jamais.

Cette revue à grand spectacle s'intitulait *Magyck!* car y alternaient des numéros de danse inspirés par le fantastique et des numéros de magie. L'orthographe fantaisiste du titre n'était pas une idée personnelle de Tina; par contre, presque tout le reste du programme avait été conçu par elle et elle en était satisfaite. Elle était sortie épuisée de cette année où les journées comportaient douze à quatorze heures de travail, sans vacances, avec à peine un jour de congé par-ci, par-là.

Cet acharnement et ce surmenage l'avaient-ils au moins aidée à supporter son deuil? Depuis un mois elle avait l'impression d'aller un peu mieux: pour la première fois elle avait pu penser à Danny sans pleurer, aller sur sa tombe sans s'effondrer. Elle se sentait un peu plus d'entrain. Elle n'oublierait jamais cet être qui avait occupé une si grande place dans sa vie mais elle commençait à entrevoir une nouvelle vie qui ne tournerait plus autour de son inexorable absence. La plaie était encore très sensible mais une timide cicatrisation s'opérait. Ce mieux-être avait duré une semaine ou deux et puis les rêves avaient repris, plus atroces encore que ceux qui avaient suivi immédiatement la mort de son fils.

Ses inquiétudes quant à l'accueil que réserverait le public à *Magyck!* lui faisaient-elles revivre l'angoisse qu'elle avait connue après la disparition de Danny? Peut-être. Dans moins de dix-sept heures, à vingt heures, le 30 décembre, aurait lieu la première; les invitations avaient été lancées à toutes les notabilités et le lendemain, veille du Premier de l'An, ce serait le tour des spectateurs payants. Si, comme elle l'escomptait, la revue était un succès, son avenir financier serait assuré car son contrat lui garantissait deux et demi pour cent des recettes brutes (déduction faite du bénéfice du bar), après les trois premiers millions de remboursement aux ayants droit. Si *Magyck!* faisait un tabac et se jouait trois ans durant, comme c'était le cas pour certains spectacles de Las Vegas, elle serait millionnaire au bout du compte.

Evidemment si c'était un bide, elle rétrograderait dans les spectacles de second ordre, c'était la dure loi du métier.

« Pas étonnant que je sois tendue, songea-t-elle, ça explique que j'aie si peur la nuit, que je refasse ces affreux rêves avec Danny, que je me sente de nouveau si déprimée. Quand *Magyck!* sera bien en piste, tout ira mieux ; il faut patienter quelques jours encore et je pourrai me détendre un peu. » Oui, mais en attendant, il fallait qu'elle dorme le mieux possible. Demain à dix heures elle avait rendez-vous avec les représentants de deux agences de tourisme qui étaient disposées à réserver huit mille billets d'entrée pour *Magyck!* ; et à une heure, toute l'équipe était convoquée pour l'ultime répétition en costumes.

Elle tapota ses oreillers, remit draps et couvertures en place, tira sur sa courte chemise de nuit, tenta de se relaxer en fermant les yeux sur l'évocation d'une mer paisible venant lécher doucement une immense plage de sable blanc, au clair de lune.

Un bruit sourd coupa court à sa tentative d'assoupissement. Elle s'assit au bord du lit, perplexe, les jambes pendantes. Quelque chose de lourd avait dû tomber quelque part dans la maison, ce devait être un meuble pour qu'elle eût pu l'entendre à plusieurs pièces d'intervalle. Mais un meuble ne tombe pas tout seul dans une pièce vide, il avait bien fallu que quelqu'un le renversât.

Elle tendit l'oreille. Nouveau bruit plus feutré, furtif, qui ne lui laissa pas le temps d'en identifier la source ou la signification. Cette fois elle ne pouvait s'en prendre à son imagination, il y avait bien quelqu'un dans la maison. Elle alluma, prit son pistolet dans le tiroir de la table de nuit. Il était chargé, elle ôta les deux crans de sûreté, écouta... Le silence était total, le silence impressionnant d'une maison déserte. « Il vaut mieux que j'aille voir », murmura-t-elle en enfilant ses pantoufles ;

le pistolet dans la main droite, elle se dirigea vers la porte. Silence. « Si j'appelle la police on risque de me prendre pour une hystérique ; de quoi aurai-je l'air s'ils débarquent, toutes sirènes déchaînées, et qu'ils ne trouvent rien ? Mon Dieu, si je les avais appelés chaque fois que j'ai cru entendre des bruits inquiétants ces dernières semaines, ils m'auraient jugée mûre pour l'hôpital psychiatrique. Cette fois il y a sûrement... non, probablement, un type dans la maison... »

A l'idée que des flics bien machos pussent se gausser d'elle en buvant leur café, elle se sentit tous les courages pour explorer seule les lieux. Pointant le pistolet en direction du plafond, elle engagea une balle dans le canon. Puis, inspirant à fond, elle ouvrit la porte et sortit dans le couloir.

2

Tina inspecta partout, sauf dans la chambre de Danny, sans trouver qui que ce fût. Elle eût préféré avoir débusqué un gangster caché dans un placard ou dans un coin de la cuisine plutôt que d'avoir à pénétrer chez Danny mais, à présent, force lui était de vaincre sa répugnance.

Sa chambre se trouvait à l'opposé de celle de ses parents, dans ce qui avait été auparavant un petit salon. Après son dixième anniversaire, un peu plus d'un an avant l'accident, il avait émis le désir d'avoir à lui un espace plus grand, sa chambre d'enfant étant minuscule. Michael et Tina avaient transporté le divan, le fauteuil et la table basse, ainsi que le poste de télévision, dans la chambre d'enfant, et aidé Danny à s'installer à sa guise. Tina s'était dit qu'il préférait être plus loin d'eux pour cesser d'entendre leurs disputes de chaque soir ; pourtant, jusque-là, ils n'avaient jamais haussé le ton, et, la plupart du temps, échangeaient leurs aigres propos à voix basse, mais l'enfant se doutait que cela ne marchait plus bien entre eux. Peinée que les choses en fussent arrivées là et que Danny fût au courant, elle n'avait cependant rien dit pour le rassurer. Qu'aurait-elle pu lui dire ? Comment aurait-elle pu lui transmettre son diagnostic personnel : « *Danny chéri, ne te fais pas de souci, ton père est en train de nous faire sa crise d'identité, il s'est conduit comme un pauvre imbécile ces temps-ci mais ça lui passera.* » Peut-être était-ce là la vraie raison de son silence : à cette époque, elle s'imaginait que ces difficultés étaient passagères, elle aimait son mari et se figurait que son amour viendrait à bout de leurs problèmes. L'avenir lui avait donné tort : six mois plus tard ils se séparaient, et le divorce avait suivi cinq mois après.

Elle s'arracha à ces douloureuses réminiscences et se força à ouvrir la porte, à allumer l'électricité pour s'assurer si oui ou non le visiteur indésirable existait en chair et en os. A première vue, la pièce était déserte. Arme à la main, elle se planta devant le placard, hésita une seconde et fit coulisser la porte. Personne. Elle sentit l'odeur de renfermé, jeta un regard désolé sur les chaussures, les jeans, les pantalons plus habillés, les chemises, sweaters, la casquette de base-ball, le petit costume gris qu'il revêtait pour les grandes occasions ; sa gorge se serra et d'un geste brusque elle ferma le placard et s'y adossa.

Les obsèques avaient eu lieu plus d'un an auparavant, mais elle n'avait pas encore eu le courage de donner ses affaires, démarche encore plus atroce et définitive que la vision du cercueil descendant dans la fosse ; elle avait gardé ses vêtements et n'avait rien voulu changer à l'aspect de la chambre qui était restée telle qu'il l'avait laissée : le lit soigneusement fait, plusieurs figurines de *La Guerre des étoiles* alignées sur une étagère, à sa tête, plus d'une centaine de livres de poche rangés par ordre alphabétique sur les rayons de sa bibliothèque ; dans un coin, son bureau sur lequel étaient alignés des tubes de colle, de minuscules flacons d'émail de toutes couleurs et des outils pour la fabrication de maquettes, une place étant laissée pour son buvard et le travail scolaire. Dans une vitrine étaient exposés neuf modèles d'avions, trois pendaient du plafond. Les murs étaient décorés de place en place de posters, trois représentant des stars de base-ball, cinq, des monstres tirés de films d'horreur, tous disposés par les soins de Danny qui, à la différence de beaucoup de garçons de son âge, était extrêmement soigneux, veillant jalousement sur l'ordre qui devait régner dans son domaine. En souvenir de ce goût, Tina demandait à Mrs Neddler, la femme de ménage qui venait deux fois par semaine, de passer l'aspirateur et d'épousseter la chambre comme s'il l'habitait encore.

Elle contemplait ces jouets, ces pathétiques trésors de son garçon, en se disant que c'était malsain de conserver tout en l'état, comme une pièce de musée. Pourtant cela lui permettait de continuer à espérer qu'il n'était pas mort mais seulement absent pour un certain temps et qu'il retrouverait toutes ses petites affaires à son retour. Tout à coup elle eut peur : cette impossibilité de toucher aux possessions de Danny ne lui apparaissait plus comme une simple lâcheté mais comme le symptôme d'une grave maladie mentale. Il fallait *absolument* qu'elle laissât son enfant mort reposer en paix. Si elle désirait enfin arrêter de rêver, dominer sa douleur, c'était le moment ou jamais, ici et maintenant.

Elle prit la résolution de vider la chambre, le jeudi 1er janvier ; elle aurait dépassé le cap de la générale et de la première de *Magyck !*, elle serait donc moins nerveuse, pourrait se donner un petit congé et en profiterait pour ranger et empaqueter. Sa décision prise, elle se sentit tout à coup vidée de toute énergie, vacilla sur ses jambes et s'apprêtait à réintégrer son lit quand son attention fut attirée par le chevalet de Danny. Comme il adorait dessiner et peindre, elle le lui avait offert le jour de ses neuf ans avec une boîte de peinture et des crayons de couleur. D'un côté il pouvait servir de simple chevalet et de l'autre il comportait un tableau noir. Danny le rangeait à l'autre bout de la pièce, derrière le lit, contre le mur, c'est ainsi en tout cas que Tina l'avait vu la dernière fois qu'elle était venue ici ; or à présent il s'était abattu sur une table de bridge sur laquelle Danny avait laissé installé un wargame électronique. En se renversant le chevalet avait fait tomber le jeu à terre.

Voilà donc d'où venait le bruit qui l'avait tant effrayée. Mais le chevalet n'avait pu tomber tout seul. Qu'est-ce qui avait pu occasionner sa chute ? L'énigme s'était simplement déplacée ; Tina alla relever le chevalet et ramasser le jeu éparpillé, les craies et l'éponge ; quand elle regarda le tableau noir elle réalisa soudain que deux mots y étaient inscrits en majuscules :

PAS MORT

Elle lut et relut le message, les yeux écarquillés.

« Je suis sûre, murmura-t-elle, qu'il n'y avait rien d'écrit quand Danny est parti pour son excursion ; je n'ai pas la berlue tout de même, il n'y avait rien non plus la dernière fois que je suis venue dans sa chambre. » Lentement se fit jour dans son esprit fatigué la signification de ces deux mots écrits à la craie rose. « *Pas mort* », la négation de la mort de Danny, un refus catégorique d'accepter l'horrible réalité, un défi à toute vraisemblance.

L'aurait-elle écrit elle-même ? Pendant une de ses atroces crises de désespoir, quand elle sombrait au fin fond de l'abîme, était-elle venue dans une sorte d'inconscience tracer ces majuscules comme si elle clamait à la face du monde que jamais elle ne croirait à sa disparition définitive ? Si oui, elle était victime d'atteintes d'amnésie temporaire ; non, c'était impensable.

Alors le tableau portait ces mots depuis longtemps, et c'est Danny qui les aurait tracés ? Pourtant son écriture était nette et ferme, pas du tout comme ces lettres tremblées, maladroites. Et pourtant, c'était sûrement lui...

Elle fit tout haut les demandes et les réponses : « Comment, avant son départ, pouvait-il faire allusion à l'accident ? » — « Simple coïncidence, il n'y a pas d'autre éventualité possible. » — « Et pourquoi n'y en aurait-il pas d'autres ? » Il n'y en avait pas qu'elle osât imaginer, elles lui faisaient trop peur. Tina, glacée des pieds à la tête, frissonna et d'une main tremblante passa l'éponge sur l'inscription.

Dans l'état où elle était, jamais elle ne pourrait retrouver le sommeil. Il le fallait bien pourtant, il y aurait tant à faire demain. Dans la cuisine elle s'empara d'une bouteille de bourbon Wild Turkey, le whisky de prédilection de Michael, et elle s'en versa une bonne rasade dans un verre d'eau. Elle n'avait rien d'une alcoolique, ne buvant qu'un peu de vin et ne supportant pas les alcools forts, mais elle n'avait pas le choix ; elle avala le bourbon en grimaçant comme s'il s'agissait d'un médicament nauséabond, s'étonnant une fois de plus des goûts de son ex-mari, puis se versa une deuxième rasade.

Pelotonnée sous ses draps, elle ferma les yeux en tentant de chasser la vision du tableau noir, mais sans y parvenir ; elle essaya d'une autre méthode, laissa apparaître le tableau noir mais en effaça les mots ; plus elle effaçait, plus ils revenaient jusqu'à ce que, finalement vaincue par l'hébétude de l'alcool, elle fût terrassée par le sommeil, le bienheureux sommeil où tout s'oublie.

3

Le mardi après-midi, Tina assistait à la dernière répétition en costume de *Magyck!,* assise au beau milieu de la salle de spectacle du Desert Mirage qui avait la forme d'un immense éventail se déployant sous une haute voûte en coupole, et dont les galeries étagées descendant vers la scène étaient alternativement larges et étroites. De longues tables recouvertes de nappes blanches étaient installées perpendiculairement à la scène dans les galeries larges. Les étroites étaient occupées par des loges semi-circulaires aux sièges en peluche. Evidemment tout était orienté par rapport à la gigantesque scène (une fois et demie plus vaste que la plus grande des scènes de Broadway). Pour donner une idée de la superficie, un DC 9 aurait pu y être amené sans occuper plus de la moitié de l'espace disponible (attraction qui figura dans une superproduction MGM du Grand Hôtel de Reno). Malgré ces dimensions colossales et grâce à une profusion de velours bleu, de cuir noir, de lustres en cristal, on pouvait se croire dans un cabaret à l'atmosphère feutrée.

Tina, installée dans une loge de la troisième travée, buvait à petites gorgées un breuvage glacé tout en contemplant avec une certaine nervosité les évolutions des artistes. La répétition se déroulait le mieux du monde et sans le moindre à-coup : tous les numéros étaient parfaitement rodés, sept de grand spectacle et cinq de music-hall, avec une troupe de quarante-deux danseuses et quarante-deux danseurs, quinze girls, deux chanteurs, deux chanteuses (dont l'une aux humeurs imprévisibles), quarante-sept techniciens, un orchestre de vingt musiciens, un éléphant, un lion, deux panthères noires, douze tourterelles blanches; bref beaucoup de gens à superviser, une organisation compliquée et difficile à mettre au point, mais Tina avait la satisfaction de constater que, grâce à l'intense travail de tous pendant une année entière, le résultat était impeccable. Elle n'était pas la seule à être contente, sur scène tous se congratulaient et s'embrassaient, artistes et techniciens. Il y avait de l'électricité dans l'air, on subodorait un immense succès.

Joel Bandiri, coréalisateur du spectacle, avait assisté à la représentation d'une des premières loges, dans la rangée des VIP où chaque soir seraient assis les noctambules pourris d'argent et autres familiers de l'hôtel. Dès la fin de la répétition il se précipita pour grimper quatre à quatre les degrés qui le séparaient de Tina.

— On a gagné! clama-t-il à tous les échos, ça va marcher du tonnerre.

Et il l'étreignit fougueusement en lui plantant un gros baiser mouillé sur les deux joues.

— Vous croyez, Joel?

— Et comment! C'est fantastique, ma belle, époustouflant, vous allez voir ce que vous allez voir!

— Je vous remercie, vous ne pouvez pas savoir comme je vous remercie.

— Mais Tina, qu'est-ce qui vous prend? Pourquoi diable me remerciez-vous?

— Parce que vous m'avez donné l'occasion de montrer ce que je suis capable de faire.

— Allons, mon petit, ne faites pas de chichis, vous avez bossé comme une dingue, vous avez bien mérité de vous en mettre plein les poches, je n'y suis pour rien, mais je me disais dès le début que nous allions faire une équipe sensas. Croyez-moi, les gars qui voudraient s'occuper de ça, je les attends au tournant, ils en feraient un de ces bides; une superproduction de ce niveau, c'est pas à la portée de tout le monde et nous, on a tapé dans le mille.

Un curieux petit bonhomme, ce Joel, un mètre soixante-qautre à tout casser, joufflu sans être gras, des cheveux châtains bouclés, une face de clown qu'il déformait à plaisir en mille mimiques désopilantes. Vêtu archisimplement d'un jean usagé, d'une chemise de cotonnade bon marché d'un bleu délavé, il portait une véritable fortune à ses doigts : huit mille dollars pour le moins en bagues, trois à chaque main, diamants, émeraudes, rubis, opales.

Cet après-midi-là, comme toujours, il semblait suprêmement excité, pétant le feu. Les embrassades achevées, il ne tenait pas en place, sautillait d'un pied sur l'autre tandis qu'il tonitruait sa joie d'avoir mené à bien *Magyck !* Il se tournait de tous côtés pour apostropher les uns et les autres, agitant ses mains chargées de joyaux qui scintillaient. A quarante-six ans, c'était le producteur-metteur en scène le plus coté de Las Vegas, avec vingt ans de prodigieux succès derrière lui. Son nom sur une affiche en tête d'un nouveau spectacle était un label de qualité, on pouvait prendre sa place en étant sûr qu'on passerait un excellent moment. Il avait investi une partie de ses gains substantiels dans l'immobilier à Las Vegas, hôtels, concession-autos, casino avec machines à sous dans le centre-ville. Son immense fortune lui aurait permis de prendre immédiatement sa retraite et de vivre de ses revenus sans renoncer à ses goûts de luxe et de splendeur. Mais pour rien au monde il n'aurait lâché ce travail qu'il adorait et sans doute mourrait-il sur les planches en train de résoudre un épineux problème de mise en scène.

Il avait eu l'occasion de voir certains des petits spectacles organisés par Tina en ville et celle-ci fut stupéfaite quand il lui offrit de travailler avec lui pour *Magyck !* Au début elle avait hésité car elle connaissait sa réputation de perfectionniste, exigeant un travail surhumain de ses collaborateurs. Etre responsable d'un budget de trois millions de dollars, ce n'était pas une sinécure. Pour elle c'était un formidable bond en avant mais Joel sut la convaincre qu'elle n'aurait aucune difficulté à se mettre à son diapason et qu'elle serait à la hauteur. Grâce à lui elle s'était découvert de nouvelles réserves d'énergie, des compétences qui n'avaient pas encore eu l'occasion de se révéler.

Aussi était-il à présent pour elle un ami cher, un grand frère, et pas simplement un associé. Debout dans cette splendide salle, les yeux fixés tantôt sur la foule bigarrée qui s'agitait sur scène, tantôt sur le visage expressif de Joel, elle l'écoutait vanter leur commune réussite et elle ressentait un bonheur dont elle avait été privée depuis longtemps.

« Attention, se dit-elle, si ce soir nous remportons un triomphe, je risque de devenir puante ! »

Vingt minutes plus tard, à 15 h 45, elle attendait dans la cour gravillonnée devant l'hôtel que le préposé au parking lui eût avancé sa VW. Le soleil de fin d'après-midi était encore chaud, elle avait le sourire aux lèvres. Soudain elle se tourna pour regarder cet énorme bâtiment de ciment, d'acier et de verre, plus impressionnant que beau, auquel son avenir était si inextricablement lié. Un flot continu de gens surgissait des imposantes portes-tambour encadrées de bronze et flanquées de chaque côté d'un rempart de pierre rose où étaient sculptées des cornes d'abondance déversant une pluie de pièces de monnaie. La nuit, des centaines d'ampoules électriques éclairaient la cour a giorno. Le Desert Mirage Hotel avait coûté plus de cent quarante millions de dollars à la construction et les propriétaires veillaient à ce que le client se rendît compte qu'on n'avait lésiné en rien ni pour le coup d'œil ni pour le confort. Tina se rendait bien compte qu'on pouvait détester son aspect baroque, son luxe criard, mais elle, elle raffolait de cet endroit où on lui avait offert la plus grande chance de sa vie.

Pour tout le personnel de l'hôtel, ce 30 décembre avait été une journée de travail intensif, d'activité fébrile. Après une semaine de Noël relativement calme, les clients arrivaient en masse ; le registre des réservations indiquait une affluence record pour les congés du Nouvel An. Les deux mille cent chambres étaient retenues ; d'ailleurs, tous les hôtels de Las Vegas seraient pleins à craquer. La rumeur avait couru qu'à onze heures une secrétaire de San Diego, avec cinq dollars introduits dans une machine à sous, avait décroché le jackpot, à savoir la somme rondelette de 195 000 dollars ; tout à l'heure, dans les coulisses, on ne parlait que de ça ; et, peu avant midi, deux richards de Dallas, à une table de blackjack, avaient perdu en trois heures 250 000 dollars, ce qui ne les avait pas empêchés de rire un bon coup en allant tenter leur chance à un autre jeu. C'était Carol Hirson, une serveuse, qui venait de le raconter à Tina, elle était très excitée parce qu'ils lui avaient allongé un mirifique pourboire comme s'ils avaient gagné... et pour leur avoir apporté une demi-douzaine de drinks elle avait récolté quatre cents dollars... Elle n'en revenait pas.

Autre cause d'effervescence en ville : Sinatra était descendu au Caesar's Palace et sa présence attirait toujours quantité de ses fans qui étaient gosses quand il avait débuté dans la carrière ; ils accouraient par milliers pour l'entendre et se disputaient les places disponibles si bien que tous ses récitals se faisaient à guichets fermés.

Donc l'atmosphère générale était à la fête et dans quatre heures exactement ce serait la première de *Magyck !*

L'employé passa le volant à Tina qui lui glissa une pièce.

— D'attaque, Tina ? Ce soir c'est le grand boom ?

— J'espère bien, touchons du bois.

A 16 h 15 elle était chez elle. Deux heures et demie à occuper avant de repartir. Elle n'avait pas besoin de tout ce temps pour se préparer, aussi décida-t-elle de commencer les rangements dans la chambre de Danny. Cela lui paraissait judicieux car, pour une fois, elle était dans un moment d'euphorie, ce qui lui permettrait d'affronter cette peu plaisante besogne avec plus de courage. Pourquoi attendre jeudi comme prévu ? Elle avait assez de temps devant elle pour empaqueter au moins les vêtements.

Quand elle entra dans la chambre, elle s'aperçut que le chevalet s'était renversé une fois de plus. En le relevant, elle vit l'inscription en majuscules :
                    PAS MORT

Un frisson glacé lui courut le long de l'épine dorsale. L'autre soir, après avoir bu son bourbon, serait-elle revenue ici et…?

Non. Elle était catégorique.

Elle n'avait pas bu au point de ne plus savoir ce qu'elle faisait, elle n'était pour rien dans cette histoire de fou. Et elle était bien décidée à garder son sang-froid, elle n'allait pas craquer pour si peu; enfin… même si c'était plutôt effrayant, elle tiendrait bon, elle était solide, elle s'était toujours vantée d'avoir du ressort. D'une main dont elle contrôlait les tremblements, elle prit l'éponge et la passa sur le tableau.

Quelqu'un avait juré de lui faire perdre la tête en lui jouant cette farce sinistre, quelqu'un qui était entré dans l'appartement en son absence et qui avait écrit ces deux mots pour l'enfoncer dans cette douleur qu'elle essayait si fort d'oublier.

Ce quelqu'un, c'était peut-être la femme de ménage, Vivian Neddler, qui avait la clé et devait venir travailler cet après-midi? Mais non, elle avait demandé si elle pouvait venir plutôt dans la soirée pendant que Tina serait à la première. D'ailleurs, songea Tina, même si elle était venue à l'heure prévue, elle n'était pas du genre à jouer un tour aussi cruel, c'était une vieille femme très gentille, un peu fantasque et originale mais pas méchante pour un sou. Elle se creusa la tête et finalement le seul nom qui lui vînt à l'esprit fut celui de Michael, la seule autre personne à posséder une clé de l'appartement. Elle n'avait pas changé les serrures après le divorce; or, si quelqu'un était entré, c'était sans effraction.

Michael avait fait peser sur elle la responsabilité de la mort du petit; le choc avait été si rude pour lui qu'il s'était vengé sur elle pendant des mois de la façon la plus irrationnelle… parce que c'était elle qui avait donné la permission pour l'expédition scoute. Or Danny désirait cette aventure plus que toute autre chose et Mr Jaborski, le chef scout, avait déjà emmené plusieurs troupes dans ce genre de balades hivernales avec exercices de survie, il partait chaque année depuis quatorze ans et il ramenait ses ouailles sans la moindre égratignure. Les enfants n'étaient pas livrés à eux-mêmes dans des lieux reculés, simplement on les conduisait un peu à l'écart des sentiers battus et l'organisation ne laissait rien au hasard. C'était une expérience jugée excellente pour un garçon, et sans danger. De l'avis unanime elle pouvait laisser Danny y participer sans la moindre appréhension. Comment aurait-elle pu se douter que la quinzième expédition menée par Mr Jaborski se terminerait par un désastre? Pourtant Michael la jugeait coupable. Elle croyait que ces derniers mois il était revenu à des sentiments plus normaux à son égard mais ce dernier fait lui montrait qu'il n'en était rien. A force de regarder le tableau noir elle se sentit de plus en plus irritée, vraiment il se conduisait d'une manière puérile et détestable, ne pouvait-il comprendre qu'elle avait autant de chagrin que lui? Qu'essayait-il de prouver?

Furieuse, elle empoigna le téléphone et composa son numéro. Cinq sonneries... Personne ne répondait; de guerre lasse elle raccrocha. « Bien sûr, pensa-t-elle, où ai-je la tête, il est au bureau. » Quand elle fermait les yeux elle voyait clignoter en rouge sur fond noir, telles les publicités lumineuses, le soir, dans la rue, les mots *PAS MORT*. Tant pis! Au retour de la représentation et de la réception qui suivrait, elle appellerait Michael, ce serait tard dans la nuit mais elle se souciait comme d'une guigne de le réveiller en sursaut.

Plantée au milieu de sa petite cuisine, elle essaya de rassembler toutes les forces nerveuses qui lui restaient et de ranimer son intention première d'aller emballer tous les vêtements de Danny, mais à présent elle n'en avait vraiment plus le courage, pour aujourd'hui c'était exclu... Et ce serait sans doute ainsi pendant quelques jours, elle le craignait.

Au diable Michael!

Dans le réfrigérateur il y avait une bouteille de vin blanc largement entamée; elle se versa un verre qu'elle emporta dans la salle de bains. Elle resta un bon moment sous la douche en dirigeant le jet bien chaud sur sa nuque et ses épaules afin de détendre ses muscles qu'elle sentait tout crispés. Le vin glacé qu'elle but en se séchant lui fit du bien physiquement mais ne calma pas son anxiété, les interrogations qui la rongeaient. Sans cesse elle gardait devant les yeux les mots *PAS MORT*.

4

A 18 h 50, Tina était de retour dans les coulisses ; dans le silence relatif qui y régnait elle percevait le bourdonnement des voix des spectateurs, les VIP et leurs papotages mondains, dont le rideau d'épais velours rouge la séparait. Dix-huit cents invitations avaient été lancées, notabilités de la ville, personnalités qui faisaient la pluie et le beau temps dans les casinos, plus tous les joueurs invétérés qui habitaient en dehors de Las Vegas. Quinze cents avaient envoyé leur confirmation ; parmi tout ce beau monde se faufilaient les serveurs en veste blanche immaculée, les serveuses en pimpant uniforme bleu, et leurs jeunes aides, qui apportaient aux dîneurs leur filet mignon[1].

19 h 30 : les coulisses connaissaient une agitation trépidante : techniciens qui contrôlent le fonctionnement des générateurs, des projecteurs, des pompes hydrauliques actionnant le levage et la descente de diverses parties du plateau ; électriciens, machinistes qui ont l'œil à tout ; habilleuses qui ravaudent à la hâte des accrocs survenus à la dernière minute ou recousent des ourlets qui ont lâché pour le plus grand énervement des artistes ; coiffeuses qui entrent et sortent des loges, la mine crispée, comme si le sort de la représentation reposait sur leurs seules épaules.

Les danseurs en smoking, les premiers à entrer en scène, attendaient, solennels, minces et beaux. Sur le

1. En français dans le texte.

chapitre de l'esthétique, les filles n'avaient rien à leur envier : de superbes créatures se croisaient par douzaines dans les coulisses, vêtues de satin et de dentelles, de velours parsemé de strass, de sequins, bordé de fourrure ou de plumes ; certaines étaient encore dans leurs loges, d'autres déjà prêtes bavardaient, dans les couloirs ou à proximité de la scène, de leurs enfants, de leurs maris ou de leurs petits amis à moins qu'elles n'échangeassent des recettes... A les entendre on les aurait prises pour de simples secrétaires potinant pendant la pause-café alors que c'étaient les femmes les plus belles et les plus attirantes du monde.

Tina aurait aimé rester ici pendant la représentation mais elle n'avait plus de raisons de s'y tenir, la responsabilité du spectacle était entre les mains des artistes et des techniciens. Vingt-cinq minutes avant les trois coups, elle pénétra dans la salle où le niveau sonore avait bien grimpé depuis tout à l'heure. Elle se dirigea vers la loge centrale, dans la rangée des VIP, où Charles Mainway, directeur général et principal actionnaire du Desert Mirage Hotel, l'attendait mais au passage elle s'arrêta devant la loge voisine occupée par Joel Bandiri, sa femme Eva et un couple ami. Eva avait vingt-neuf ans, dix-sept ans de moins que son époux, et le dépassait de huit centimètres. Ancienne danseuse de music-hall, elle était blonde, souple, d'une beauté délicate. Elle serra la main de Tina avec effusion.

— Ne vous faites pas de souci, vous êtes une véritable artiste et une vraie professionnelle, vous pouvez être sûre du succès, déclara-t-elle.

Joel renchérit :

— J'ai déjà annoncé à Tina que ce serait un triomphe.

Mainway l'accueillit chaleureusement ; il se comportait comme l'aristocrate qu'il aurait voulu être. Sa chevelure argentée, ses yeux bleu clair faisaient bien dans le tableau quoique les traits n'eussent pas la moindre distinction patricienne ; en dépit des leçons de diction, sa voix grave et rocailleuse avait des intonations un rien gavroches. Dès que Tina eut pris place à sa droite, un maître d'hôtel en habit lui versa une coupe de Dom

Pérignon. L'épouse de Charles Mainway, Helen, avait de naissance tous les avantages qu'il avait essayé de gagner de haute lutte : une parfaite distinction, une politesse raffinée, une extrême aisance en toute circonstance et une assurance de bon aloi. Grande, mince, elle était, à cinquante-cinq ans, extrêmement séduisante encore, on l'aurait prise pour une femme de quarante ans bien conservée.

— Tina, je voudrais vous présenter notre ami Elliot Stryker. Elliot, cette ravissante jeune femme n'est autre que Christina Evans à qui nous devons la mise en scène de *Magyck !*

— Attention ! Je ne suis pas l'unique responsable, protesta Tina, Joel Bandiri est pour beaucoup dans ce spectacle... surtout si c'est un bide.

Stryker éclata de rire.

— Enchanté de faire votre connaissance, Mrs Evans.

— Tina pour les amis.

— Et moi, Elliot.

C'était un beau garçon mince, ni trop grand ni trop petit, la quarantaine, cheveux et yeux bruns, un regard vif, intelligent, légèrement moqueur

— Elliot est mon avocat, dit Charles.

— Ah, dit Tina, je croyais que c'était Harry Simpson.

— Harry s'occupe des affaires de l'hôtel, Elliot des miennes.

— Et il s'en occupe fort bien, intervint Helen, je vous le recommande, Tina, si vous avez besoin d'un avocat, c'est le meilleur sur la place de Las Vegas.

— Si vous avez soif de compliments, dit Elliot à l'adresse de Tina, mais, charmante comme vous êtes, vous ne devez pas en être privée, vous ne trouverez personne à Las Vegas qui sache vous en tourner avec autant de talent et de charme qu'Helen.

— Tina, rétorqua Helen, je vous fais juge de son adresse : en peu de phrases il a réussi à nous flatter vous et moi tout en se montrant d'une modestie parfaite. Vous imaginez combien il brille dans sa profession.

— Il faut voir comme il tient la Cour sous son charme.

— C'est ce qu'on appelle un homme qui parle d'or.

— Vous voyez, dit Elliot en se tournant vers Tina et en prenant un air piteux, comme ils se paient ma tête ; je ne suis pas de taille à leur résister.

Ils bavardèrent gaiement de choses et d'autres pendant le quart d'heure qui suivit. Tina se rendait compte qu'ils essayaient de lui faire oublier ses inquiétudes concernant le bon déroulement de *Magyck!* et elle leur en était très reconnaissante. Evidemment ni les spirituelles réparties ni le champagne glacé ne pouvaient l'empêcher de sentir avec quelle excitation croissante l'assistance attendait le lever du rideau. De minute en minute s'accroissait la densité de fumée de cigarettes dans l'atmosphère ; serveurs, serveuses et maîtres d'hôtel apportaient les boissons commandées à un rythme accéléré ; les spectateurs parlaient et riaient de plus en plus fort.

Bien qu'attentive à la fois à l'humeur de la foule et aux propos de ses compagnons, Tina n'en remarqua pas moins l'impression qu'elle faisait sur Elliot ; il ne la courtisait pas ouvertement, mais elle sentait à son regard qu'elle ne lui était pas indifférente. Sous une apparence d'homme du monde aimable, spirituel mais réservé, se cachait le mâle sain et vigoureux ; elle en avait conscience d'une façon instinctive et y réagissait un peu comme une jument attirée par le désir qu'elle a éveillé chez l'étalon. Il y avait bien un an et demi, sinon deux, qu'un homme ne l'avait regardée de cette manière, à moins que ce ne fût la première fois depuis des mois qu'elle remarquât une réaction masculine à son égard. Elle avait eu l'esprit trop occupé par les querelles avec Michael, le chagrin de la séparation puis du divorce, le déchirement de la mort de Danny, plus le travail intense dû aux préparatifs de *Magyck!*, pour pouvoir penser à autre chose.

Le regard d'Elliot la troublait plaisamment. « Mon Dieu, songea-t-elle, un peu plus et j'allais me dessécher, devenir jaunâtre et anguleuse comme bien des vieilles filles, j'avais complètement oublié comme c'est agréable de plaire à un homme. »

A présent que ses malheurs étaient derrière elle et que

Magyck! aussi, c'était presque du passé, elle aurait le temps de penser à elle, elle le *prendrait*, ce temps. Elliot Stryker jouerait-il un rôle dans ses préoccupations nouvelles ? Trop tôt pour le dire ; elle n'avait pas besoin de se ruer dans ces plaisirs qu'elle avait un peu oubliés, ni de sauter au cou du premier homme qui se présentait, ça aurait manqué de dignité ; n'empêche qu'il était bien de sa personne, séduisant, sympathique et que l'attirance semblait réciproque.

« Décidément, se dit-elle, la soirée promet d'être encore plus intéressante que je ne m'y attendais. »

5

Vivian Neddler gara avec mille précautions sa vieille Nash Rambler le long du trottoir ; il ne s'agissait pas d'égratigner la carrosserie d'un blanc immaculé. Sa voiture — qui remontait à 1955 — pouvait rivaliser avec bien des voitures neuves. Dans un monde où les objets vieillissent à toute vitesse pour permettre à leurs propriétaires d'en acheter de plus conformes à la mode du jour, Vivian prenait un plaisir extrême à faire durer ses affaires. Chez elle un grille-pain... ou une auto, ça devait durer, et ça durait. Elle aussi avait bien résisté à l'usure du temps : à soixante-dix ans elle était toujours solide au poste, cette petite bonne femme robuste au visage de Madone digne de Botticelli, à la démarche martiale.

Elle descendit de voiture et remonta l'allée qui menait à la maison de Tina Evans. La lumière jaune du lampadaire de la rue n'éclairait pas les abords du perron ; un vent léger faisait bruisser les buissons de lauriers-roses. Elle fit le tour par derrière ; au-dessus de la porte Tina avait placé une lanterne imitée de celles qu'on trouvait autrefois sur les calèches. Un croissant de lune dans le ciel pur se reflétait sur la surface sombre de la piscine. Mrs Neddler entra par la cuisine ; depuis deux ans qu'elle faisait le ménage ici, on lui avait confié une clé. Seul le bourdonnement du réfrigérateur troublait le silence. Elle se mit tout de suite à l'ouvrage, nettoya l'évier, les outils de cuisine, passa l'éponge sur les lattes des stores, la serpillière sur le carrelage mexicain. C'était une consciencieuse qui croyait à la valeur du travail bien fait, et ses employeurs savaient qu'elle leur en donnait pour leur argent.

Elle ne faisait pas de travail de nuit en général mais cet après-midi elle avait joué aux machines à sous à l'hôtel Hilton et comme elle avait de la chance, elle avait voulu en profiter. Certaines des personnes pour qui elle travaillait une ou deux fois par semaine n'auraient pas compris qu'elle ne vînt pas exactement à l'heure et au jour fixés mais elle savait que Tina se montrait compréhensive et que se rendant compte de ce que représentaient les machines à sous pour Vivian, elle acceptait des modifications de dernière minute du programme habituel.

Vivian était une *nickel duchess* — c'est le surnom que les employés de casino donnent aux vieilles dames du cru dont la vie sociale tourne exclusivement autour des machines à sous. Ces « duchesses » ne manipulent que les appareils à cinq ou dix *cents*, jamais ceux à vingt-cinq *cents* ou à un dollar. Elles tirent sur les manettes pendant des heures d'affilée ; parfois un billet de cinq dollars leur dure un après-midi entier. Leur philosophie se résume en ces mots : « *Peu importe que vous perdiez ou gagniez pourvu que vous jouiez longtemps.* » Cette attitude, et quelques trucs astucieux, leur permettent de s'accrocher plus longtemps que la plupart des joueurs qui se précipitent sur les machines à dollars parce qu'ils ne sont arrivés à rien avec celles à cinq *cents*. Grâce à leur indéfectible patience, les duchesses remportent plus de jackpots que les flots de touristes qui vont et viennent autour d'elles. Elles sont gantées de noir pour ne pas se salir les mains à tripoter incessamment des pièces de monnaie, elles se juchent sur des tabourets, elles savent se servir alternativement d'une main ou de l'autre pour ne pas se fatiguer les muscles du bras, d'ailleurs elles ne viennent jamais sans leur flacon de liniment pour le cas où…

Pour la plupart veuves ou vieilles filles, elles déjeunent ou dînent de compagnie et fêtent ensemble les rares cadeaux du sort. Quand l'une d'entre elles meurt, les autres participent dévotement aux obsèques. Bref elles constituent une communauté, étrange au premier abord mais authentique, qui leur permet de faire face à la solitude. Dans un pays comme les Etats-Unis qui entretiennent un culte exclusif pour la jeunesse, beaucoup de personnes âgées cherchent à s'intégrer à une collectivité amicale mais n'y parviennent pas souvent, tant s'en faut.

Vivian avait une fille mariée à Sacramento et trois petits-enfants. Depuis ses soixante-cinq ans, sa fille la suppliait de venir habiter avec eux. Elle les aimait beaucoup et savait que cette affection était réciproque, et leur invitation sincère, tout à fait désintéressée, mais elle n'avait aucune envie de vivre à Sacramento qu'après plusieurs séjours elle jugeait la plus morne cité de la planète. Elle aimait le bruit, l'agitation, les lumières, l'atmosphère électrique de Las Vegas, et puis comment renoncer à être une « duchesse » ? Là-bas elle ne serait plus qu'une banale vieille dame qui vit chez ses enfants, la bonne mémé qui attend doucettement l'heure de sa mort.

Rien que d'y penser elle en avait des frissons. Etre indépendante, c'était à ses yeux le plus grand bonheur du monde. Elle priait le Ciel de lui accorder jusqu'à la fin une santé qui lui permît de vivre seule et par ses propres moyens. Elle songeait à tout cela en passant la serpillière dans le dernier recoin de la cuisine, quand elle entendit un bruit provenant d'une autre partie de la maison, sans doute d'une des pièces en façade, peut-être du salon. Elle se redressa et tendit l'oreille ; le moteur du réfrigérateur s'était tu, et à part le tic-tac de la pendule dans l'entrée, c'était à nouveau le grand silence. Au bout d'un moment, elle entendit encore un bruit insolite, une sorte de vibration, qui la fit sursauter. Puis plus rien. Elle alla chercher dans un tiroir le couteau le plus aiguisé qu'elle pût trouver et ne pensa même pas à avertir la police. Si elle téléphonait et sortait ensuite en trombe de la maison et si les policiers en arrivant ne constataient rien d'anormal, ils penseraient qu'ils avaient eu affaire à une vieille folle. Vivian avait beaucoup d'amour-propre ; en outre, depuis la mort du pauvre Harry — vingt et un ans déjà — elle avait toujours su se tirer seule d'un mauvais pas. Elle n'avait pas les deux pieds dans le même sabot, elle s'en targuait.

Elle alluma dans la salle à manger : personne ; le salon lui aussi était désert ; au moment de passer dans le petit salon, son attention fut attirée par un groupe de photos accrochées au-dessus du divan. Habituellement il y en avait six ; sur l'instant elle ne remarqua pas qu'il en manquait deux mais fut frappée de voir que les quatre en place oscillaient sur leurs crochets. Soudain deux d'entre elles se cognèrent à plusieurs reprises contre le mur, si violemment qu'elles finirent par se décrocher pour aller atterrir au pied du divan recouvert de velours beige à côtes.

— Nom d'une pipe ! s'écria Vivian abasourdie.

Puis ce fut au tour des deux photos restantes de se détacher du mur : l'une tomba derrière le divan, l'autre sur un des coussins. Vivian, sidérée, n'en croyait pas ses yeux ; ç'aurait pu être un tremblement de terre mais elle n'avait pas senti la maison bouger, les fenêtres n'avaient pas vibré. S'il s'était agi d'une secousse très faible, elle n'aurait pu provoquer la chute des photos. Elle ramassa celle qui était tombée sur le coussin ; elle la connaissait bien pour l'avoir regardée bien souvent en l'époussetant : c'était, comme les cinq autres, un portrait de Danny Evans. Sur celle-ci, il avait dix ou onze ans, un beau petit garçon aux cheveux châtains, aux yeux bruns, au charmant sourire.

Elle se demanda si par hasard il y aurait eu une expérience atomique dans le Nevada, où l'on procède plusieurs fois par an à des essais souterrains. Etant donné la proximité — cent cinquante kilomètres de Las Vegas —, chaque fois que l'armée se livrait à des essais, les constructions un peu élevées oscillaient et les maisons tremblaient légèrement. « Non, se dit-elle, d'une part la maison n'a pas tremblé, et d'autre part, les essais n'ont jamais lieu la nuit. » Perplexe, elle posa le coutelas, écarta le divan du mur et ramassa les photos tombées derrière, au nombre de cinq, en dehors de celle qu'elle avait déjà reprise sur le coussin. La chute de deux d'entre elles avait dû occasionner ce bruit qu'elle avait perçu de la cuisine, et les quatre autres, elle les avait vues de ses yeux osciller et tomber du mur. Elle remit tout en place.

Une sonnerie électronique suraiguë éclata tout à coup. Vivian, le souffle coupé, pivota sur ses talons pour voir ce qui se passait derrière elle : il n'y avait toujours personne. Sa première pensée fut qu'il s'agissait d'une alarme qui se serait déclenchée toute seule mais elle savait pertinemment qu'il n'y en avait pas chez Mrs Evans. Le bruit se faisait de plus en plus strident, et du coup les fenêtres se mirent à vibrer, ainsi que le dessus en verre de la table basse ; elle eut l'impression pénible que ses os et ses dents vibraient à l'unisson. Ce qu'il y avait de plus étrange, c'était que cela semblait venir de partout.

— Ma parole, s'écria-t-elle, c'est à devenir dingue ! Il y a quelque chose de pas catholique dans cette maison !

Elle ne reprit pas le couteau car elle sentait qu'il n'y avait aucun intrus, c'était plutôt une manifestation qui n'avait rien rien à voir avec ce monde-ci. Elle se força à marcher posément, suivit le couloir qui desservait les chambres à coucher, les salles de bains et le petit salon. Le bruit, plus intense que dans le salon, se répercutait entre les murs du couloir étroit. Vivian regarda à droite et à gauche et finalement se dirigea vers la droite en direction de la porte du fond, celle de la chambre de Danny.

Elle remarqua qu'il faisait plus froid que dans le salon, elle se dit qu'elle se montait la tête mais fut obligée de se rendre à l'évidence : plus elle se rapprochait de chez Danny, plus la température baissait. Arrivée devant sa porte, elle avait la chair de poule et claquait des dents, pas de peur mais de froid. Pourtant la curiosité chez elle commençait à faire place à la peur. « Ça ne tourne vraiment pas rond, se dit-elle, j'ai de plus en plus de mal à respirer comme si l'air se raréfiait. »

L'étrange sonnerie redoublait d'intensité. Le plus sage aurait sans doute été de battre en retraite, de prendre la poudre d'escampette loin du froid, loin du bruit, de fuir cette maison pour le moins hantée. Mais les jambes de Vivian ne lui obéissaient plus, elle avait l'impression d'être une somnambule attirée vers la chambre comme par un aimant sans pouvoir opposer de résistance.

Toujours ce bruit qui lui blessait les tympans ; elle tendit la main vers la poignée de la porte, mais son geste tourna court ; elle cligna les yeux, les ferma comme s'ils venaient de lui jouer un tour, les rouvrit : non, elle n'avait pas rêvé, la poignée était enrobée dans une sorte de gangue de glace d'épaisseur irrégulière ; oui, *c'était bien de la glace*, sa main avait failli y rester collée, des gouttes d'eau s'étaient condensées sur le métal et y avaient gelé.

« Comment est-ce Dieu possible ? murmura-t-elle, de la glace dans une maison où il fait bon chaud ? »

Quant aux sons suraigus, ils gagnaient en fréquence sans perdre de leur intensité.

« Ma petite, s'adjura Vivian, prends tes jambes à ton cou, ne reste pas ici une minute de plus. » Mais elle n'écouta pas ce que lui soufflait son instinct ; elle sortit son chemisier de son pantalon et en saisit un pan pour isoler sa main du métal gelé ; le loquet tourna mais la porte résistait : le bois avait dû jouer sous l'influence du froid intense. Elle fit pression de l'épaule, de plus en plus fort jusqu'à ce que la porte cédât et consentît à lui livrer passage.

6

Magyck! était de loin la meilleure revue à laquelle Elliot cût assisté depuis longtemps. Pour commencer : une merveilleuse interprétation de « That Old Black Magic[1] ». Chanteurs et danseurs, dans de superbes costumes, évoluaient sur un escalier dont les marches étaient en glace, entre de gigantesques miroirs où se jouaient à l'infini les lumières dispensées par des lustres dont les pendeloques en cristal se balançaient gracieusement. Par moments la scène était plongée dans une semi-obscurité et les étoffes précieuses brillaient à la lueur des torches que brandissaient de beaux gaillards à peau noire. La chorégraphie était fouillée, les voix mélodieuses et graves. Suivit un numéro de magie, excellent, devant le rideau, qui se releva sur une piste de glace et cette fois-ci les danseurs pirouettèrent et glissèrent sur leurs patins dans un décor hivernal si réaliste qu'il vous faisait frissonner de froid.

Malgré l'attrait évident du spectacle, Elliot ne put y consacrer toute son attention car son regard était invinciblement attiré par Christina Evans, aussi éblouissante que la revue qu'elle avait créée. En cet instant, elle fixait le plateau et les artistes, et on la sentait totalement prise par ce qui se passait sur la scène au point qu'elle ne remarquait pas l'intérêt que lui portait son voisin ; l'expression angoissée de son visage se détendait un peu quand l'assistance riait ou applaudissait.

1. « La magie noire des temps passés. »

« Qu'elle est belle et attirante ! » se dit-il. Une ligne parfaite mais des courbes voluptueuses, de longues jambes, mince mais sans excès, une taille incroyablement fine mais des hanches d'une rondeur agréablement féminine. Le décolleté en V de sa robe laissait deviner de beaux seins au galbe parfait. Malgré toute la perfection de ce corps c'était le visage qui le séduisait avant tout ; des cheveux châtains tirant sur le noir et tombant presque sur les épaules encadraient à merveille une figure qui semblait peinte par un grand maître : ossature délicate qu'on devinait sous le gracieux modelé des traits, teint très mat et hâlé qui donnait à sa beauté une teinte d'exotisme, lèvres pleines et sensuelles, et des yeux... à vous faire damner.

« Elle serait déjà superbe si elle avait des yeux noirs en harmonie avec ses cheveux et son teint de brune, mais ce serait plus classique ; tandis qu'elle a des yeux bleu saphir, pas un bleu banal et sans éclat, un bleu lumineux, pailleté d'or ; le contraste entre ce type italien et ces yeux de Nordique est absolument ensorcelant, songeait Elliot ; bien sûr il y a toujours des gens qui cherchent la petite bête, ils diraient que son front est un peu grand, le nez trop droit, la bouche épaisse, le menton pointu, etc. Quels idiots ! Moi je la trouve *divine,* il n'y a pas d'autre épithète qui lui convienne. Et quel talent ! »

Il n'avait vu qu'un quart du programme mais cela avait suffi pour le convaincre que c'était un coup de génie, un spectacle qui laissait loin derrière lui tout ce qu'on avait vu jusqu'à maintenant ; la réussite était assurée et ce n'était certes pas donné à tout le monde de concevoir et mettre au point une aussi gigantesque réalisation : si la mise en scène pèche par excès de sophistication, les costumes par excès de richesse, on tombe aisément dans le mauvais goût, la vulgarité et le clinquant ; si la chorégraphie n'est pas minutieusement réglée, si les chanteurs ne sont pas tout à fait à la hauteur, si en un mot la qualité artistique fait défaut, mieux vaut aller au cirque.

Elliot avait de plus en plus envie de nouer de vrais liens avec cette femme. Depuis que Nancy, sa femme, était morte trois ans auparavant, aucune femme ne lui avait fait une aussi forte impression. Assis dans l'obscurité, il sourit, non pas des plaisanteries du magicien qui se produisait sur la scène, mais de l'enthousiasme de collégien qui soudain s'emparait de lui.

7

Vivian appuie de toutes ses forces pour ouvrir la porte qui gémit et qui grince en signe de protestation. Et toujours cette stridulation assourdissante... Une vague d'air glacé s'engouffre dans le couloir en provenance de la chambre de Danny. Vivian tâtonne à la recherche du bouton électrique et entre prudemment : la pièce est déserte, semblable à des milliers de chambres de jeunes garçons avec ses posters de stars de base-ball et de personnages monstrueux, héros de films d'horreur. Trois maquettes d'avions pendent du plafond, rien n'a changé depuis le jour où elle a commencé à faire le ménage chez les Evans, avant la mort du petit.

Elle s'aperçoit tout à coup que l'intolérable bruit provient des deux petits haut-parleurs de la chaîne stéréo accrochés au mur derrière le lit ; le tourne-disque et la radio, qui vont avec, sont posés sur la table de chevet. Ayant repéré la source du tapage elle cherche d'où peut venir le courant d'air glacial... sans succès. Il n'y a pas de disque sur l'appareil, la musique — si on peut appeler ça de la musique — doit donc venir de la radio. Mais quelle station émettrait ces sons électroniques de préférence à de la musique ? Au moment précis où sa main va toucher la radio, le silence se fait, elle a l'impression d'être subitement engloutie dans une masse d'ouate ; pendant que ses oreilles s'ajustent à la cessation brutale du tapage qui les mettait au supplice, elle est si choquée par ces étranges phénomènes qu'elle ne sait plus du tout où elle en est. Progressivement elle se remet à entendre le sifflement très doux des haut-parleurs que domine nettement le bruit tumultueux de son cœur.

Les parties métalliques de l'appareil stéréo sont revêtues elle aussi d'une légère croûte de glace ; elle les touche du bout du doigt et un petit glaçon tombe sur la table de nuit sans même commencer à fondre, c'est dire si la chambre est froide ! D'ailleurs le miroir qui surmonte la commode, ainsi que les vitres de la fenêtre, sont givrés. Or dehors il fait 10 à 11°.

Le bouton du tuning de la radio se met à retourner de lui-même et l'indicateur de fréquence passe à toute vitesse d'une longueur d'onde à une autre, balayant toutes les stations, créant un charivari sans nom où à quelques notes de musique s'ajoutent trois mots d'un présentateur, des fragments d'informations en diverses langues, des bribes de slogans publicitaires puis il file en sens inverse.

Très mal à son aise, Vivian éteint le poste. Peine perdue, il se rallume ; elle reste plantée devant, les jambes flageolantes, les yeux écarquillés. L'indicateur recommence sa course éperdue ; d'un geste saccadé elle tourne le bouton pour faire cesser ce cirque. Immédiatement tout repart.

— Je vais devenir dingue si ça continue, fait-elle tout haut d'une voix chevrotante.

Pour la troisième fois elle tourne le bouton et le maintient d'une main ferme mais elle est prête à parier que le bouton lutte pour revenir à la position de marche. Au-dessus de sa tête les trois avions commencent à bouger, ils sont attachés chacun par une longue ficelle passant dans un piton solidement fixé dans le plafond et nouée à l'anneau. D'abord animés d'un léger balancement, ils s'agitent par brusques saccades, s'entrechoquent, entortillent leurs ficelles.

« Il doit y avoir un courant d'air », se dit Vivian, qui veut à tout prix rester calme ; mais force lui est d'admettre qu'il n'y en a pas. Les soubresauts deviennent de plus en plus violents. « O mon Dieu ! Venez vite à mon aide », prie Vivian en voyant un avion tourner sur lui-même de plus en plus vite puis décrire d'immenses cercles en s'approchant de plus en plus du plafond… et les deux autres suivent le mouvement, tout semble réglé comme du papier à musique et on ne peut évidemment par y voir l'action d'un courant d'air.

« Est-ce que ce serait des esprits qui me jouent de drôles de tours ? se demande Vivian. Mais moi *je n'y crois pas,* aux esprits, ça n'existe pas ; à la télé ils ont parlé une fois d'une histoire bizarre de poltergeist. Si on m'avait dit qu'un jour je verrais des trucs pareils… »

Les portes coulissantes du placard glissent sur leurs rails, s'ouvrent, se ferment, s'ouvrent. Pendant une affreuse seconde elle croit qu'elle va en voir surgir une *affreuse* créature. Non, il n'y a aucun monstre là-dedans, seulement des vêtements. Les portes continuent leur va-et-vient incessant, les avions tournent, tournent, l'air se fait de plus en plus réfrigérant. A présent, sous ses yeux exorbités, c'est au tour du lit de trembler puis de se soulever de quelques centimètres au-dessus des cubes en bois destinés à protéger le tapis. Ils retombent avec bruit avant de recommencer à sauter. Les ressorts du sommier résonnent ; on dirait que des doigts d'acier en jouent comme d'une harpe.

Trop, c'est trop ! Vivian se colle le dos au mur, pétrifiée, les poings crispés.

Aussi brusquement que les phénomènes se sont déclenchés, tout se calme et petit à petit rentre dans l'ordre : les portes se referment avec un bruit de tonnerre mais pour de bon. Les maquettes d'avions réduisent de plus en plus lentement leurs cercles et s'immobilisent. Plus la moindre agitation, un silence complet, l'air tiédit. Le cœur de Vivian retrouve un rythme normal. Elle se prend la tête dans les mains en murmurant : « Il y a sûrement une explication, une explication toute simple. » Mais laquelle ? Elle est incapable de la trouver.

Au fur et à mesure que l'atmosphère se réchauffe, les fines carapaces de glace fondent, laissant des taches d'humidité sur le tapis : les vitres se dégivrent. La chambre redevient parfaitement normale, une chambre de jeune garçon comme il y en a des centaines et des centaines. « Oui, mais... (car il y a un mais), songe-t-elle, son occupant est mort depuis un an, et qui sait ? C'est peut-être lui qui revient hanter cet endroit qu'il aimait. » Mais elle se ressaisit : « Allons, ma fille, tu ne vas pas commencer à croire à ces absurdités, ce sont des contes à dormir debout, tout juste bons pour de vieilles nounous noires. »

Elle pense tout de même que ce serait une bonne chose de vider la chambre des affaires de Danny ; Tina n'aurait pas dû attendre si longtemps. Que s'est-il passé ? Elle n'en sait rien mais une chose est sûre : elle ne dira à personne qu'elle est venue dans cette pièce ce soir. Même si elle décrit ce qu'elle a vu avec le plus grand calme et sans omettre aucun détail, en personne de sang-froid qui ne s'est pas affolée et qui a gardé son sens de l'observation, personne ne voudra la croire ; par politesse on ne lui coupera pas la parole mais chacun se dira in petto : « Cette pauvre Vivian, elle perd les pédales » ; et les gens sont si bavards que cette histoire de poltergeist pourrait bien venir aux oreilles de sa fille à Sacramento ; alors, adieu la belle indépendance ! Elle n'aurait plus une minute de paix. A cette idée son sang ne fait qu'un tour, elle s'empresse d'aller se réfugier dans la cuisine où elle avale coup sur coup deux rasades du meilleur bourbon que Tina garde en réserve. Puis, stoïque comme elle sait l'être, elle continue son ménage.

— Il ne faudrait pas croire, grommelle-t-elle en passant l'aspirateur, que je vais me laisser impressionner par tout ce cirque... Je pourrais peut-être passer à l'église dimanche, ça fait un bout de temps que je n'y suis pas allée, ça ne peut pas faire de mal. Je n'ai pas l'intention d'y aller toutes les semaines, disons une fois sur deux ; il faut aussi que j'aille me confesser, j'ai été vraiment négligente ces dernières années. Il vaut mieux prendre ses précautions, sans ça, un beau jour, on risque de le regretter.

8

Dans le show-business tout le monde sait que le public de « première » est le plus difficile à satisfaire. Le fait que les spectateurs n'aient pas payé leurs places et qu'ils soient là sur invitation ne signifie pas qu'ils aient pour autant l'admiration facile, bien au contraire. Celui qui a payé un bon prix pour le plaisir de venir au théâtre sera porté à en tirer infiniment plus de satisfaction, et ceci est valable pour tous les genres de spectacles.

Pourtant ce soir le public ne pouvait rester tiède. Le rideau retomba sur le numéro final à 21 h 49 et les applaudissements crépitèrent, fougueux, interminables ; à vingt-deux heures les spectateurs étaient encore debout à acclamer les artistes, l'orchestre, les techniciens. A la demande instante du public les projecteurs se braquèrent sur Joel Bandiri et sur Tina qui, debout dans leurs loges respectives, furent salués par des hourras unanimes et par un ban qui résonna comme des milliers de cláquettes.

Tina était au septième ciel, souriant, le souffle coupé, abasourdie par ce bruyant hommage à la réussite de son travail. Helen Mainway ne tarissait pas d'éloges sur les étonnants effets spéciaux. Elliot la félicita en termes bien choisis et sut juger en connaisseur les moindres détails de *Magyck !* Charlie Mainway déboucha une troisième bouteille de Dom Pérignon, la salle s'éclaira et les spectateurs quittèrent à regret leurs places. Tina eut à peine le temps d'effleurer de ses lèvres la coupe de champagne à cause du défilé ininterrompu des gens qui venaient la complimenter.

A 22 h 30, les trois quarts des spectateurs avaient évacué la salle, le reste faisait la queue sur les marches qui menaient à la sortie. Bien qu'il ne fût pas prévu de seconde représentation pour le soir, à la différence des jours qui allaient suivre, garçons et serveuses s'empressaient de desservir les tables, de remettre des nappes immaculées et des couverts pour la représentation du lendemain soir prévue pour vingt heures. Quand la travée devant les premières loges fut vide, Tina et Joel quittèrent les leurs pour aller se jeter dans les bras l'un de l'autre. Tina était la première étonnée de sentir ses joues mouillées de larmes, mais cette fois c'était des larmes de joie. Ils s'étreignirent avec enthousiasme et Joel s'écria :

— Je vous avais bien dit que nous ferions un tabac !

Quand ils se présentèrent tous les deux dans les coulisses, la réception battait déjà son plein. Décors et accessoires avaient été déménagés, huit tables pliantes installées, drapées de nappes damassées et chargées de mets alléchants : cinq sortes d'entrées chaudes ; des salades de macaroni de pommes de terre de haricots panachés ; rosbif froid, jambon, coq au vin ; quatre variétés de fromages ; nouilles fraîches au chester, garnitures de légumes, petits pains, trois immenses gâteaux à la crème, trois non moins immenses tartes, petits fours, puddings à la noix, fruits frais. Ce magnifique buffet était joyeusement assiégé par une foule où se côtoyaient les membres de l'équipe dirigeante de l'hôtel, les girls, les danseurs, les « magiciens », les techniciens et les musiciens, sous l'œil vigilant du chef de cuisine Philippe Chevalier. Sachant que ce souper les attendait, peu de gens avaient dîné, les danseurs pour la plupart n'avaient rien pris depuis leur petit déjeuner, c'est dire que tous faisaient honneur au festin, buvaient à l'envi, et que l'atmosphère était à la joie.

Tina allait et venait entre les groupes, congratulant personnellement tous ceux qui avaient travaillé avec elle au succès de *Magyck!*, les félicitant pour leur dévouement, leur professionnalisme et leur talent ; elle eut l'occasion à plusieurs reprises de bavarder avec Elliot qui lui posa des questions sur sa mise en scène et écouta avec un intérêt soutenu les explications qu'elle lui fournit. Tina prenait un plaisir évident à ces conversations qu'elle regrettait vivement d'écourter quand il lui fallait faire des frais à telle ou telle autre personne ; chaque fois elle restait un peu plus longtemps à ses côtés ; quand elle le retrouva pour la quatrième fois, elle cessa de se soucier du tiers comme du quart et ils restèrent un peu à l'écart près du pilier de gauche de l'avant-scène ; tout en grignotant un morceau de gâteau, ils en vinrent à aborder d'autres sujets que *Magyck!*, le Droit, les Mainway, les biens immobiliers à Las Vegas, les vieux films qu'ils aimaient. Elle le trouvait de plus en plus séduisant ; c'était sans conteste un garçon fin, intelligent, avec un grand sens de l'humour et, ce qui ne gâtait rien, il était agréable à regarder. Tina aimait les hommes bruns aux yeux noirs, et celui-ci lui rappelait irrésistiblement Al Pacino.

— Je me doute que vous allez être obligée de passer ici la plupart de vos soirées pendant des mois, si j'en juge par l'immense succès de ce soir.

— Oh! ne croyez pas ça, je n'ai nul besoin d'être clouée ici.

— Je m'imaginais qu'un metteur en scène...

— Ma tâche touche à sa fin, il faut seulement que je sois là environ tous les quinze jours pour veiller à ce que le ton général ne s'éloigne pas trop de mon intention première.

— Mais vous êtes aussi coproductrice?

— Oui mais, à présent que tout semble marcher sur des roulettes, j'aurai surtout à m'occuper des public relations et de la promotion du spectacle. Un peu aussi de la logistique pour que cela fonctionne le mieux possible, mais je peux contrôler ça de mon bureau : je ne suis pas du tout obligée de me poster près de la scène. Joel dit que ça ne vaut rien de surveiller de trop près, ça rend les artistes nerveux et les techniciens risquent d'avoir les yeux tournés vers la patronne au lieu de s'occuper de leur job.

— Et vous croyez que vous serez capable de résister à l'envie de voir comment ça se passe ?

— Ça ne sera pas facile, bien sûr. Mais je trouve que ce que dit Joel est sensé et j'ai pris la résolution de jouer le jeu, d'être le plus décontractée possible.

— Moi, je pense que vous viendrez tous les soirs, au moins la première semaine.

— Non. Si Joel a raison, ce que je crois, il vaut mieux s'habituer dès le début à prendre de la distance.

— Dès demain soir ? demanda-t-il avec un petit air sceptique.

— Je ferai un saut sûrement.

— Et vous irez certainement à un réveillon du Nouvel An.

— Décidément vous n'avez pas de chance dans vos pronostics, j'ai horreur de ces réveillons où tous les gens sont soûls et rasants.

— Bien, bien. Dites-moi, entre vos apparitions en coulisse — brèves, je veux bien le croire —, aurez-vous un moment pour dîner ?

— Vous me demandez de sortir avec vous ?

— Je vous promets de ne pas mettre les pieds sur la table.

— C'est une invitation en bonne et due forme, lança-t-elle, ravie.

— Oui, et il y a longtemps que je ne m'étais senti aussi gêné.

— Pourquoi donc ?

— Devinez... Parce que c'est vous.

— Moi ? Je vous intimide ?

— Vous me rendez ma jeunesse et quand j'étais jeune j'étais plutôt gauche et timide.

— C'est gentil de me dire ça.

— Je fais tous mes efforts pour vous charmer.

— Eh bien, vous avez réussi !

— Ma parole, vous êtes une véritable magicienne ! Je ne suis plus du tout timide, je ne me suis jamais senti tant d'assurance, déclara-t-il avec un sourire si chaleureux que Tina se sentit fondre à vue d'œil.

— Vous voulez recommencer toute votre vie à zéro ?

— Non, simplement vous réitérer mon invitation : voulez-vous me faire l'immense plaisir de dîner avec moi demain soir ?

— Avec joie ; dix-neuf heures trente, ça vous irait ?

— D'accord. En tenue habillée ou en costume de tous les jours ?

— En jean, dit Tina d'un ton catégorique.

Elliot passa le doigt entre son cou et le col amidonné de sa chemise de smoking puis tripota avec une moue le revers en satin de sa veste :

— Quelle chance ! Je me sens déguisé avec tous ces trucs sur le dos.

— Attendez que je vous donne mon adresse.

Et elle fouilla dans son sac à la recherche de son stylo.

— Pourquoi ne pas se donner rendez-vous ici ? Nous regarderons les premiers numéros avant de nous éclipser pour aller au restaurant.

— Et si nous allions directement au restaurant ?

— Vous êtes sûre que vous ne voulez pas jeter un œil sur le spectacle ?

— Ne jouez pas au Tentateur, c'est demain que je commence ma cure de désintoxication... de *Magyck !*

— Joel va vous donner vingt sur vingt.

— Si je tiens ma résolution, c'est *moi* qui me donnerai un vingt pointé, je serai très contente de moi vraiment.

— Et moi j'aurai une encore meilleure opinion de vous, vous avez beaucoup de cran décidément.

— Ne vous faites pas trop d'illusions, il se peut qu'en plein milieu du plat de résistance je sois prise d'une envie folle de me précipiter ici pour jouer à la grande productrice.

— J'ai une idée, je garerai ma voiture juste devant le restaurant et je ne couperai pas le moteur, pour le cas où...

Tina lui donna son adresse mais ils ne s'en tinrent pas là ; la conversation roula ensuite sur le jazz et Benny Goodman, sur la piètre qualité des services offerts par la Compagnie des Téléphones de Las Vegas. Ils bavardaient de sujets et d'autres comme de vieux amis. Elle apprit ainsi qu'il avait beaucoup de violons d'Ingres, le ski, le pilotage ; il lui raconta des anecdotes comiques sur ses années d'apprentissage de l'un et l'autre sport. Elle se sentait bien avec lui et en même temps il l'intriguait. « Quel type curieux, songeait-elle, on devine en lui à la fois une grande force virile et beaucoup de douceur, une agressivité de mâle en même temps que de la délicatesse et du doigté. » Et elle conclut son analyse psychologique par un « en tout cas, il est diablement attirant ! »

Quelle différence avec l'année dernière ! Une formidable réussite professionnelle en cours, beaucoup de royalties à toucher, une infinité de possibilités pour l'avenir grâce à ce foudroyant succès, un amant très excitant en perspective… Tandis qu'elle faisait le compte de ces bonnes choses qui lui tombaient du ciel, elle pensa à ce qu'elle avait vécu de drames, d'amertumes, à la douleur qui l'avait submergée. Et voilà que l'horizon s'était subitement éclairci, que l'avenir semblait recéler bien des compensations. Elle ne put s'empêcher de se sentir gonflée d'optimisme.

9

La nuit enveloppe de son silence la maison des Evans, un silence troublé seulement par le bruissement des feuillages qu'agite le vent sec venu du désert. Un matou blanc du voisinage se glisse sur la pelouse et joue avec un bout de papier qui voltige et se pose devant lui tout à coup comme pour le narguer ; le chat bondit, avance la patte, manque son coup car son jouet capricieux est reparti, et, déçu, il file sous les buissons à la recherche d'une autre proie plus facile à saisir.

Si quelqu'un s'introduisait dans la maison, il n'entendrait que les bruits ordinaires : le moteur du réfrigérateur qui se remet régulièrement en marche et ronronne, une fenêtre mal fermée qui bat chaque fois que souffle une rafale, les bouches de chaleur qui émettent de temps à autre un léger sifflement.

Peu avant minuit, la chambre de Danny se refroidit, une légère carapace de glace emprisonne la poignée de la porte, les objets métalliques ; la température baisse de plus en plus, les vitres se givrent. La radio se met en marche toute seule.

En l'espace de quelques secondes, le silence est déchiré par un son électronique tranchant comme la lame d'une hache et qui cesse brusquement alors que le sélecteur de stations parcourt dans les deux sens l'écran illuminé de la radio, déclenchant un étrange amalgame de sons musicaux, de voix humaines, bref un montage qui serait peut-être du goût d'un amateur de musique ultra-moderne... mais il n'y a personne...

Les portes coulissantes du placard s'ouvrent, se referment et continuent leur manège ; les vêtements accrochés aux cintres se balancent de plus en plus fort et certains d'entre eux tombent. Puis c'est au tour du lit d'entrer dans la danse, puis à la vitrine, où sont exposées neuf maquettes d'avions ; le meuble cogne le mur à plusieurs reprises si bien que petit à petit toutes les maquettes glissent des étagères.

Sur le mur, à gauche du lit, un poster de Willie Stargell se déchire par le milieu. Le sélecteur, dans sa course folle, s'est arrêté entre deux stations, l'on n'entend plus que sifflements ou grésillements et soudain éclate un cri qui se prolonge, la clameur angoissée d'un enfant, d'un garçon, une plainte qu'étouffe à nouveau le silence.

Le lit tressaute de plus en plus bruyamment et les portes se heurtent encore plus fort, d'autres objets se mettent à bouger, la pièce entière s'affole.

Et puis, plus rien. Le silence retombe cette fois définitivement, tout s'immobilise, il fait chaud à nouveau, les vitres se dégivrent.

Dehors le chat blanc est revenu et court après son bout de papier.

Deuxième Partie

Mercredi 31 décembre

10

Il était presque deux heures du matin, le mercredi, quand Tina rentra chez elle à l'issue de la réception. Elle se mit tout de suite au lit, épuisée et légèrement ivre, et elle tomba aussitôt dans un profond sommeil. Deux heures passèrent, paisibles, avant qu'un nouveau cauchemar ne l'assaillît.

Danny est au fond d'un gouffre dont il ne parvient pas à sortir. Elle entend sa petite voix angoissée qui l'appelle au secours, le gouffre s'enfonce si profondément dans la terre que le visage du petit est à peine visible, une minuscule tache claire qu'elle aperçoit en se penchant le plus qu'elle peut. Il voudrait désespérément sortir de là et elle donnerait sa vie pour pouvoir le hisser mais il est enchaîné et elle est totalement impuissante. A ce moment, sur le bord opposé, un homme tout de noir vêtu, dont la figure reste cachée dans l'ombre, commence à jeter des pelletées de terre sur l'enfant qui hurle de terreur : il va être enterré vivant. Tina crie en faisant de grands gestes pour que l'homme cesse immédiatement mais celui-ci n'en a cure ; elle contourne le gouffre pour l'empêcher par la force de continuer mais chaque fois qu'elle avance d'un pas, il recule d'autant et il se trouve toujours séparé d'elle par l'abîme gigantesque.

Pétrifiée, elle voit la terre monter progressivement des chevilles de Danny jusqu'aux genoux, puis aux hanches, à la taille ; il crie, il gémit... en vain ; à présent il en a jusqu'au menton et l'homme en noir poursuit sa sinistre besogne. Elle veut le tuer, lui fracasser le crâne avec sa propre pelle ; à l'instant où elle prend sa décision il se tourne vers elle et elle le voit de face, la peau collée aux os, une vraie tête de mort avec des yeux de braise très enfoncés dans leurs orbites creuses, et un rictus qui découvre des dents jaunâtres ; trois gros vers s'agglutinent sur sa joue gauche et d'autres au coin de l'œil. A la terreur d'assister au supplice de son fils s'ajoute la crainte de sa propre mort. Les cris aigus de l'enfant sont amortis par la terre qui commence à lui couvrir le visage, à lui entrer dans la bouche ; il faut absolument qu'elle le débarrasse de cette terre avant qu'il n'étouffe, aussi, sans hésiter, se jette-t-elle dans le gouffre et la chute est interminable...

De toutes ses forces, elle s'arracha au sommeil, haletante, frissonnante, les mains moites, les tempes glacées : l'homme noir devait être là, dans l'obscurité de la chambre, à l'épier. Le cœur battant elle tâtonna à la recherche de l'interrupteur de sa lampe de chevet, s'attendant à ce que d'une minute à l'autre une main de glace s'abattît sur la sienne. Elle alluma : Dieu soit loué, il n'y avait personne. « Seigneur ! » murmura-t-elle. Elle passa une main tremblante sur son visage mouillé de sueur et s'essuya aux draps.

Pour se calmer, elle eut recours à des exercices de respiration, mais elle tremblait de tous ses membres. Elle alla en titubant jusqu'à la salle de bains. Le miroir lui renvoya l'image d'une créature blême aux traits tirés. Elle avait la gorge desséchée, un goût âcre dans la bouche ; elle avala coup sur coup deux verres d'eau fraîche, et se recoucha en laissant la lumière mais, très vite, elle eut honte de se conduire en gamine et se força à éteindre ; l'obscurité lui semblait pleine de menaces, elle avait peur, en se rendormant, de retomber dans l'atroce cauchemar mais la raison lui disait qu'elle avait besoin de repos et que sa nuit — trois heures seulement — avait été bien trop courte ; depuis un bon mois, elle abusait de ses forces en les gaspillant sans les reconstituer ; et puis il fallait de toute urgence vider la chambre de Danny, elle était convaincue que, si elle avait le courage de mener à

bien cette tâche qui l'effrayait, les cauchemars ne hante-
raient plus ses nuits.

Elle se rappela les mots que par deux fois elle avait
effacés du tableau noir : PAS MORT. « Mon Dieu,
songea-t-elle, j'ai complètement oublié de rappeler Michael. » Il fallait qu'elle en eût le cœur net : s'était-il, oui
ou non, introduit clandestinement dans la maison en son
absence ? « Voyons, ce ne peut être que *lui*. »

Pourquoi ne pas rallumer et l'appeler tout de suite ?
Tant pis si elle le réveillait en sursaut : il en avait
suffisamment fait voir pour qu'elle n'eût aucun remords
de troubler son repos. Si elle comptait les nuits sans
sommeil qu'elle avait passées par sa faute... Oui, mais
elle ne se sentait pas en forme, elle était fatiguée, elle
avait un peu trop bu pour avoir les idées claires et elle ne
pourrait pas lui tenir tête si besoin était. Demain, elle
l'appellerait sans faute, elle serait plus d'attaque. Après
avoir bâillé tout son soûl, elle se pelotonna sur le côté et
se rendormit d'un sommeil sans rêve et réparateur, si
bien qu'elle s'éveilla à dix heures, fraîche et dispose,
réjouie du beau succès de la veille. Coup de téléphone à
Michael : il n'était pas chez lui ; s'il n'avait pas changé
d'horaire depuis six mois il ne reprendrait son travail
qu'à midi, elle tenterait de nouveau sa chance dans une
demi-heure.

Elle alla chercher le journal du matin sur le perron et
revint lire dans la cuisine un article dithyrambique du
critique des spectacles du *Review Journal* sur *Magyck !* Il
ne lui trouvait aucun défaut et se répandait en de tels
éloges que même seule dans sa cuisine elle se sentait un
peu embarrassée. Elle se contenta d'un petit déjeuner
léger : jus de pamplemousse et muffin à l'anglaise, et se
dirigea d'un pas délibéré vers la chambre de Danny. Elle
resta figée sur le seuil devant le spectacle qui s'offrait à
sa vue : un vrai désastre ; les maquettes jadis exposées
dans la vitrine gisaient sur le tapis, certaines brisées ; la
collection de livres brochés était tombée des rayons de la
bibliothèque et s'était éparpillée aux quatre coins de la
chambre, voisinant avec les petits pots de colle et de
peinture émaillée et les outils que Danny disposait si

soigneusement sur son bureau ; un poster représentant une de ses idoles de base-ball était déchiré en deux, les figurines de *La Guerre des étoiles* avaient basculé de l'étagère à la tête du lit, les portes du placard étaient grandes ouvertes et les vêtements semblaient avoir été jetés pêle-mêle par terre ; la table de jeu était culbutée et le chevalet renversé, le côté tableau noir contre le sol.

Bouillonnant de rage, Tina traversa lentement la pièce en faisant attention de ne pas marcher sur les débris. Elle redressa le chevalet et, non sans réticence, tourna le tableau noir vers elle. Pour la troisième fois, l'inscription à la craie lui creva les yeux.

PAS MORT

— Nom de nom ! cria-t-elle, hors d'elle. Vivian Neddler avait fait le ménage la veille au soir mais ce n'était vraiment pas son genre. Et s'il y avait déjà eu tout ce gâchis à son arrivée, elle se serait empressée de remettre la pièce en ordre et de nettoyer, elle aurait également laissé un mot pour mettre Tina au courant. L'intrus était forcément venu après le départ de Mrs Neddler.

Toujours furieuse, Tina inspecta fenêtres et portes : aucun signe d'effraction. Elle rappela Michael qui ne répondait toujours pas, raccrocha brutalement. Après avoir feuilleté les pages jaunes de l'annuaire à la recherche de publicités pour des serruriers, elle choisit la compagnie qui présentait la plus grande notice.

— Allô, ici la compagnie Anderlingen, serrures et installations de sécurité.

— Votre annonce publicitaire dans les pages jaunes garantit que vous pouvez envoyer un ouvrier dans l'heure pour changer les serrures.

— Il s'agit alors de notre service urgences, cela vous reviendra plus cher.

— Ça m'est égal.

— Je vous conseille plutôt de me donner votre nom, que j'inscrirai sur notre liste d'attente, et vous aurez une équipe à seize heures cet après-midi ou demain matin au plus tard ; c'est quarante pour cent moins cher que le service d'urgence.

— Des vandales se sont introduits chez moi cette nuit.

— Ah ! Dans quel monde vivons-nous !

— Ils m'ont esquinté des tas de choses.

— C'est désolant.

— C'est pour ça que je veux que mes serrures soient changées le plus vite possible.

— Je comprends.

— Et il me faut de bonnes serrures, les meilleures que vous ayez.

— Donnez-moi votre nom et votre adresse et je fais tout de suite le nécessaire.

Après son coup de fil, Tina retourna inspecter les dégâts et elle s'exclama : « Mike, que diable vas-tu me demander encore ? »

Qu'aurait-il répondu s'il avait été là ? Quelles excuses pouvait-il bien avancer ? Il fallait vraiment être cinglé pour arriver à faire ce genre de choses. « Quel affreux salaud, mais quel salaud ! » gémit-elle en crispant le poing.

11

Le mercredi après-midi, à 13 h 50, Tina arriva devant
le Grand Hôtel MGM et laissa sa VW aux bons soins du
préposé au parking. C'était un des hôtels les plus en
vogue de Las Vegas et, en ce dernier jour de l'année, il
était plein à craquer. Deux à trois mille personnes se
pressaient dans son casino plus vaste qu'un terrain de
football. Des centaines de joueurs s'agglutinaient autour
des tables de blackjack, jolies jeunes femmes, grand-
mères au doux visage, jeunes en jean et maillot de corps,
hommes accoutrés de tenues faussement décontractées
et néanmoins coûteuses, sans oublier les costumes trois-
pièces ; ils côtoyaient commerçants, docteurs, mécani-
ciens, secrétaires, avocats, toutes professions et toutes
nationalités mêlées ; on y trouvait des Américains de
l'Ouest, des citoyens de la côte Est, des touristes japo-
nais, quelques Français, une poignée d'Arabes ; tout ce
beau monde poussait de l'argent, des jetons, empochait
ses gains, serrait nerveusement les cartes sortant des
sabots et qu'on venait de distribuer ; chacun réagissait
selon son tempérament à la vue de son jeu, petits cris de
plaisir, grognements de dépit, sourires mélancoliques ; il
y en avait qui taquinaient le croupier en l'adjurant de
leur donner de meilleures cartes ; certains étaient sérieux
comme des papes, attentifs, silencieux, tels des hommes
d'affaires étudiant un plan d'investissement.

Derrière les joueurs, il y avait des curieux ou des gens

qui guettaient une place libre. Les joueurs de craps, eux, étaient en majorité des messieurs et ils manifestaient beaucoup plus bruyamment leurs sentiments que les passionnés de blackjack : ils hurlaient, grinçaient des dents, poussaient des hourras, gémissaient, gesticulaient, encourageaient celui qui jetait les dés, adressaient de volubiles supplications aux petits cubes d'os.

Du côté gauche de la salle étaient alignées les machines à sous, sur plusieurs rangées, brillamment éclairées par des ampoules multicolores. Les gens qui s'y consacraient faisaient plus de tapage que les joueurs de cartes mais moins que les amateurs de craps.

Sur la droite, au-delà des tables de craps, au centre, il y avait la table en marbre et cuivre réservée au baccara ; le banquier, le croupier, les surveillants étaient en smoking.

Partout se faufilaient les serveuses en tenue ultra-courte et ultra-décolletée révélant de longues jambes et bien d'autres appâts ; à les voir aller et venir dans tous les sens, on pensait à des navettes tissant un immense tapis où auraient été rassemblés sur une même trame tous ces groupes bariolés.

Tina joua des coudes pour se frayer un passage dans la foule qui obstruait la travée centrale et, presque instantanément, elle repéra Michael. Il était croupier à une des premières tables de blackjack où on ne jouait pas au-dessous de cinq dollars. Les sept places étaient occupées et Michael était tout sourire avec les joueurs, bavardant familièrement avec eux. Ce n'était pas le cas pour tous les croupiers mais d'après lui le temps passait plus vite ainsi. Comme on pouvait s'y attendre, il recevait plus de pourboires que les autres.

Il était mince, blond, les yeux presque aussi bleus que ceux de Tina et il ressemblait un peu à Robert Redford, presque trop beau garçon. Il était évident qu'avec lui les joueuses se montraient plus généreuses que les joueurs.

Quand elle attira son attention, sa réaction fut différente de ce qu'elle avait prévu : elle croyait qu'à sa vue il se rembrunirait ; au contraire son sourire se fit plus éclatant et son regard exprima un intense plaisir. Tout en parlant il continuait à battre les cartes.

70

— Salut, Tina, quelle bonne brise t'amène? Tu sais que tu es diablement en forme, très agréable à regarder.

Un peu désarçonnée par la chaleur de cet accueil à laquelle elle ne s'attendait pas, elle marmonna un vague « merci ».

— Ton sweater est rudement joli, je t'aime en bleu, c'est ta couleur, reprit-il.

Elle sourit, gênée, et dut faire effort pour se rappeler le pénible motif de sa visite.

— Ecoute, Michael, il faut absolument que je te parle.

— J'ai un moment de battement d'ici cinq minutes, dit-il en jetant un coup d'œil à sa montre.

— Où pouvons-nous nous retrouver?

— Attends donc ici, tu vas voir comme je vais me faire dévaliser par tous ces braves gens.

Les « braves gens » protestèrent et expliquèrent en chœur qu'on ne pouvait pas gagner avec un croupier de cette trempe.

Michael sourit et lança à Tina un clin d'œil complice mais elle lui opposa un visage rébarbatif. Ces cinq minutes lui semblèrent éternelles: elle supportait mal l'atmosphère des casinos; toute cette agitation plus ou moins factice, cette surexcitation, lui tapaient sur les nerfs. Dans cette gigantesque salle surpeuplée, le niveau sonore était tel qu'elle avait l'impression de voir le vacarme se transmuer en un brouillard jaune et humide qui l'envahissait par tous les pores: tintamarre des machines à sous qui sonnaient, sifflaient, bourdonnaient; pièces qui roulaient dans les plateaux métalliques et dont le bruit appâtait ceux qui cherchaient fortune; chocs répétés des petites boules d'ivoire qui valsaient dans les cuvettes des roulettes, musiques pop qu'exécutaient les cinq membres de l'orchestre installé sur une petite scène dans le bar et qu'une sono impitoyable déversait dans tous les coins et recoins du casino au grand dam des oreilles sensibles; sans oublier les noms des clients qu'on appelait au micro d'une voix tonitruante, les glaçons qu'on agitait dans les verres et les gens obligés de hausser le ton pour se faire entendre et qui semblaient parler tous à la fois.

Michael, immédiatement remplacé, sortit du secteur réservé au blackjack, se glissa dans la travée centrale et cria :

— Tu veux me parler ?

— Pas ici, on ne s'entend même pas penser.

— Descendons sous les arcades.

— D'accord.

Pour retrouver les escalators qui les conduiraient au niveau inférieur où se trouvaient les arcades et leurs divers magasins, il fallait traverser le casino dans toute sa longueur. Michael marchait en tête, jouant gentiment des coudes à travers la foule et Tina le suivait, sur ses talons. A mi-chemin ils s'arrêtèrent dans un espace dégagé : un homme gisait sur le dos, un homme d'un certain âge, vêtu d'un complet beige et d'une chemise marron ; il était inconscient ; derrière lui, un tabouret renversé, plusieurs centaines de dollars en jetons verts éparpillés tout autour. Deux agents de la sécurité en uniforme lui donnaient les premiers secours, lui dégrafaient son col, desserraient sa cravate beige à dessins, lui prenaient le pouls ; un troisième écartait les badauds.

— Une crise cardiaque, Pete ? demanda Michael.

— Tiens, salut, Mike ! J'crois pas que c'est le cœur, c'est comme qui dirait un blackout de blackjack plus un bon gros bingo pipi. Le pauvre gars est resté assis huit heures de rang, cartes en main, alors il est pas frais, pas étonnant qu'il ait tourné de l'œil, fit le nommé Pete, goguenard et visiblement content de ses jeux de mots.

Le bonhomme, toujours allongé, émit un grognement et ses yeux papillotèrent légèrement.

Michael se remit en marche en hochant la tête, le sourire aux lèvres. Enfin ils s'engagèrent sur l'escalator et Tina demanda :

— Qu'est-ce qu'il voulait dire avec ce « blackout de blackjack » ?

— Oh, répondit Michael qui en riait encore sous cape, je vais t'expliquer. Le type s'installe à sa table de jeu et il est tellement absorbé qu'il perd complètement la notion du temps ; entre parenthèses, c'est ce que désire la direction, et c'est pourquoi il n'y a jamais ni fenêtres ni pendules dans un casino. Mais il arrive de temps en temps que le joueur ne se rende plus compte de rien et continue partie sur partie comme un zombie ; par-dessus le marché il boit comme un trou et quand il se lève d'un bond, le sang fiche le camp de son cerveau et bang ! il tombe évanoui, d'où la fine plaisanterie.

— Je comprends.

— Ça arrive très souvent.

— Et le « bingo pipi »?

— Eh bien, il arrive aussi que le joueur soit tellement passionné qu'il se trouve dans une sorte de transe si bien qu'il ne se préoccupe plus du tout de ses besoins naturels, ce qui provoque un spasme de la vessie ; dans les cas sérieux, il est complètement bloqué et il faut en vitesse l'emmener à l'hôpital pour le sonder.

— Tu parles sérieusement ?

— Qu'est-ce que tu crois ?

Ils arrivèrent sous les arcades au milieu d'un flot de gens qui léchaient les vitrines des boutiques de souvenirs[1], galeries d'art, joailleries, prêt-à-porter et autres commerces de détail, mais il y avait tout de même moins de monde que là-haut.

— Je me demande où nous pourrions trouver un coin tranquille pour parler, dit Tina.

— Allons chez le glacier prendre des cônes glacés à la pistache, tu aimais bien ça dans le temps.

— Je n'ai pas envie de glace, Michael.

Elle n'éprouvait plus de colère et elle savait que si ça continuait comme ça elle ne saurait même plus pourquoi elle avait cherché à le voir. Il se donnait tant de mal pour être gentil, elle ne s'y attendait pas et ce n'était pas son genre de se comporter ainsi avec elle, ou plus exactement ce n'était pas le Michael qu'elle avait connu ces dernières années : il lui rappelait plutôt le mari attentionné et charmant des premiers temps de leur mariage... il y avait longtemps de cela...

— Pas de glace, répéta-t-elle, je veux simplement te parler.

— Peut-être que toi, ça ne te dit rien mais moi, j'ai

1. En français dans le texte.

diablement envie d'un cône à la pistache, je vais m'en acheter un et nous pourrons ensuite faire le tour du parking, il fait assez doux aujourd'hui.

— Tu as combien de temps devant toi?

— Vingt minutes, mais je suis très bien avec le banquier, il me couvrira si par hasard j'ai quelques instants de retard.

Le glacier se trouvait à l'autre bout, près du cinéma qui ne donnait que de vieux films de la MGM.

Michael, la sentant tendue, essaya de lui changer les idées en lui racontant de petites histoires amusantes sur les maladies dont sont affligés les habitués des casinos.

— Il y a ce que nous appelons dans notre jargon « l'attaque de jackpot ». Pendant des années et des années les types rentrent chez eux et racontent à qui veut les entendre qu'ils ont fait des gains mirifiques à Vegas, ils se prennent tous pour des gagneurs et quand un beau matin un de ces gars décroche vraiment la timbale, surtout aux machines à sous où ça vous tombe dessus sans prévenir, il en est si estomaqué qu'il s'évanouit illico ; tu sais, les crises cardiaques sont plus fréquentes devant les machines à sous qu'aux tables de jeu et arrivent le plus souvent à ceux qui ont gagné gros en un rien de temps.

« Je ne t'ai pas parlé encore du « syndrome de Vegas » : les gens sont tellement pris par le jeu, les spectacles, tout ce qu'offre notre chère cité en matière de distractions, qu'ils en oublient de manger de toute la journée et quelquefois plus longtemps, ça arrive aux femmes comme aux hommes et, quand ils réalisent qu'ils ont l'estomac dans les talons et qu'ils ont sauté des repas sans s'en rendre compte, ils s'envoient un gueuleton fantastique, le sang file du cerveau dans l'estomac et eux aussi tombent dans les pommes, en général au beau milieu du restaurant ; ce n'est pas grave, à moins qu'ils aient la bouche pleine et ne s'étouffent bel et bien.

« Celui qui m'amuse le plus, c'est ce que nous surnommons le « syndrome de distorsion temporelle » : Vegas est pour beaucoup de gens qui viennent de villes ou de campagnes où ils s'embêtent, une sorte de Disneyland pour adultes ; il y a tant à faire et à regarder, tant d'allées et venues, que leur rythme de vie habituel est totalement perturbé : ils se couchent à l'aube, ouvrent l'œil dans l'après-midi, ils ne savent plus quel jour on est. Quand leur excitation se calme un peu, ils vont à la réception pour régler leurs frais de séjour et s'aperçoivent que leur week-end de trois jours a en réalité duré cinq jours ; d'abord ils discutent ferme avec l'employé, ils croient qu'on les estampe et quand, pour les convaincre, on leur montre le calendrier ou le journal du jour, ils ont du mal à digérer le choc, ils avaient complètement perdu la notion du temps. C'est étrange, tu ne trouves pas ?

Il bavarda ainsi gaiement jusqu'à ce qu'il eût sa glace en main et ensuite ils allèrent à pied faire le tour du parking. Il faisait bon au soleil, l'hiver était doux.

— De quoi au juste voulais-tu me parler ?

Tina ne savait vraiment plus par où commencer. Son intention première avait été de lui lancer à la tête qu'il avait saccagé la chambre de Danny ; elle avait pensé qu'en étant brutale elle le désarçonnerait et qu'ainsi, même dans l'hypothèse où il aurait voulu lui cacher sa culpabilité, elle parviendrait à la lui faire dire par surprise. Mais à présent, si elle l'accusait méchamment alors qu'il venait de se montrer si amical, elle aurait l'air d'une abominable harpie et cela lui ferait perdre tout avantage sur lui. Finalement elle lança :

— Il s'est passé de drôles de choses à la maison ces derniers temps.

— Quel genre de choses ?

— Je crois que quelqu'un s'est introduit chez moi.

— Tu *crois* ?

— C'est-à-dire... j'en suis sûre.

— Quand ?

Elle pensa aux inscriptions sur le tableau noir.

— A trois reprises la semaine passée.

Il s'arrêta net et la regarda, effaré :

— A trois reprises ?

— Oui, la nuit dernière c'était la troisième fois.

— Et que dit la police ?

— Je ne l'ai pas prévenue.

— Sapristi, et pourquoi ?

— D'abord parce qu'on n'a rien volé.

— Quoi ? Tu me dis qu'on est venu trois fois chez toi sans rien prendre, ce n'est pas croyable !

S'il contrefaisait l'innocence, alors il avait des talents d'acteur jusqu'ici insoupçonnés. Mais, après toutes ces années de bonheur puis de malheur qu'ils avaient vécues ensemble, elle avait appris à bien le connaître et elle avait toujours su quand il lui mentait ; comme chez les enfants ça se voyait sur son visage. Cette fois elle ne décelait dans ses yeux aucune trace de culpabilité : il se posait simplement des questions, ce qui, en l'occurrence, était parfaitement compréhensible. Visiblement il n'était pas au courant des événements, et il n'y avait sans doute joué aucun rôle.

Mais alors… Si Michael n'était pour rien dans le saccage de la chambre de Danny, s'il n'avait pas écrit le PAS MORT sur le tableau noir, qui en était l'auteur ?

— Pourquoi s'introduirait-on chez toi pour ne rien prendre ? dit Michael après un instant de réflexion.

— J'ai pensé que c'était peut-être une manœuvre d'intimidation, une façon de me bouleverser, de me faire peur.

— Mais bon sang ! Qui voudrait t'effrayer et pour quelles raisons ? demanda-t-il, réellement soucieux.

Elle ne connaissait évidemment pas la réponse.

— Tu n'es pas le genre de femme à te faire des ennemis, je ne vois pas comment ce serait possible de te détester.

— Pourtant tu y es bien arrivé, toi, articula-t-elle péniblement sans pouvoir en dire plus.

Il cligna les yeux, stupéfait.

— Comment peux-tu dire une chose pareille, Tina ? Je ne t'ai jamais détestée, j'ai été déçu par la façon dont tu as changé, ça oui. J'étais en colère et blessé, je l'admets, j'ai ressenti une grande amertume, c'est exact, mais ça n'a jamais dégénéré en haine.

Tina soupira, elle était convaincue de l'innocence de Michael.

— Tina, qu'est-ce que tu as ? demanda-t-il avec douceur.

— Pardonne-moi de t'avoir ennuyé avec ça, je n'aurais pas dû, je ne sais pas ce qui m'est passé par la tête, il valait mieux appeler la police tout de suite.

Il l'observa un moment en silence, en léchant sa glace à petits coups de langue précautionneux, puis il dit en souriant :

— Je comprends, tu as du mal à parler franchement ; tu ne sais par quel bout commencer, alors tu es venue me raconter ta petite histoire.

— Mais, Michael, ce n'est pas du tout une « petite histoire » !

— Détends-toi, Tina, tout va bien.

— Mais enfin, je te dis que quelqu'un s'est introduit chez moi, c'est *vrai!*

— Je te comprends, je t'assure — et il la regarda avec un sourire un peu suffisant —, tu n'as vraiment pas besoin de t'inventer une excuse pour être venue me trouver.

D'un ton de grande personne parlant à un enfant, il poursuivit :

— Ne te casse pas la tête, sois tout à fait à l'aise avec moi, dis-moi carrément ce que tu as envie de me dire, je t'écoute, vas-y.

— Que veux-tu que je te dise ? lança-t-elle, perplexe.

— Notre mariage a déraillé les dernières années, mais au début et pendant un bon bout de temps c'était merveilleux, nous deux, avoue-le. On peut recommencer et, avec un peu de bonne volonté de part et d'autre, ça devrait marcher.

— Tu parles *sérieusement?* demanda-t-elle, interloquée.

— J'y pensais depuis quelques jours et, quand je t'ai vue entrer dans le casino, je me suis dit que mon intuition était la bonne et que les choses allaient tourner comme je l'avais prévu.

— Tu le crois *vraiment?*

— Bien sûr, dit-il, prenant la stupéfaction de Tina pour une surprise joyeuse, maintenant que tu as tenté ta chance comme metteur en scène, tu vas apprécier une existence plus tranquille, c'est la solution de bon sens, Tina.

« *Tenté ta chance,* répéta-t-elle in petto, suprêmement irritée : il ne comprendra donc jamais, il croit que je suis une pauvre écervelée qui passe d'un caprice à un autre, qui fait de la mise en scène par besoin d'un succès mondain. Quel prétentieux imbécile ! » Mais elle préféra ne pas riposter car, si elle ouvrait la bouche, ce serait pour lui lancer des injures à la tête.

— La vie c'est autre chose qu'une carrière, même époustouflante, poursuivit Michael d'un ton pontifiant. La vie au foyer, ce n'est pas rien... Le foyer, la famille, c'est une partie importante de la vie d'une femme, peut-être la plus importante. Ces derniers jours, lorsque la date de ta première approchait, je me disais que tu finirais par comprendre que tu avais besoin d'autres satisfactions sur le plan affectif que de monter des revues.

La dissolution de leur mariage était due en partie à l'ambition de Tina mais surtout à l'attitude infantile qu'il avait eue à son égard. Il était heureux d'être croupier, satisfait de son salaire et de ses bons pourboires. Cela lui suffisait, mais il n'en était pas de même pour elle : sans avoir d'ambitions démesurées, elle ne pouvait se contenter de vivoter. Devant ses efforts pour grimper dans la hiérarchie des gens du spectacle, passant du stade de danseuse à celui de chorégraphe, de coordinatrice de petites revues et enfin de metteur en scène, Michael avait manifesté son mécontentement parce que, disait-il, elle attachait trop d'importance à son métier au détriment de son foyer. Pourtant elle n'avait jamais négligé Michael ni Danny, voulant absolument éviter qu'ils se sentissent à la seconde place dans sa vie. « Danny a été merveilleux, songea-t-elle, il a parfaitement compris mes raisons mais Michael n'a pas pu ou pas voulu se mettre à ma place. »

Elle se rappela comment, peu à peu, à son irritation permanente contre elle s'était ajoutée de la jalousie. Il prenait ombrage de ses plus petits succès ; elle, de son côté, l'incitait à rechercher des responsabilités plus importantes dans les postes que pouvait offrir le casino, mais cela ne l'intéressait absolument pas, il devenait agressif, lui lançait des piques, des allusions blessantes. A l'occasion il la trompait. Ses réactions l'avaient étonnée au premier abord, décontenancée, puis choquée et profondément attristée. Pour rétablir des rapports harmonieux elle aurait dû renoncer à sa carrière et cela elle le refusait catégoriquement.

Elle avait finalement réalisé qu'il ne l'avait jamais aimée pour ce qu'elle était vraiment. Sans le lui exprimer par des mots, il le lui avait fait comprendre par son comportement. Celle qu'il avait adorée, c'était la girl, la danseuse, la jolie petite créature que les autres lui enviaient, la ravissante jeune femme qu'il promenait à son bras et qui flattait sa vanité de mâle. Aussi longtemps qu'elle était restée une simple danseuse, qu'elle lui avait consacré la plus grande partie de son existence et avait flatté son amour-propre, il n'avait eu aucun reproche à lui adresser mais, du jour où elle avait refusé de n'être qu'un simple objet sexuel, il s'était rebellé. Terriblement déçue par cette attitude, elle lui avait rendu sa liberté.

Et voilà qu'il imaginait à présent qu'elle allait lui revenir toute docile et repentante. C'était là ce qu'il s'était mis dans la tête et qui l'avait rendu si charmeur depuis tout à l'heure. Sa vanité dépassait en fait tout ce qu'elle avait pu imaginer. Elle le contempla dans sa chemise blanche que le soleil, en se réfléchissant sur les chromes des voitures, décorait de rayures brillantes, avec ce sourire supérieur qui la laissait de glace. Dire qu'autrefois elle avait aimé ce garçon ! Elle ne comprenait même plus comment cela avait été possible.

— Michael, au cas où tu ne le saurais pas, je te signale que *Magyck!* fait un tabac.

— Tu n'as pas besoin de me le dire, fillette, je le sais, j'en suis très heureux pour toi, pour toi *et* pour moi. Maintenant que tu as prouvé ce que tu avais besoin de prouver — à toi ou aux autres, je n'en sais rien —, tu peux souffler.

— Michael, j'ai l'intention de continuer à faire des mises en scène, c'est clair ?

— Oh, je ne m'attends pas à ce que tu laisses tomber,

s'écria-t-il d'un ton magnanime, non, bien sûr, c'est bon pour toi d'avoir une occupation, je m'en rends compte, mais avec un spectacle qui marche comme *Magyck!* tu vas pouvoir te reposer sur tes lauriers, ce ne sera plus pour toi une vie dingue comme avant.

— Michael…

Elle avait envie de lui dire qu'elle allait mettre une nouvelle revue en train très prochainement, qu'elle ne se souciait pas de s'en tenir à un seul succès et qu'elle avait même des visées sur New York et Broadway où le retour des revues musicales style Busby Berkeley serait accueilli avec enthousiasme. Mais il était tellement pris par sa vision unilatérale des choses et par l'avenir qu'il avait imaginé, qu'il ne lui laissait même pas le temps de parler.

— Tina, je sens que nous pouvons prendre un nouveau départ. Ce qui a si bien marché les premières années, pourquoi ça ne remarcherait pas maintenant? Nous sommes encore jeunes, nous pouvons encore avoir des enfants, deux garçons et deux filles, ça te dirait? Ça a toujours été mon rêve.

Elle profita d'une pause pendant laquelle il dégusta ce qui lui restait de glace pour s'écrier:

— Non, Michael, ça ne me convient pas du tout.

— Après tout, tu as sans doute raison, une famille nombreuse, ce n'est peut-être pas l'idéal de nos jours, avec l'inflation et toutes ces menaces de guerre dans le monde, mais nous avons de quoi élever convenablement deux gosses; si nous avons de la chance, un garçon et une fille. Evidemment on attendrait un an ou deux, je me rends compte qu'avec un spectacle de l'importance de *Magyck!* il y a toujours des choses à régler. Nous attendrons que tout soit bien rodé, qu'on n'ait plus besoin de toi et nous…

— Ça suffit, Michael! lança-t-elle sèchement.

Il tressaillit, étonné de son ton.

— Mets-toi bien ça dans la tête: je ne me sens pas du tout en manque affectif, je ne cours pas après une bonne petite vie familiale bien au chaud dans un cocon. Tu ne me connais pas mieux qu'au moment de notre divorce, c'est-à-dire que tu n'as vraiment aucune idée de ma vraie nature.

80

Il fronça les sourcils, son étonnement se muant en irritation.

— Je n'ai pas inventé une histoire de type qui serait venu chez moi juste pour te permettre de jouer à l'homme fort et digne de confiance chez qui une petite femelle terrifiée court se réfugier. Il se trouve que *réellement* on s'est introduit chez moi et que je suis venue parce que je pensais... Laisse tomber, ça n'a plus d'importance.

Sur ce elle tourna les talons et se dirigea d'un pas résolu vers l'hôtel. Mais Michael courut après elle :

— Attends-moi, Tina, voyons, attends-moi !

Elle se retourna et lui fit face.

— Pardonne-moi, j'ai tout bousillé. Seigneur, quel idiot je suis ! Je parle, je parle, et je ne t'ai pas laissée dire ce que tu voulais me dire. J'ai eu tort mais comprends-moi, j'étais si heureux, il fallait que ça sorte. Je sais que j'aurais *dû* t'écouter, pardonne-moi, je t'en prie, chérie.

Et, avec son bon sourire juvénile, il poursuivit :

— Ne te fâche pas, nous avons le même désir tous les deux, mener une vie familiale réussie, ne gâchons pas notre chance.

Elle le foudroya du regard et lança d'une voix coupante :

— Oui, je désire une vie familiale harmonieuse, ça c'est vrai, mais tu n'as rien compris pour tout le reste. Je ne veux pas être metteur en scène simplement par besoin d'une « occupation » comme tu dis, c'est trop bête ! Personne ne monte une revue pareille en amateur, figure-toi. Ça n'a rien d'une aimable distraction, ça a été un travail intense, épuisant mentalement et physiquement, mais une formidable expérience qui m'a passionnée de bout en bout. Avec l'aide de Dieu je suis prête à recommencer, autant de fois que ça me sera possible et je réussirai à monter des revues auprès desquelles *Magyck !* fera figure de parent pauvre, tu verras. Un jour peut-être je serai de nouveau mère et une sacrément bonne mère. Une bonne mère et un bon metteur en scène, j'ai assez d'intelligence et de talent pour être les deux à la fois. N'espère plus me cantonner dans les rôles que tu voulais me faire jouer : le charmant bibelot et la bonne ménagère... très peu pour moi.

— Attends un peu, Tina, laisse-moi parler s'il te plaît, cria Michael qui sentait la moutarde lui monter au nez.

Mais elle n'allait pas le laisser prendre la parole. Cela faisait des années que s'amassaient en elle griefs et amertume. Elle n'avait jamais voulu leur laisser libre cours ; d'abord parce qu'elle désirait avant tout que Danny fût tenu à l'écart de leurs différends : il ne fallait surtout pas le braquer contre son père. Ensuite, après la mort de l'enfant, elle aurait eu honte d'ajouter à la détresse de Michael. A présent, tout ce passé lui remontait à la gorge, la suffoquait : il fallait qu'elle s'en libérât. D'une voix altérée par la colère elle lui lança :

— Alors tu t'étais imaginé que je reviendrais ramper à tes pieds pour que tu me reprennes ? Mon pauvre Michael, qu'est ce que j'y gagnerais, dis-le-moi ? Ce que tu peux m'offrir, je n'aurais aucune peine à l'obtenir ailleurs. Tu n'as jamais été grand seigneur, tu donnes quand tu es sûr qu'on te le rendra au centuple. Au fond tu as un instinct de propriétaire et tu jettes le grappin sur tout ce qui te plaît. Avant que tu ne me gratifies d'un nouveau couplet sur le bonheur conjugal, laisse-moi te rafraîchir un tout petit peu la mémoire : ce n'est pas moi qui ai donné le coup de couteau dans notre contrat, ce n'est pas moi qui ai sauté de lit en lit, c'est toi qui t'es mis à baiser toutes les filles qui te tombaient sous la main et qui venais me raconter en détail tes jolies aventures pour me faire de la peine. C'est toi qui ne rentrais pas de la nuit, toi qui filais en week-end avec tes nanas. Tu veux que je te dise, Michael, tes week-ends avec tes poules me brisaient le cœur, c'est bien ce que tu escomptais, n'est-ce pas ? Tant mieux pour toi, mais as-tu jamais réfléchi à l'effet que ça pouvait produire sur Danny ? Si tu apprécies tant que ça la vie de famille, pourquoi n'as-tu pas profité de tes samedis et dimanches avec ton fils ?

— Je n'ai jamais été grand seigneur d'après toi ? Alors veux-tu me dire qui t'a donné la maison dans laquelle tu te prélasses ? Qui a dû se contenter d'un petit appartement tandis que toi tu restais tranquillement dans « notre » logis ?

Tina voyait les efforts désespérés qu'il faisait pour changer le cours de la conversation mais elle refusa de renoncer à ce qu'elle tenait à lui dire.

— Michael, Michael, encore un peu et tu vas me faire pleurer sur ton sort. Je t'en prie, un peu de sérieux, tu sais fichtrement bien que c'est moi qui ai versé la provision pour la maison sur mes gains à moi ; toi, tu as toujours préféré dépenser ton fric à t'acheter des bagnoles de luxe et des fringues ultra-chic. Chaque échéance, c'est moi qui l'ai réglée, tu le sais, et je n'ai jamais réclamé de pension alimentaire. D'ailleurs, tout ça est secondaire. Je te parlais de notre vie de famille et de Danny.

— Laisse-moi placer un mot, je te prie.

— Non, c'est à moi de parler. Après toutes ces années de silence, tu vas m'écouter... si tu sais ce que c'est que d'écouter. Si tu ne voulais pas rester avec moi pendant le week-end, tu pouvais emmener ton fils camper ou passer deux jours à Disneyland ou pêcher dans la Colorado River, je ne sais pas, moi, il ne manque pas de distractions par ici pour un jeune garçon ; mais non, tu ne pensais qu'à te pavaner avec tes conquêtes pour me peiner et te prouver quel don Juan tu étais. Tu aurais pu profiter de ton fils et tu lui as manqué, il ne comprenait pas que tu ne sois jamais là, oui, tu lui as manqué et toi tu as perdu le peu de temps que tu pouvais passer avec lui, un temps précieux que jamais plus tu ne retrouveras.

Michael, blême, tremblant de rage, lança d'une voix rauque :

— Et toi tu es toujours la même sale garce que par le passé. Tu ne changeras jamais.

Elle soupira et courba un peu le dos. Elle se sentait vidée mais l'impression n'était pas désagréable... comme si elle avait déversé tout le fiel qui l'empoisonnait depuis si longtemps.

— Oui, répéta Michael, la même sale pute qui me casse les couilles.

— Je ne veux pas qu'on se lance des injures à la tête et qu'on se fasse la guerre, Michael. Je regrette si je t'ai fait de la peine en te parlant de Danny, et pourtant Dieu sait que tu ne l'as pas volé, mais je n'ai aucune envie de te faire de la peine, je t'assure. Je ne te déteste plus, je ne sens plus rien ni pour ni contre toi.

Sur ce elle le laissa planté au soleil avec sa glace qui fondait et lui dégoulinait sur la main. Elle longea à nouveau les boutiques sous les arcades, prit l'escalator et retraversa la salle bondée du casino. Au volant de sa VW elle descendit la rampe de sortie du Grand Hôtel MGM. Au bout d'une centaine de mètres il lui fallut se garer sur le bas-côté car elle était aveuglée par les larmes, un flot de larmes brûlantes qui coulait, coulait, sans qu'elle pût ou voulût l'arrêter. Pourquoi ? Au début elle ne se posa même pas la question ; au bout d'un moment elle sut que c'était à cause de Danny, pauvre petit chéri qui avait à peine vécu, ce n'était pas juste. Elle pleurait également sur elle-même, sur ce qui aurait pu être et ne serait jamais plus.

Puis elle essaya de se contrôler, se sécha les yeux, se moucha en se gourmandant : « Ça suffit maintenant, ne te complais pas dans le drame, tu t'es assez soûlée de tristesse, regarde les choses du bon côté, tâche d'être un peu positive. Le passé n'a pas correspondu à tes rêves, c'est vrai, mais l'avenir a l'air plein de promesses, courage ! Fonce, fini les pleurnicheries ! »

Elle se regarda dans le rétroviseur et l'image qu'il lui renvoya lui fit plutôt plaisir : malgré cette crise de larmes elle n'avait pas les paupières trop bouffies, juste le coin de l'œil un peu rouge mais ça pouvait aller, une légère touche de rose, de poudre, pour colmater les dégâts et en avant. Elle redémarra pour rejoindre le Desert Mirage. Arrêtée à un feu rouge, elle réalisa tout à coup que l'énigme du saccage de la chambre de Danny n'était toujours pas élucidée. Elle était certaine que Michael n'y était pour rien, alors *qui* avait fait le coup ? Personne d'autre n'avait la clé. Il faudrait être un spécialiste des cambriolages pour pénétrer dans une maison sans laisser la moindre trace, et pourquoi ledit cambrioleur s'introduirait-il ainsi sans rien emporter ? Pourquoi se bornerait-il à écrire sur un tableau noir et à abîmer toutes les petites affaires d'un enfant mort ?

C'était d'une absurdité alarmante. Quand elle avait cru Michael coupable, elle en avait conçu un profond dégoût et du chagrin mais aucune frayeur. Par contre si c'était un *étranger* mû par la volonté expresse de la faire souffrir encore plus de la disparition de Danny, cela devenait angoissant comme tout ce qui est inexplicable. Et ce ne pouvait être qu'un inconnu. Dans ses relations personne ne l'avait rendue, même indirectement, responsable de ce drame ; seul Michael en avait rejeté la responsabilité sur elle.

Pourtant, plus elle y réfléchissait, plus ces inscriptions et ces destructions semblaient avoir été faites pour l'enfoncer dans la détresse et la culpabilité. Mais un inconnu, si inconnu il y avait, n'aurait aucune raison d'attacher de l'importance au décès du petit. Le feu vira au vert, une main impatiente klaxonna aussitôt derrière elle. Elle traversa le carrefour, pénétra dans l'avenue privée qui menait à l'hôtel, obsédée par la sensation terrifiante d'une présence qui l'espionnait avec malveillance. Un coup d'œil dans le rétroviseur la rassura : personne ne la suivait.

12

Le troisième étage de l'hôtel était occupé par les différents services de la direction et de l'administration ; là il n'y avait pas de poudre aux yeux, de faux brillant, de luxe tapageur, c'était le domaine des activités sérieuses, du travail intensif : la base solide sur laquelle reposait l'édifice où les touristes prenaient du bon temps, où les joueurs couraient après les gros gains.

Tina jouissait d'un beau bureau aux proportions harmonieuses, au mobilier confortable. Un éclairage tamisé mettait en valeur les boiseries d'acajou sombre ; des rideaux lie-de-vin, suffisamment épais pour la protéger de la lumière crue du soleil, drapaient les fenêtres qui donnaient sur le Strip de Las Vegas. La nuit, c'était un spectacle hors du commun que cette rue, semblable à une rivière de feu, avec ses néons scintillants, rouges, bleus, verts, jaunes, violets, ses enseignes géantes dominant la chaussée du haut de quatre ou cinq étages, ses milliers et milliers de tubes incandescents, d'ampoules multicolores, s'allumant, s'éteignant, formant des noms d'hôtels, des dessins contrôlés par ordinateur, bref une dépense d'énergie formidable mais créatrice d'une certaine forme de beauté.

En plein jour, c'était plutôt la laideur qui triomphait ; la lumière éblouissante du soleil révélait l'architecture disgracieuse des buildings et malgré les milliards de dollars que le Strip représentait, cela avait une allure un peu toc. De toute façon Tina n'avait rien à en faire, elle était rarement dans son bureau le soir, et quand elle y était les rideaux restaient tirés. Cet après-midi aussi ils étaient fermés, plongeant la pièce dans la pénombre ; penchée sur sa table de travail sobrement éclairée, elle étudiait un devis de menuiserie pour certains des décors de *Magyck !* lorsque Angela, sa secrétaire, entra demander si elle avait besoin de quoi que ce fût avant qu'elle ne s'en allât.

— Mais il n'est que quinze heures quarante-cinq, fit Tina, étonnée de ce départ prématuré.

— Je sais, mais on nous a permis de partir à seize heures parce que c'est la veille du Jour de l'An.

— Je suis bête, bien sûr ! Je ne pensais plus du tout que c'était fête.

— Si vous avez besoin de moi, je peux rester plus longtemps.

— Jamais de la vie, partez comme tout le monde.

— Vous n'avez vraiment rien à me donner à faire ?

— Juste un petit détail, expliqua Tina en se carrant dans son fauteuil. Plusieurs de nos clients habituels n'ont pu se libérer pour la générale de *Magyck !* Je voudrais que vous cherchiez leurs noms sur l'ordinateur, plus la liste des anniversaires de mariage de ceux qui sont mariés.

— D'accord, qu'avez-vous dans l'idée ?

— Eh bien, j'ai l'intention d'envoyer des invitations spéciales aux couples en leur demandant de venir fêter leur anniversaire de mariage au Desert Mirage, où on leur offrira gîte et couvert pour deux à trois jours. L'invitation pourrait être libellée de la façon suivante : « Venez passer la nuit magique de votre anniversaire dans l'univers magique de *Magyck !* » ou quelque chose dans ce goût-là... le plus romantique possible. On servira du champagne pendant le spectacle, on ne lésinera sur rien, je pense que ce serait une bonne publicité pour la revue ! « Le Desert Mirage, l'endroit de rêve, l'endroit *Magyck !* pour les amoureux », conclut-elle en prenant un ton emphatique.

— L'hôtel peut vous être reconnaissant, ça lui fait une fameuse publicité dans les médias.

— Le casino aussi nous devra une fière chandelle. Le séjour que nous offrons s'ajoutera à ceux que les habitués se programment dans l'année, un petit « plus » pour les enragés des tables de jeu et des machines à sous. Et moi je serai contente aussi car ça fera parler davantage de notre spectacle.

— Bravo! Je vais de ce pas câliner l'ordinateur.

Tina, restée seule, se pencha à nouveau sur son devis. Au bout d'une minute elle entendit le crépitement accéléré de l'imprimante dans le bureau contigu et à 15 h 55 tapantes, Angela apporta les renseignements demandés inscrits sur une feuille de quatre mètres cinquante de long pliée en accordéon.

— Merci, Angela.

— De rien.

— Vous avez l'air d'avoir froid?

— Oui, ce doit être un caprice du climatiseur, pendant que je sortais les informations il faisait vraiment frisquet dans mon bureau.

Pourtant il fait bon ici.

— Alors ce doit être une impression personnelle. Bon, je m'en vais.

— Vous avez des réjouissances en perspective?

— Oui, plus tard dans la soirée, un réveillon au Rancho Circle.

— Oh, oh! le coin des résidences ultra-chic pour millionnaires?

— Oui! je suis invitée à une grande fiesta... C'est le patron de mon compagnon qui habite par là. Bonne et heureuse année, Tina!

— Tous mes meilleurs vœux aussi, Angela.

— A lundi?

— Lundi? Ah oui, je ne pensais plus que nous avions un week-end de quatre jours. Attention à la gueule de bois!

— Ça, c'est sûr que je n'y échapperai pas! Bah, il faut bien fêter le changement d'année!

Tina acheva son étude du devis et le signa. Elle posa son stylo et resta pensive sous son halo de lumière dorée, environnée d'ombres. Elle bâilla. Encore une heure à passer ici, puis elle retournerait à la maison, vers dix-sept heures : il lui faudrait deux bonnes heures pour se faire belle avant le rendez-vous avec Elliot Stryker. Elle sourit en pensant à lui, puis reprit le listing qu'Angela lui avait apporté, contente de pouvoir mettre au point son projet.

Stupéfiante, la quantité d'informations que l'hôtel possédait concernant ses bons clients ! L'ordinateur pouvait la renseigner sur ce qu'ils gagnaient par an, sur leur marque préférée d'alcool, sur les fleurs et le parfum favoris de leur épouse, la marque de leur auto, l'âge et les noms des enfants, l'état de leur santé, leurs mets et couleurs préférés, leurs goûts musicaux, leur affiliation à tel au tel parti politique, etc. Des centaines et des centaines de renseignements, importants ou futiles. Mieux l'hôtel connaissait ses clients, mieux il savait leur donner satisfaction et plus sûrement il s'assurrait de leur fidélité. Tina se demanda si ces clients qu'on voulait gâter à tout prix seraient contents de savoir que le Desert Mirage possédait de si gros dossiers sur chacun d'eux.

Elle passa en revue les noms de ceux qui n'avaient pu assister à la générale et elle entoura d'un cercle au crayon rouge les noms accompagnés de dates d'anniversaires. Il fallait qu'elle se fît une idée de la promotion qu'elle devait mettre sur pied. Elle avait compté vingt-deux noms quand elle vit un message incroyable inséré dans le listing. Son cœur cessa de battre. Elle avait peine à respirer tant elle se sentait oppressée. Les yeux exorbités elle lut le message et une affreuse peur se lova en elle, lui donnant des sueurs froides. Entre deux noms s'étaient glissées cinq lignes qui n'avaient rien à voir avec le reste des données :

PAS MORT
PAS MORT
PAS MORT
PAS MORT
PAS MORT

Ses mains qui tremblaient imprimaient à la feuille de papier d'étranges soubresauts. D'abord à la maison, dans la chambre de Danny, maintenant ici au bureau. Qui donc voulait la rendre folle? Angela? Non, hypothèse absurde. Angela était une fille adorable, incapable d'une pareille cruauté. Elle n'avait pas remarqué ce passage insolite parce qu'elle ne se trouvait pas devant la machine et qu'ensuite elle avait replié la feuille sans la relire. En admettant même — ce qui était proprement impensable — qu'elle fût l'auteur de ce message, ce n'était pas elle qui avait pu s'introduire l'autre nuit dans la maison avec l'expérience d'un cambrioleur patenté.

Tina déplia la feuille pour voir si le sinistre farceur avait encore fait des siennes et elle découvrit à la suite de vingt-six autres noms ces mots en lettres capitales :

DANNY VIVANT
DANNY VIVANT
AU SECOURS
AU SECOURS
AIDE MOI

Le cœur de Tina n'était plus paralysé, il battait violemment, à toute force, à toute vitesse, comme un marteau-pilon. Elle prit conscience qu'elle était absolument seule au troisième étage. Elle pensa au hideux personnage de son cauchemar, l'homme en noir au visage mangé de vers, et l'ombre dans laquelle son bureau était plongé lui sembla plus épaisse, plus menaçante que tout à l'heure.

Elle se leva, laissant la feuille se déplier sur toute sa longueur pour pouvoir déchiffrer ce qui était écrit le plus vite possible. Quarante noms puis :

J'AI PEUR
J'AI PEUR
SORS-MOI DE LA
SORS-MOI DE LA
JE T'EN PRIE, JE T'EN SUPPLIE
AU SECOURS, AU SECOURS, AU SECOURS

Ensuite tout le reste était normal. Elle se précipita dans le bureau d'Angela, alluma, s'assit sur la chaise devant la machine à écrire, puis devant le clavier du terminal et mit en marche l'ordinateur. L'écran prit sa luminosité verte. Dans le tiroir central du bureau elle trouva le livre où étaient consignés les codes qui permettaient au programmeur de retirer les informations dont il avait besoin des banques de mémoire situées à l'autre extrémité du bâtiment. Elle chercha jusqu'à ce qu'elle y trouvât le code qui lui fournirait la liste des meilleurs clients de l'hôtel : 1001012, code « Privil », c'est-à dire « clients privilégiés », euphémisme pour signifier les « gros perdants » à qui on ne faisait pas régler les frais de séjour quand ils venaient de laisser une petite fortune au casino.

Elle tapa son numéro personnel d'accès au terminal : EO133, 31555. Car la plupart des renseignements sur la clientèle étaient confidentiels et les concurrents du Desert Mirage auraient été trop contents de pouvoir les pirater. Après un instant d'hésitation l'ordinateur réclama son nom. Elle le tapa et la connexion se fit entre son nom et son numéro de code, puis, quand apparut CLEARED[1] sur l'écran, elle tapa le numéro de code des « Privil » ; la machine répondit PROCEED[2]. Elle essuya sur son pantalon ses doigts moites et tapa sa demande, c'est-à-dire, comme Angela tout à l'heure, les noms et adresses des VIP qui n'avaient pu venir assister à la générale de *Magyk!*, ainsi que les dates d'anniversaires de mariage des conjoints. Toutes ces informations apparurent sur l'écran et furent en même temps inscrites sur le rouleau de papier de l'imprimante. Vingt, quarante, soixante noms, soixante-dix même, s'inscrivirent sans que le message alarmant survînt. Tina attendit le centième avant de conclure que le message sur Danny n'avait été programmé qu'une seule fois lors de sa première demande de renseignements. Elle tapa la touche : CANCEL[3]. La machine s'arrêta, les mots s'évanouirent de l'écran, seule subsista la luminosité verte.

Deux heures plutôt elle croyait que seul un étranger était le coupable, mais comment un étranger aurait-il pu aussi aisément pénétrer non seulement dans sa maison

1. « Autorisé » (accès à la banque de données).
2. « Continuer ».
3. « Abandon ».

mais dans l'ordinateur de l'hôtel ? Il s'agissait plus probablement de quelqu'un qu'elle connaissait.

Mais qui ?

Pourquoi ?

Qui donc pouvait lui porter une telle haine ?

La terreur, tel un serpent, se lovait au plus profond d'elle-même et déroulait ses anneaux glacés. Elle frissonna. Ce n'était pas seulement la peur qui lui envoyait dans tout le corps ces ondes frigorifiantes, elle avait froid parce que la pièce s'était singulièrement refroidie... Elle se souvint de ce qu'Angela lui avait dit ; sur le moment elle n'y avait pas attaché d'importance. Pourtant la température était normale quand elle était venue se servir de l'ordinateur et maintenant il faisait nettement froid. Comment le thermomètre avait-il pu descendre aussi vite en si peu de temps ? Elle prêta l'oreille mais n'entendit pas le murmure du conditionneur d'air. N'empêche qu'il faisait de plus en plus froid.

Un bruit sec la fit sursauter. C'était l'ordinateur, qui, sans être sollicité, recommençait à fournir des données ; elle entendit crépiter l'imprimante et elle vit ces mots passer sur l'écran :

PAS MORT PAS MORT
PAS MORT PAS MORT
PAS SOUS TERRE
PAS MORT
SORS-MOI DE LA
SORS-MOI DE LA DE LA DE LA

Silence, plus rien ne s'inscrivit. Seconde après seconde la température chutait, le thermomètre devait pratiquement indiquer le zéro... à moins que ce ne fût un tour de son imagination affolée. Elle avait l'impression qu'elle n'était plus seule dans cette pièce. « Je deviens cinglée », se dit-elle. L'homme en noir ? Elle savait que c'était une vision cauchemardesque, irréelle. Elle n'en avait pas moins la chair de poule comme s'il allait la toucher, cet homme aux orbites creuses, aux yeux de braise, au rictus découvrant des chicots jaunis. Il allait allonger une main visqueuse... Elle jeta un regard apeuré tout autour d'elle ; la pièce était absolument déserte.

— Voyons, tu n'es plus une gamine qui a peur dans le noir, se dit-elle à voix haute, pour se rassurer, tu es stupide, cet horrible bonhomme n'existe pas.

Elle avait toujours cette sensation d'une présence invisible. Elle ne voulait pas regarder l'écran mais elle était invinciblement poussée à y poser les yeux. Les mots effrayants y flamboyaient encore, puis ils disparurent.

Elle parvint à desserrer un tout petit peu l'étau de crainte qui l'emprisonnait et elle posa les doigts sur le clavier. Elle allait demander qui avait introduit ces données mystérieuses. Etait-ce une disquette? Etait-ce quelqu'un qui juste quelques secondes auparavant les avait tapées dans un autre terminal quelque part dans les bureaux? S'il ne s'agissait pas d'une disquette — et elle avait l'intuition que l'auteur de cette abominable farce se trouvait à présent dans le bâtiment —, alors ce fils de pute devait être au troisième étage, il faudrait se précipiter à sa recherche, le pincer avant qu'il eût eu le temps de s'échapper. Elle se voyait suivant le long, l'interminable couloir, ouvrant toutes les portes, inspectant les bureaux silencieux et déserts jusqu'à ce qu'elle le vît, lui, assis devant une console. Il se tournerait vers elle, surpris d'avoir été débusqué... et elle découvrirait enfin son visage.

Qu'arriverait-il alors? La tuerait-il? Peut-être ne se contenterait-il plus de lui faire peur et aurait-il l'intention d'aller plus loin et de la supprimer purement et simplement... Voilà un aspect de la question auquel elle n'avait pas encore songé. Elle hésita. Allait-elle poser les questions à l'ordinateur? C'était sans doute une démarche inutile et qui risquait de dévoiler sa présence à quiconque serait installé devant une autre console. Après tout, s'il était vraiment au troisième, il était parfaitement au courant de sa présence dans son propre bureau, elle n'avait donc rien à perdre. Mais la machine ne lui laissa pas la possibilité de taper sa question et démarra en lançant un message de sa composition. Si interlocuteur il y avait, ou bien il ne voulait pas engager le dialogue ou il ne savait pas manipuler convenablement l'appareil.

Il faisait de plus en plus froid.

Sur l'écran apparurent de nouveaux signaux de détresse :

J'AI FROID. J'AI MAL
MAMAN ? TU M'ENTENDS ?
J'AI SI FROID
J'AI SI MAL
SORS-MOI DE LA
JE T'EN SUPPLIE T'EN SUPPLIE T'EN SUPPLIE
PAS MORT PAS MORT

Au bout d'une seconde les mots disparurent de l'écran. Elle tenta de poser des questions mais on aurait dit que le clavier était gelé. Elle sentait une présence ; plus le froid augmentait, plus devenait obsédant ce voisinage invisible.

Comment pouvait-il faire de plus en plus froid sans que fût mis en marche le conditionneur d'air ? L'inconnu, Mr X, était peut-être capable de manipuler un ordinateur, mais de quel pouvoir disposait-il sur la température pour la faire varier aussi fort et aussi rapidement ?

Quand le message précédent réapparut sur l'écran, Tina coupa le circuit. Ce n'était plus supportable. Mais, au moment où elle se levait, l'appareil se remit en marche tout seul :

J'AI FROID. J'AI MAL
SORS-MOI DE LA
JE T'EN SUPPLIE T'EN SUPPLIE T'EN SUPPLIE

— Te sortir d'où ? hurla-t-elle. De la *tombe ?*

SORS-MOI SORS-MOI SORS-MOI

Elle s'aperçut avec stupeur qu'elle s'était adressée à la machine comme si ç'avait été Danny mais ce n'était pas Danny, il ne savait pas se servir d'un ordinateur.

— Enfin je suis bonne pour l'asile, finit-elle par crier, *Danny est mort,* mort, mort !

Elle coupa l'appareil, qui se remit en marche immédiatement. Elle fondit en larmes: elle perdait la tête, c'était le bouquet! Comment ce sacré ordinateur pouvait-il se mettre en marche *tout seul?* Elle contourna le bureau en courant, se cogna rudement la hanche et, au moment où de plus en plus frénétiques les mots paraissaient sur l'écran:

SORS-MOI DE LA
SORS-MOI VITE VITE VITE

Elle se baissa devant la prise murale et tira sur les deux fils électriques qui alimentaient le terminal: un gros câble et un fil normal. Elle eut l'impression d'avoir en main deux serpents qui se trémoussaient et voulaient lui échapper, mais elle tira de toutes ses forces et... tout s'éteignit.

Très vite la pièce se réchauffa.

— Merci, mon Dieu! fit-elle d'une voix chevrotante et elle voulut aller s'asseoir car ses jambes cotonneuses la soutenaient à peine.

Elle fit un pas, quand soudain la porte du couloir s'ouvrit. Elle poussa un cri de terreur, s'attendant à voir surgir *l'homme en noir.* Elliot Stryker parut sur le seuil, très surpris de ce cri. Elle fut d'abord rassurée en le reconnaissant.

— Tina, qu'y a-t-il? Vous êtes pâle comme une morte!

Elle était sur le point de courir vers lui, mais se ravisa: il venait peut-être tout droit d'un autre terminal au troisième... Etait-ce lui l'homme qui la martyrisait?

— Tina, vous ne vous sentez pas dans votre assiette? Que se passe-t-il? Dites-le-moi.

— Ne bougez pas, je vous prie.

Il s'immobilisa, perplexe.

— Que faites-vous ici? demanda-t-elle d'une petite voix tremblotante.

— Ma foi, j'étais à l'hôtel pour affaire, je me suis dit que vous étiez peut-être encore dans votre bureau et je suis venu vous dire un petit bonjour, expliqua-t-il calmement, mais passablement étonné de cet accueil étrange.

— Vous étiez en train de manipuler un autre ordinateur? Parlez franchement.

96

— Comment? Je ne comprends absolument pas où vous voulez en venir, dit-il, l'air de plus en plus ébahi.

— Que faisiez-vous au troisième? Qui étiez-vous venu voir? Il n'y a personne d'autre que moi à cet étage.

Chez Elliot l'agacement commençait à l'emporter sur la stupéfaction, et il déclara en haussant un peu le ton:

— Je n'avais aucune affaire à régler au troisième. J'avais rendez-vous avec Charlie Mainway. Nous avons pris un café au restaurant, notre entretien s'est terminé il y a deux minutes et, comme je vous l'ai déjà expliqué, j'étais monté voir si vous étiez encore au travail. Je ne vois pas ce que ça a de surprenant ou d'inquiétant. Expliquez-moi ce qui ne va pas, Tina, je vous en prie.

Elle le fixa intensément.

Il reprit plus doucement:

— Parlez, Tina, qu'y a-t-il?

Elle scrutait son visage à la recherche de signes d'insincérité mais sa perplexité n'était pas feinte et s'il lui racontait des histoires, il n'aurait pas parlé de ce rendez-vous, facile à vérifier, avec Charlie Mainway; s'il avait eu besoin d'un alibi, il en aurait inventé un plus astucieux. Il disait la vérité, elle en était convaincue et elle balbutia:

— Pardonnez-moi, je n'ai pas ma tête à moi, je viens de vivre une série de… phénomènes si… étranges.

— Quel genre de phénomènes, Tina?

Il s'approcha en lui tendant les bras comme si c'était la chose la plus naturelle du monde que de la serrer sur son cœur pour la consoler, la réconforter, comme si ce n'était pas la première fois qu'il l'étreignait. Et elle se blottit contre lui avec le même abandon, la même confiance. Désormais elle n'était plus seule.

13

Tina avait dans un coin de son bureau un bar bien approvisionné pour le cas — il est vrai peu fréquent — où un collaborateur aurait eu besoin d'un drink après une longue séance de travail. C'était la première fois qu'elle y avait recours pour elle-même. Sur sa demande Elliot versa du Rémy Martin dans deux gobelets et lui en tendit un. Elle eut de la peine à le saisir tant sa main tremblait.

Ils prirent place sur le divan beige en retrait de la lumière. Maintenant qu'elle avait un compagnon, l'ombre lui semblait apaisante ; elle n'en avait plus peur, mais elle fut obligée de tenir à deux mains son gobelet car elle ne parvenait pas encore à maîtriser ses tremblements.

— Je ne sais par quel bout commencer. Je pense qu'il faut que je vous parle de Danny. Avez-vous su ce qui lui était arrivé ?

— Danny ? Votre fils ?

— Oui.

— Helen Mainway m'a dit qu'il était mort il y a un peu plus d'un an.

— Vous a-t-elle dit comment ça lui était arrivé ?

— Non.

— Il faisait partie du groupe Jaborski.

Comprenant à sa mimique que ce nom ne lui disait rien, elle reprit :

— Je suis certaine que vous en avez entendu parler.

Ça a fait la une du *Review Journal* pendant au moins quatre ou cinq jours. Bill Jaborski était un spécialiste des raids en pleine nature et également un chef scout. Chaque année, il emmenait un groupe de scouts au nord, au-delà de Reno, dans les High Sierras, pour une expédition de survie de sept jours.

— Ah oui, je m'en souviens maintenant, fit Elliot d'un air peiné.

— Cela passait pour une excellente expérience, le meilleur moyen de forger un caractère, et tout au long de l'année il y avait, grâce à cette perspective, une émulation folle entre les garçons, chacun rêvant d'être choisi pour faire partie de l'élite des participants. Aucun danger, nous disait-on, la plus grande sécurité était garantie par la valeur des chefs et de l'organisation : en effet Bill Jaborski faisait partie des dix meilleurs spécialistes mondiaux de ces expéditions hivernales de survie et Tom Lincoln, son assistant, aussi. Enfin on les prétendait remarquables l'un et l'autre, dit-elle en insistant avec une grande amertume sur le « prétendait ».

— Si j'ai bonne mémoire, ça faisait des années et des années qu'ils emmenaient des gosses en montagne et les ramenaient sans la moindre égratignure.

Tina avala une gorgée de cognac. C'était agréable au goût mais ne parvenait pas à réchauffer ce petit bloc de glace qui lui pesait sur l'estomac, qui lui gelait le cœur.

— L'an dernier, Jaborski a choisi quatorze garçons entre douze et dix-huit ans ; tous d'excellents éléments, n'empêche que le groupe entier a péri, ainsi que les deux chefs.

— Les autorités ont-elles pu savoir ce qui s'était passé, les raisons de l'accident ?

— On a su *comment* ça s'était passé. Ils sont partis dans un minibus à quatre roues motrices conçu tout exprès pour la conduite d'hiver sur de mauvais chemins de campagne : gros pneus, chaînes, chasse-neige à l'avant. Ils n'étaient pas censés explorer des régions franchement sauvages, simplement celles qui sont en lisière. Personne ne serait assez fou pour emmener des gosses de douze ans en plein cœur des Sierras, même s'ils

100

ont suivi la meilleure préparation, l'entraînement le plus rude, même s'ils possèdent le meilleur des matériels et les chefs les plus spécialisés. Jaborski avait prévu de quitter la grand-route et d'emprunter une vieille piste de bûcherons, de faire en minibus deux kilomètres environ ou un peu plus dans la forêt et de partir ensuite pour une marche de trois jours avec les chaussures ad hoc et des sacs à dos : une sorte de circuit autour de l'endroit où serait laissé le véhicule, pour y revenir à la fin de la semaine. Et, encore une fois, leur équipement était remarquable, les meilleurs blousons, des sacs de couchage doublés du duvet le plus chaud, un matériel de camping extra, du charbon de bois et autres moyens de chauffage en quantité, des aliments de choix... plus les deux spécialistes. Que rêver de mieux ? Rien à craindre, sécurité parfaite. Combien de fois m'a-t-on rebattu les oreilles avec ce refrain !

Ne pouvant plus tenir en place, elle se leva et se mit à arpenter le bureau en buvant une gorgée de cognac de temps à autre. Elliot écoutait sans mot dire, sachant qu'elle avait besoin pour se calmer de raconter ce drame sans en omettre le moindre détail. Pourtant il se rappelait tout à présent et elle ne lui apprenait rien.

— Il faut croire que, malgré tout, quelque chose a dû sacrément foirer dans cette belle organisation, car ils ont conduit le minibus à *plus* de six kilomètres de la grand-route et ils ont gravi, toujours en bus, une piste terriblement *raide*, abandonnée depuis longtemps, pleine d'ornières, sur de la neige glacée, au milieu des nuages... dans des conditions telles que le premier imbécile venu aurait pensé à descendre et à continuer à pied. Ce qui devait arriver est arrivé : le bus a basculé (elle poursuivit son récit avec peine, d'une voix entrecoupée) et a fait une chute d'une trentaine de mètres, sur des rochers déchiquetés. Le réservoir à essence a explosé, la voiture s'est ouverte en deux comme une boîte de conserve, a roulé encore trente mètres dans les arbres. Tous les occupants tués. Personne n'en a réchappé. Dites-moi, fit-elle en fixant Elliot de ses yeux exorbités, comprenez-vous comment un type comme Bill Jaborski a pu commettre une faute pareille ?

Elliot, toujours assis sur le divan, secoua la tête, le regard rivé sur son cognac. Elle n'attendait pas de lui qu'il donnât une réponse. Ce n'était pas à lui qu'elle s'adressait. En fait, s'il y avait quelqu'un à qui elle voulait poser carrément la question, c'était à Dieu.

— Comment, mais comment a-t-il pu se lancer dans une pareille folie, lui, un as, lui qui pendant quatorze ans a emmené ses garçons dans les Sierras, un exploit dont beaucoup d'autres spécialistes en raids de toutes sortes ne se sentiraient pas capables ? Lui, si chic type, si astucieux, si courageux, mais sans témérité, avec un très grand sens des dangers à éviter, des imprudences à ne pas commettre. Comment a-t-il pu risquer la vie des enfants qui lui étaient confiés, et la sienne, sur un chemin pareil, dans des conditions impossibles ?

Elliot posa sur Tina un regard plein de bonté, de chaleur.

— Tina, vous n'aurez sans doute jamais la réponse et je comprends à quel point c'est dur pour vous de vivre avec ce terrible point d'interrogation.

— Oh oui, c'est dur à un degré que vous ne pouvez imaginer.

Elle retourna s'asseoir à côté de lui. Il la débarrassa de son verre : elle ne s'était même pas rendu compte qu'elle avait tout bu. Il alla prendre la bouteille sur le bar.

— Non, non, pas pour moi, je ne veux pas me soûler.

— Ne dites donc pas de bêtises, avec toute cette dépense d'énergie nerveuse, deux petits verres de cognac ne vous feront aucun mal, croyez-moi.

Cette fois-ci elle réussit à tenir son gobelet d'une seule main.

— Merci, Elliot.

— Du moment que vous ne me réclamez pas un cocktail sophistiqué... Je suis le pire barman qui soit. Le mélange le plus simple me dépasse complètement. Ne me demandez même pas de verser de la vodka dans du jus d'orange : j'ignore les bonnes proportions.

— Ce n'était pas pour le cognac que je vous remerciais, Elliot, mais parce que vous avez su m'écouter attentivement. Ce n'est pas donné à tout le monde de savoir écouter et vous, vous êtes rudement doué pour ça... Tant pis pour les cocktails!

— La plupart des avocats sont d'incorrigibles bavards... J'étais encore à l'Ecole de Droit que je l'avais déjà remarqué. Peut-être veulent-ils tout le temps s'entraîner pour être en forme devant la cour? Moi, j'ai décidé très tôt d'être un avocat qui saurait écouter et, au fur et à mesure que les années passent, je m'aperçois que grâce à cela je travaille mieux pour mes clients, car en les laissant parler j'apprends à bien les connaître.

Pendant un moment ils burent en silence, plongés chacun dans leurs pensées. Tina était encore tendue mais elle ne souffrait plus de ce froid intérieur.

— Perdre un enfant, et de cette manière-là, reprit-il, ce doit être une douleur intolérable. Malgré l'année qui a passé depuis, je suis sûr que vous avez à peine appris à vivre sans lui. Je ne crois pourtant pas que ce soit les souvenirs que vous avez ruminés cet après-midi qui aient pu vous mettre dans un état pareil. Dites-moi ce qui vous a bouleversée à ce point.

— D'une certaine façon c'était à cause de lui.

— Vous voulez m'en parler?

Elle lui raconta tout, tous les phénomènes étranges survenus dans sa vie ces derniers temps : messages à la craie sur le tableau noir, saccage de la chambre de Danny, et ces affreuses phrases sur l'écran de l'ordinateur.

Il contrôla avec elle la longue liste de noms, ils examinèrent de concert l'ordinateur installé dans le bureau d'Angela, ils le rebranchèrent et tentèrent de lui faire répéter les messages antérieurs. Peine perdue, tout se passa le plus normalement du monde.

— Quelqu'un aurait pu programmer de manière à ce que l'ordinateur sorte ces choses sur Danny, mais je ne vois pas comment on pourrait le faire démarrer seul, fit remarquer l'avocat.

— N'empêche que c'est ce qui s'est produit.

— Je ne mets pas une minute en doute ce que vous me dites, simplement je ne comprends pas.

— Quelqu'un aurait pu s'introduire ici la nuit et bricoler l'appareil.

— Ça me paraît tiré par les cheveux, non?

— Pas plus que tout le reste.

— Et cette subite baisse de température dont vous m'avez parlé?

— Eh bien?

— Comment aurait-il pu la provoquer?

— Je n'en sais rien.

— Et quel intérêt cela a-t-il pour lui? (Tina haussa les épaules. Comment répondre à ces questions?) Je veux dire, même s'il a trouvé le moyen de modifier le fonctionnement du climatiseur, à quoi ça rime?

— Mon pauvre Elliot, comment voulez-vous que je le sache?

— Pensez-vous que ce puisse être un changement subjectif?

— Ce qui signifie que je l'aurais bel et bien imaginé?

— Quand on a peur, on peut très bien...

— Non, ça n'a rien de subjectif, dit-elle en lui coupant la parole. Angela l'a remarqué quand elle a sorti la liste de noms la première fois, avec le passage inséré sur Danny. Elle m'en a fait part; que nous ayons été *deux* à imaginer qu'il faisait très froid tout à coup me semble peu vraisemblable.

— Oui, vous avez raison.

Il resta un bon moment à fixer l'ordinateur de ses yeux si noirs, l'air profondément méditatif, puis il dit brusquement:

— Venez, retournons dans votre bureau, j'y ai laissé la bouteille de cognac, j'en ai besoin pour m'éclaircir les idées.

Elle le suivit dans la pièce contiguë. Il prit son gobelet posé sur la table basse devant le divan et alla s'asseoir sur le bord du bureau de Tina.

— Qui peut avoir l'intention de vous torturer comme ça?

— Je n'en ai pas la moindre idée.

— Vous devez bien avoir un soupçon?

— J'aimerais pouvoir vous dire oui mais non, c'est le vide total.

— C'est apparemment quelqu'un qui ne vous porte pas dans son cœur, même s'il n'en est pas encore venu à vous haïr. Un mystificateur ordinaire ne se donnerait pas un mal pareil. Je croirais plutôt que la personne en question — homme *ou* femme — rejette sur vous la responsabilité de la mort de Danny qu'elle ressent comme une perte personnelle ; donc ça ne doit pas être un inconnu.

Tina était tout à fait d'accord avec cette analyse de la situation. Elle était arrivée à la même conclusion, mais c'était l'impasse. En faisant les cent pas, elle expliqua à Elliot :

— Je deviens folle, j'ai d'abord pensé comme vous et puis je me suis dit que dans mon entourage je ne connaissais personne capable de me faire ce genre de choses, donc que le coupable ne pouvait être qu'un *étranger*. C'est vrai : il n'y a que Michael qui rejette sur moi une partie de la responsabilité de la mort de Danny.

— Michael, c'est votre ex-mari ?

— Oui.

— Et il vous en veut de la mort de son fils ?

— Oui, il dit que je n'aurais jamais dû le laisser partir avec Jaborski ; cela dit, Michael n'est pour rien dans cette horrible histoire.

— Je ne suis pas de votre avis, il me paraît un coupable tout désigné.

— Non.

— Vous en êtes sûre ?

— Absolument.

— Il me semble que vous auriez besoin de l'aide d'un professionnel qui saurait peut-être l'épingler en flagrant délit.

— La police ?

— Non, je ne crois pas qu'elle serait efficace dans un cas pareil. D'abord les policiers penseraient qu'il s'agit d'une affaire trop peu sérieuse pour qu'ils s'en mêlent. Vous n'avez reçu aucune menace...

— Il y a une menace implicite à la base de tous ces phénomènes.

— Oui, tout ça fait peur, j'en conviens, mais vous savez aussi bien que moi combien les flics sont terre à terre : il leur en faut plus pour se déranger. Pour surveiller valablement votre maison, il faudrait plus d'hommes qu'ils n'en ont à leur disposition habituellement, sauf dans les cas de meurtres, kidnappings ou affaires de drogue.

— Alors que vouliez-vous dire en parlant de « l'aide d'un professionnel »?

— Je pensais à un détective privé.

— Ça fait un peu mélo, non?

— Et la personne qui s'acharne contre vous? Vous ne trouvez pas qu'elle dépasse tout ce qu'on peut voir dans les pires mélos? Ça fera jeu égal, déclara-t-il un peu sèchement.

Tina soupira et finit par se rasseoir sur le bord du divan. Elle but une gorgée de cognac pour se donner du courage.

— Qui sait? hasarda-t-elle. Si j'embauche un privé, c'est peut-être moi qu'il finira par pincer.

— Quoi? Qu'est-ce que vous racontez?

Elle but une nouvelle gorgée pour arriver à exprimer ce qui lui était venu tout à coup à l'esprit. Elliot avait eu raison de lui dire qu'un peu de cognac ne la soûlerait pas. Elle était juste un peu plus détendue que tout à l'heure, mais pas du tout ivre.

— Je veux dire que c'est peut-être moi qui ai écrit sur le tableau noir et saccagé la chambre...

— Je ne vous suis plus du tout.

— J'ai pu le faire dans un accès de somnambulisme.

— Ne dites pas d'absurdités, voyons!

— Ce n'est pas si absurde que ça. En septembre dernier, j'ai cru que je commençais à me remettre. Je dormais beaucoup mieux, je ne passais plus mon temps à penser à lui dès que je me retrouvais seule, comme avant, et j'ai cru que le pire était passé. Mais, il y a un mois, j'ai recommencé à faire des cauchemars au sujet de Danny: deux fois la première semaine, quatre fois la seconde et les deux dernières semaines tous les jours sans exception. Et ils deviennent de plus en plus effrayants.

Elliot descendit du bureau où il s'était à nouveau juché et vint s'asseoir à ses côtés. Il demanda avec douceur:

— Quel genre de cauchemars?

— Eh bien, je rêve qu'il est pris au piège quelque part, au fond d'un gouffre ou d'une gorge ou d'un puits, en tout cas dans la terre. Il m'appelle au secours, me demande de le sauver, mais je ne peux pas. Je ne parviens jamais à l'atteindre et la terre commence à se refermer sur lui. Je me réveille en poussant des hurlements, trempée de sueur. Et je... j'ai la forte intuition, une sorte de certitude comme en ont les médiums, qu'il n'est pas mort. Ça ne dure pas longtemps, mais quand je m'éveille, je suis sûre et certaine qu'il est vivant. Vous comprenez: rationnellement je sais qu'il est mort mais, quand je suis la proie de mon subconscient, je suis certaine du contraire.

— Et, donc, vous pensez que votre subconscient peut vous faire faire des choses, comme dans un accès de somnambulisme: vous pousser à exprimer par des gribouillages à la craie votre refus de la mort de votre fils?

— Ça vous semble impossible?

— Non. Je ne suis pas très versé en psychologie mais c'est une explication possible; par contre, dans ce cas particulier, je n'y crois pas. Je ne vous connais pas encore très bien, mais assez pour penser que vous n'êtes pas femme à réagir de cette façon. Vous affrontez les problèmes carrément. Si vous éprouviez une réelle impossibilité à accepter sa mort, vous ne la refouleriez pas dans votre subconscient; vous apprendriez à vivre avec.

— Vous vous faites peut-être une trop haute opinion de moi, fit-elle en souriant.

— Non, je crois que je vous juge telle que vous êtes. Et puis, en admettant que vous ayez écrit sur le tableau et abîmé ses affaires, ce serait vous aussi qui pendant la nuit seriez venue à l'hôtel pour programmer l'ordinateur, etc.? Vous croyez vraiment que vous seriez capable de cela sans vous en souvenir par la suite? Ce serait un véritable dédoublement de personnalité. Seriez-vous schizophrène par hasard?

Elle s'affala contre les coussins et murmura un « non » à peine audible.

— J'aime mieux ça!

— Tous ces beaux raisonnements ne nous mènent nulle part.

— Mais si, nous progressons.

— Vous trouvez ?

— Bien sûr, nous éliminons des possibilités. Vous voyez : vous venez d'être rayée de la liste des suspects, Michael également, et de mon côté je suis certain qu'il ne s'agit pas d'un étranger, ce qui élimine pas mal de gens.

— Et moi je suis tout aussi certaine que ce n'est ni un ami ni un parent, alors qui reste en lice ? Le savez-vous ?

— Qui ?

Tina posa son gobelet et se prit la tête dans les mains. Elle resta prostrée un bon moment.

— Tina ?

— J'essaie de formuler le mieux possible l'idée qui m'est venue, une idée insensée, grotesque, peut-être pathologique. Maintenant que vous m'avez convaincue que je ne vais pas me mettre à baver, à écumer, j'ai peur de dire quelque chose qui risque de vous faire douter de ma santé mentale.

— Allons, Tina, je n'aurai jamais aucun doute à cet égard, parlez sans crainte.

Elle hésita, se demandant si elle croyait suffisamment à cette éventualité pour lui donner forme, si elle n'allait pas lui paraître absurde quand elle l'aurait exprimée à haute voix. Une possibilité si ténue... Enfin, prenant son courage à deux mains, elle plongea :

— Je me demande si Danny n'est pas *vivant*.

Elliot se pencha vers elle, scruta son visage :

— Vivant ?

— Je n'ai jamais vu son corps.

— Comment cela se fait-il ?

— Le coroner et l'entrepreneur des Pompes funèbres ont dit qu'il était horriblement mutilé et défiguré par l'accident et le froid. Ils ont pensé qu'il valait mieux que ni Michael ni moi ne le voyions. Même s'il n'avait pas été défiguré, nous n'aurions pas eu un besoin éperdu de le revoir. Nous avons suivi leur conseil et la mise en bière a eu lieu sans nous.

— Comment les autorités ont-elles pu identifier le corps ?

— On nous a demandé des photos de Danny mais on s'est surtout servi de son dossier dentaire, je crois.

— Je sais que c'est presque aussi significatif que les empreintes digitales.

— Presque, mais il est possible que Danny n'ait pas été tué dans l'accident, qu'il y ait survécu, que quelqu'un sache où il se trouve et essaie de me prévenir. Il n'y a peut-être pas de menace cachée derrière tous ces phénomènes étranges, simplement une suite de suggestions pour me faire comprendre petit à petit qu'il est vivant.

— Trop de points d'interrogation...

— Qui sait?

Elliot lui posa la main sur l'épaule et la pressa avec douceur.

— Tina, vous savez bien que cette hypothèse ne tient pas debout et que Danny n'est plus.

— Vous voyez, vous me croyez *folle*.

— Absolument pas, mais sa mort vous a profondément perturbée, ce qui est tout à fait normal. Qui ne le serait à votre place?

— Vous ne retenez même pas la possibilité qu'il soit vivant?

— Comment serait-ce possible?

— Je ne sais pas.

— Comment aurait-il pu survivre à l'accident horrible que vous m'avez décrit?

— Je n'en sais rien.

— Et... s'il n'est pas... dans la tombe, où aurait-il passé tout ce temps?

— Comment voulez-vous que je le sache?

— S'il était en vie, poursuivit posément Elliot, quelqu'un viendrait tout simplement vous avertir. Pourquoi tous ces mystères?

— Oui, peut-être.

Se doutant qu'il était déçu de sa réponse, elle baissa les yeux et contempla ses poings, crispés si fort que les phalanges en étaient toutes blanches. Elliot, avec douceur, lui prit le menton et tourna vers lui son visage. Son beau regard si expressif était plein de sollicitude. Il ne renonçait pas à la convaincre:

— Tina, vous savez bien qu'il n'y a pas de « peut-être ». Si Danny était en vie et qu'on veuille vous en avertir, on le ferait plus normalement sans avoir recours à ces moyens dramatiques. Il me semble que cela va de soi. Ce n'est pas votre avis ?

— Peut-être bien...

— Danny est mort.

Elle ne répondit rien. Il poursuivit :

— Si vous vous mettez dans la tête qu'il est vivant, vous vous préparez une affreuse désillusion.

— Vous avez raison, finit-elle par dire après l'avoir regardé droit dans les yeux pendant quelques minutes.

— Danny n'est plus.

— Oui, fit-elle d'une voix altérée.

— Vous en êtes vraiment convaincue ?

— Oui, murmura-t-elle dans un soupir.

— Bon.

Tina se leva vivement du divan et alla tirer les rideaux. Il lui fallait absolument reprendre contact avec l'animation du Strip, retrouver le mouvement, le rythme effréné, l'agitation des vivants après cette longue conversation tournant autour de la mort : bien qu'il ne fût pas très beau à voir sous le dur soleil du désert, on y sentait jour et nuit bouillonner la vie. D'ailleurs le crépuscule hivernal commençait déjà à descendre et partout les néons se mettaient à scintiller ; des centaines d'autos défilaient sur le boulevard ; leur lenteur due aux embouteillages contrastait avec le pas rapide des piétons qui se rendaient d'un casino à l'autre, d'un spectacle à l'autre, d'un bar à l'autre. Les chauffeurs de taxis, cherchant la moindre occasion de se faufiler, s'attiraient des concerts de klaxons ou d'imprécations.

Tina se tint un bon moment postée à la fenêtre puis elle se retourna vers Elliot.

— Vous savez ce que j'ai envie de faire ?

— Non, dites-le-moi.

— Je veux qu'on rouvre la tombe.

— Vous voulez que le corps soit exhumé ?

— Oui, pour la bonne raison que je ne l'ai jamais vu, comme je viens de vous l'expliquer : c'est la raison pour laquelle j'ai tant de mal à me persuader qu'il est parti pour de bon, je crois que c'est la cause de mes cauchemars. Si j'avais vu le corps, mon subconscient n'aurait pas le moindre motif de m'inspirer ces hypothèses fantaisistes sur Danny.

— Vous avez pensé à l'état du corps ?

— Tant pis !

Elliot fit la moue, il n'avait pas l'air convaincu que ce fût la bonne solution. Il objecta :

— Tina, vous rendez-vous compte que même dans un cercueil étanche, ce sera un spectacle encore bien pire qu'il y a un an quand on vous avait recommandé de ne pas le voir ?

— Il faut que je le voie.

— Alors vous vous condamnez à éprouver un affreux...

— Un terrible choc, dit-elle vivement en lui coupant la parole. Je sais ; c'est ce que je veux : un traitement-choc, le plus brutal qui soit, qui balaiera mes derniers doutes. Oui, si je vois les pauvres restes de... mon fils, il n'y aura plus de doutes en moi, conscients ou inconscients, je serai obligée de m'incliner devant la réalité : je pense, grâce à cela, être délivrée de mes cauchemars en série.

— A moins que cela n'ait l'effet contraire et qu'ils soient encore plus terrifiants.

— Rien ne peut être plus effrayant que ceux qui me hantent ces temps-ci, rétorqua-t-elle en hochant la tête.

— De toute façon l'exhumation ne résoudra pas votre énigme majeure : quel est le sinistre individu qui ne cesse de vous harceler de mille et une façons ?

— Qu'en savez-vous ? Ce « sinistre individu », quelle que soit son identité, est un déséquilibré, un malade, on ne sait jamais avec ce genre de types quel événement peut les pousser à se démasquer. Il peut réagir violemment à l'exhumation et révéler qui il est. Tout est possible dans cet ordre d'idées.

— Après tout, vous avez peut-être raison, conclut Elliot après un moment de réflexion.

— Comprenez-moi, Elliot, même si après l'exhumation je n'en sais pas plus en ce qui concerne mon « psychopathe », au moins je serai fixée au sujet de Danny et psychologiquement je serai plus d'attaque pour affronter l'autre problème. Tout joue en faveur de ma décision mais, dit-elle en revenant s'asseoir à côté de lui, il me faut un avocat pour ça, n'est-ce pas ?

— Pour l'exhumation, oui, un avocat peut vous faciliter les choses.

— Acceptez-vous de vous en charger pour moi ?

— Oui, fit-il sans l'ombre d'une hésitation.

— Est-ce qu'à votre avis ça représente une grosse difficulté ?

— Evidemment, je ne peux arguer d'un motif urgent au point de vue de la loi. Je veux dire qu'il n'y a aucun doute sur la cause de la mort, pas de jugement à prononcer à la suite d'un nouveau rapport du coroner. Si telle était la situation, le permis d'exhumer nous serait très vite accordé, mais, dans votre cas, je ne pense pas que ce sera très compliqué. Je ferai jouer la détresse d'une mère et la cour est sensible à ce genre d'argument.

— Vous avez déjà eu entre les mains une affaire semblable ?

— Oui, il y a cinq ans ; une petite fille de huit ans était morte subitement — et d'une façon imprévisible — d'une maladie rénale congénitale. En une nuit les deux reins avaient pratiquement cessé de fonctionner. L'avant-veille elle semblait en pleine santé, la veille on croyait à une légère attaque de grippe et le troisième jour elle mourait. Sa mère était si bouleversée qu'elle n'avait pu voir son enfant dans son cercueil — et pourtant la fillette n'avait subi aucun dommage physique apparent —, elle n'avait même pas pu assister au service funèbre. Quinze jours après elle s'est fait des remords de ne pas lui avoir rendu les derniers devoirs.

Tina, se rappelant sa terrible épreuve, dit :

— Oh oui, j'imagine ce qu'elle a dû ressentir, la malheureuse !

— Le sentiment de culpabilité a dégénéré en troubles émotionnels plus sérieux. Parce qu'elle n'avait pas vu de ses yeux le corps de sa fille dans la chambre funèbre, elle

112

ne parvenait pas à croire que la petite fût vraiment morte. Son incapacité à accepter la réalité était bien plus prononcée que la vôtre. Elle était tout le temps dans un état d'hystérie proche de la véritable dépression nerveuse. J'ai obtenu la réouverture de la tombe et, quand j'ai étudié la façon de présenter ma requête, j'ai découvert dans ma documentation que la réaction de ma cliente était tout à fait typique de ce genre de situation. Apparemment, quand un enfant meurt, la pire chose que les parents puissent faire c'est de refuser de le voir dans son cercueil. Il faut passer un certain temps avec le défunt pour être en mesure d'accepter de ne jamais le revoir vivant.

— Votre cliente a-t-elle été mieux après l'exhumation ? Est-ce que cela l'a aidée à vivre plus normalement ?

— Oh oui ! Ses problèmes émotionnels ont disparu progressivement par la suite.

— Vous voyez, je ne vous le fais pas dire.

— N'oubliez pas que le corps n'était pas mutilé et que la tombe a été rouverte deux mois après, alors que pour Danny cela fera un an. Les conditions seront bien différentes.

— J'en ai parfaitement conscience, Dieu sait que je l'appréhende, mais je suis absolument convaincue qu'il faut y passer.

— C'est entendu, je m'en charge.

— Combien de temps croyez-vous que ça prendra ?

— Votre mari fera-t-il opposition ?

— Oui, il y a des chances, répondit-elle se rappelant le visage haineux de Michael quand elle l'avait quitté quelques heures plus tôt.

Elliot emporta les verres vides jusqu'au petit bar, et alluma le plafonnier.

— Si votre mari doit nous créer des complications, il faut agir vite et discrètement. Avec un peu d'habileté de notre part, il ne saura rien avant que l'exhumation ne soit un fait accompli. Demain est jour férié. Nous ne pouvons rien faire officiellement avant vendredi.

— Vous oubliez qu'il y a un week-end de quatre jours.

Elliot prit le détergent-vaisselle et le torchon rangés sous le petit évier et lava les verres tout en expliquant :

— Oui, normalement je vous aurais dit qu'il faut patienter jusqu'à lundi mais il se trouve que je connais un juge très avisé, Harold Kennebeck. Nous avons servi ensemble au Deuxième Bureau, il était mon supérieur et...

— Vous étiez espion ?

— Non, pas du tout le genre de type qu'on voit dans les romans ou dans les films. Vous m'imaginez déjà en trench-coat, rôdant furtivement dans des ruelles obscures ou aux aguets, caché dans l'ombre d'une porte cochère ?

— Oui, cela évoque pour moi le gars costaud, expert en karaté et qui a toujours sur lui ses capsules de cyanure pour le cas où...

— C'est vrai que nous avons suivi un sérieux entraînement dans les arts martiaux. J'en fais encore deux fois par semaine, c'est un bon moyen pour se maintenir en forme, mais à part ça je vous garantis que ça n'a rien à voir avec les films de James Bond, les mitrailleuses cachées dans les autos, etc. Aucune trace de romantisme, un travail tout ce qu'il y a de plus prosaïque et terre à terre, croyez-moi.

— J'ai tendance à croire au contraire que ça a dû être bien plus... passionnant que vous ne voulez l'avouer.

— Pas du tout. Analyse de documents, interprétation des photos envoyées par les satellites de reconnaissance, vous voyez le genre. Atrocement enquiquinant — si j'ose m'exprimer ainsi — la plupart du temps. Pour en revenir à ce qui nous occupe, Kennebeck et moi nous nous connaissons depuis un sacré bout de temps. Nous avons beaucoup d'estime et de respect l'un pour l'autre et je suis sûr qu'il fera l'impossible pour me rendre service. Je dois le voir demain après-midi à une réception de Nouvel An et je lui en parlerai. Peut-être acceptera-t-il de passer au palais de justice le peu de temps nécessaire pour accueillir ma requête d'exhumation et décider de lui donner suite, cela ne lui prendra que quelques minutes et nous permettrait de procéder à

114

l'ouverture de la fombe dès les premières heures de la matinée de samedi.

Tina vint se jucher sur un tabouret face au comptoir derrière lequel Elliot lavait consciencieusement les verres.

— Le plus tôt sera le mieux, déclara-t-elle. Maintenant que ma décision est prise, j'ai hâte que cela se fasse.

— Je vous comprends et je vois un intérêt supplémentaire à ce que cela puisse avoir lieu pendant le week-end : ainsi nous avons plus de chances d'y procéder à l'insu de Michael et, si par le plus grand des hasards il en avait vent, il lui faudrait trouver un autre juge qui accepterait, primo, de siéger et secundo, d'annuler la décision de Kennebeck.

— Vous croyez que ça lui serait possible ?

— Non, c'est pourquoi je veux agir très vite. Il y aura peu de juges disponibles pendant les fêtes. Ceux qui seront en fonction seront assaillis d'affaires concernant des gens ayant conduit en état d'ivresse ou des agressions également commises par des soûlards. Plus vraisemblablement Michael ne pourra en joindre un que lundi matin, ce qui, je l'espère, sera trop tard pour nous faire obstacle.

— Quel faux jeton !

— Vous ne saviez pas que c'est mon second prénom ? demanda-t-il en manipulant le gobelet sous l'eau chaude avant de le poser sur l'égouttoir.

— Bravo, Elliot-faux-jeton-Stryker !

— A votre service.

— Je suis enchantée de vous avoir choisi comme avocat.

— Ne vous félicitez pas trop tôt de la sagesse de votre choix. Il vaut mieux attendre que nous ayons gagné notre pari.

— Je suis sûre que vous réussirez, vous êtes le genre de type qui doit réussir à tout coup.

— Bigre, vous vous faites des illusions, ma pauvre Tina.

— Non, je vous juge tel que vous êtes, dit-elle, répétant sans peut-être s'en rendre compte le compliment qu'il lui avait fait tout à l'heure.

Ils rirent de bon cœur, le premier rire depuis qu'il était entré dans son bureau et l'atmosphère en fut singulièrement allégée... comme si tous ces propos sur la mort, la peur, la folie et la douleur, étaient soudain repoussés dans un lointain passé et laissaient place à un brin de bonheur. Ils avaient envie de souffler, de prendre un peu de bon temps et ils s'y préparaient.

— Vous vous en tirez vraiment bien, déclara Tina en voyant Elliot poser le second gobelet sur l'égouttoir.

— Pour la vaisselle, ça va, mais il ne faudrait pas me demander de laver les carreaux.

— J'aime qu'un homme puisse se débrouiller dans les besognes domestiques.

— Que diriez-vous si vous me voyiez cuisiner !

— Vous savez faire la cuisine ?

— Comme un chef !

— Quelle est votre spécialité ?

— N'importe quel plat ! Je réussis tout.

— Dites-moi, la modestie n'est pas votre fort.

— Un grand chef ne peut pas être modeste, il doit être absolument sûr de ses talents s'il veut réussir ses plats.

— Et si vous me concoctez quelque chose que je n'aime pas du tout ?

— Pas de problème, j'avalerai de grand appétit votre portion et la mienne.

— Et moi dans tout ça ?

— Vous vous rongerez les foies...

Elle partit d'un grand éclat de rire. Comme c'était bon après tant de mois de chagrin. Et ce qui était encore meilleur, c'était de passer la soirée avec un homme aussi séduisant.

Elliot rangea soigneusement le liquide-vaisselle et la lavette, s'essuya les mains et proposa à Tina de venir dîner chez lui au lieu d'aller au restaurant.

— Vous pouvez improviser un repas comme ça, à la dernière minute ? dit Tina admirative.

— Oh ! il ne me faut pas des heures pour préparer un bon petit repas, n'oubliez pas que vous avez affaire à un expert en art culinaire, et puis vous pourrez exécuter les basses besognes comme d'éplucher les légumes et hacher les oignons.

Pour le taquiner, elle fit semblant d'hésiter :

— Dites-moi d'abord où vous aviez décidé de m'emmener. Je me laisserai peut-être tenter si c'est un restaurant réputé.

— J'avais pensé à une boîte minuscule mais extra : « Chez Battista ». Je connais bien le patron. Il nous ferait une de ses spécialités tout exprès.

— Mmm, fit Tina la mine gourmande. C'est le restaurant qui a la meilleure réputation de tout Las Vegas ; ça m'étonnerait que votre cuisine soit à la hauteur.

— Eh bien ! moi je prétends que je peux vous servir de mirifiques fettucine dignes d'Alfredo.

— Oui, mais je sais que Battista chante certains soirs pour ses clients. Je ne voudrais pas manquer ça pour un empire. Il a une voix extraordinaire.

— Vous ne m'avez jamais entendu siffler. Je me suis laissé dire que j'avais un son absolument céleste.

— Battista chantc des airs d'opéra et je raffole de l'opéra.

— Moi je siffle tout ce que vous voulez, choisissez un air.

— Lequel savez-vous ?

Elliot s'humecta les lèvres, prit son souffle et siffla avec force l'air bien connu de « Vesti la guibba » tiré de *Pagliacci*.

— Aïe, aïe, pitié, mes pauvres oreilles !

— Mes talents culinaires sont supérieurs à mes dons musicaux.

— Je l'espère bien !

— Si vous ne venez pas dîner chez moi, je vais continuer à siffler. Cette fois ce sera un air de *Turandot*.

— Surtout pas, de grâce, dit Tina en pouffant. J'adore *Turandot*.

— Vous connaissez mes conditions, choisissez, déclara-t-il en roulant des yeux féroces.

— Tout plutôt que de vous entendre massacrer de si beaux airs.

— Hourra ! Venez vite, dit-il en lui tendant la main.

— Il faudrait que je retourne à la maison me refaire une beauté.

— Non, non, pas la peine, vous êtes déjà trop belle pour moi.

— Et ma voiture?

— Prenez-la, vous me suivrez.

14

Elliot Stryker habitait une grande maison agréable qui donnait sur le terrain de golf du Country Club de Las Vegas. Les pièces en étaient chaudes, accueillantes ; la tonalité générale de la décoration, d'un brun châtaigne, mettait en valeur le mobilier signé Henredon, marié à des meubles anciens de valeur et disposé sur de précieux tapis de chez Edward Fields. Elliot possédait une riche collection de tableaux des peintres qui ont élu domicile dans les Etats de l'Ouest et qui choisissent leurs sujets dans l'Ouest ancien ou moderne, tels Eyvind Earle, Jason Williamson, Larry W. Dyke, Charlotte Armstrong, Carl J. Smith.

Il fit faire à Tina le tour du propriétaire. Elle le sentait impatient de connaître ce qu'elle pensait de son installation et elle ne lui cacha pas son enthousiasme sincère.

— C'est vraiment beau, d'un goût exquis. A quel architecte-décorateur vous êtes-vous adressé ?

— Vous l'avez devant vous.

— C'est extraordinairement réussi.

— Quand j'étais pauvre, j'avais hâte de voir arriver le jour où je pourrais vivre dans une jolie maison, avec de beaux meubles... Je me disais que je choisirais avec soin mon décorateur. Et puis, le moment venu, je n'ai pas voulu confier à un étranger le soin d'installer ma maison. Je ne voulais pas me priver de ce plaisir. Nancy, la femme que j'ai perdue, et moi, nous nous sommes pris au jeu et pour notre premier logis nous avons couru les antiquaires, les magasins de meubles, les galeries de peinture. Des marchés aux puces aux plus prestigieuses boutiques, je crois que nous avons tout vu. Pour ma femme c'était devenu une vocation, et moi j'y passais presque autant de temps qu'à mes plaidoiries. Nous en avons tiré beaucoup de joie. Quand elle est morte, j'ai découvert que je ne me ferais jamais à mon veuvage si je continuais à habiter une demeure si riche en souvenirs, si pleine de sa présence. C'est vrai, pendant six mois, j'ai vécu dans un chagrin perpétuel que tous les objets ravivaient. Finalement j'ai choisi une douzaine d'œuvres ou de bibelots qui me la rappellent constamment, j'ai vendu la maison, acheté celle-ci et tout recommencé de ma besogne de décorateur amateur.

— Je n'avais pas compris que vous aviez perdu votre femme, j'ai cru que vous étiez divorcé.

— Elle est morte il y a trois ans.

— De quoi ?

— D'un cancer.

— Comme je suis triste pour vous, Elliot !

— Ça a été très rapide, un cancer virulent, qui l'a emportée un mois à peine après qu'on l'ait diagnostiqué.

— Vous êtes resté marié longtemps ?

— Douze ans.

— Je sais ce qu'on ressent, dit-elle en lui mettant la main sur le bras.

Son accent de profonde compassion l'émut. Il la regarda en pensant que décidément ils avaient encore plus de points communs qu'il ne le croyait.

— Oui, remarqua-t-il, vous aussi vous avez eu le bonheur d'avoir Danny près de vous pendant douze ans.

— Oui. Pour moi... ça ne fait qu'un peu plus d'un an que je suis privée de sa présence. Vous, c'est depuis trois ans. Vous pouvez peut-être me dire...

— Vous dire quoi, Tina ?

— Est-ce que ça s'arrête un jour ?

— De faire mal ?

— Oui.

— Dans mon cas personnel, ça n'est toujours pas cicatrisé ; dans quatre, cinq, dix ans, qui sait ? Ça ne fait plus aussi mal qu'avant et ce n'est plus aussi obsédant mais par moments...

Il laissa sa phrase en suspens et elle n'y ferait plus allusion. Durant la longue soirée qu'ils allaient passer ensemble, ils ne parleraient plus de sujets funèbres. Il lui montra le reste de la maison sur sa demande. Si Tina avait réussi une magnifique mise en scène de *Magyck!* ce n'était pas par un heureux hasard. Elle avait des dons artistiques peu communs, un goût très sûr. Elle saisissait immédiatement la différence entre une œuvre d'art agréable à regarder et une création d'une beauté authentique, entre l'habileté technique et le véritable talent. Elliot prit plaisir à lui montrer les meubles et les tableaux qu'il aimait et à en discuter la valeur artistique. Le temps passa prodigieusement vite pour l'un comme pour l'autre. La visite se termina dans l'immense cuisine avec son plafond couleur cuivre, son carrelage mexicain et un équipement digne d'un grand restaurant. Elle admira le congélateur gigantesque, le gril, les deux cuisinières, le four à micro-ondes et tous les gadgets qui permettent d'économiser temps et peine.

— Eh bien ! Vous n'avez pas lésiné sur les dépenses d'ordre pratique... Votre clientèle ne doit sûrement pas se limiter aux couples de Las Vegas qui ont envie de divorcer.

— Je suis membre fondateur de la Société Stryker, Cohen, Dwyer, Coffey et Napotino, une des plus grandes sociétés juridiques de Las Vegas. Je n'ai pas la présomption de croire qu'elle me doit sa réputation, non, nous avons eu beaucoup de chance de nous trouver là au moment opportun. Orrie Cohen et moi nous avons commencé petitement dans une ancienne boutique il y a onze ans et demi, juste quand débutait le plus grand boom que cette ville ait jamais connu. Nous défendions les intérêts de gens qui ne pouvaient s'adresser ailleurs, des entrepreneurs qui n'avaient pas le premier sou pour s'offrir des avocats qui se paient cher. Mais certains de nos clients ont été habiles et ont été portés au sommet en un clin d'œil grâce à l'essor incroyable de l'industrie des jeux et de l'immobilier à Vegas. Nous avons en quelque sorte profité de leur ascension en nous accrochant à leurs basques.

— Je vois, je vois. Très intéressant.

— Notre réussite vous passionne?

— Non, c'est vous qui m'intéressez.

— Ah, ah?

— Votre psychologie m'intéresse.

— Tiens, tiens, vous vous intéressez à la psychologie d'un pauvre zèbre tel que moi?

— Oui, vous êtes un curieux personnage, très modeste en ce qui concerne une magnifique réussite professionnelle et si infatué de vous-même quand vous parlez de vos aptitudes culinaires...

— Ma pauvre amie, il n'y a pas besoin d'être une fine psychologue pour constater que je suis mille fois meilleur comme cuisinier que comme avocat. Vous allez pouvoir me juger sur pièces: préparez-nous deux bons drinks pendant que je me change et vous assisterez aux prouesses d'un digne émule des plus grands as des fourneaux.

— Si vous ratez vos sauces, nous n'aurons qu'à faire un saut dans un McDonald quelconque, ce n'est pas grave.

— Béotienne!

— Pour les hamburgers ce sont les rois.

— Moi, je vous parie que je parviendrais à vous faire déguster du corbeau.

— Brr, comment vous y prenez-vous?

— Je l'accommode avec un petit assaisonnement rigolo de mon invention.

— Votre corbeau à la sauce Elliot, vous pouvez vous le garder, cher monsieur!

— Décidément vous n'y connaissez *rien*. Ce serait fondant, cuit aux petits oignons, vous n'en laisseriez pas une miette et vous vous lécheriez les doigts malgré vos manières si raffinées.

Il ne se lassait pas de la regarder sourire, de contempler cette bouche aux contours si gracieux...

Tandis qu'il s'affairait dans la cuisine, Elliot constata avec un certain amusement qu'il n'était plus le même en présence de Tina. Il commit maladresse sur maladresse, fit tomber les cuillères, entrechoqua les casseroles, renversa les flacons d'épices, laissa déborder une marmite, mit trop de vinaigre dans la sauce de la salade, ce qui l'obligea à recommencer son assaisonnement. Bref il n'était plus dans son état normal et cela lui plaisait, quelles qu'en fussent les conséquences fâcheuses pour son amour-propre de cordon bleu.

— Elliot, vous ne croyez pas que vous avez un peu abusé de mon fameux cognac au bureau?

— Certainement pas.

— Alors ce doit être l'effet du drink que je vous ai préparé ici même?

— Non, non, c'est mon style habituel.

— De tout renverser sur votre passage? Ah bon, une femme avertie en vaut deux...

— Une cuisine ne doit pas être impeccable comme un laboratoire. C'est comme un atelier d'artiste, on doit sentir la *vie*, la fantaisie.

— Vous êtes sûr que nous ne serions pas mieux dans un McDonald?

— Vous pensez que leur cuisine est *mieux* tenue que la mienne? Je ne savais pas que vous étiez une *fan* de ces gargotes.

— Non seulement on y mange de délicieux hamburgers mais...

— Ah, Madame a des goûts très simples, il ne lui faut surtout pas des mets un peu *sophistiqués*.

— Ils font des frites, je ne vous dis que ça.

— Tina, Tina, vous avez vraiment besoin que je vous forme à la grande cuisine. J'ai renversé une ou deux bricoles, et alors? Un cuisinier n'a pas besoin de s'ébattre gracieusement comme une de vos girls bien dressées.

— Un cuisinier est-il censé avoir une bonne mémoire?

— Et pourquoi cette bizarre question?

— Vous êtes sur le point mettre de la moutarde dans la sauce de la salade.

— Vous n'aimez pas une légère touche de moutarde dans votre salade?

— Si, mais vous en aviez déjà mis une bonne dose il y a une minute.

— Mon Dieu, où avais-je la tête? J'aurais été obligé de recommencer une *troisième* fois ce maudit assaisonnement!

Tina éclata de rire, faisant tomber, d'un geste malencontreux, une grosse miche de pain italien posée sur le plan de travail.

— Il n'y a pas que moi sur qui le cognac ait des effets pervers, lança Elliot à la cantonade.

— Je ne suis pas du tout soûle.

— Qu'est-ce qui se passe alors? Je parie que la compagnie d'un gars sympa et séduisant comme moi vous surexcite.

— Vous n'y êtes pas du tout, j'adore quand le pain a un petit goût de carrelage mexicain.

— Vous aimez le pain un peu sale, je vois.

— Vous n'avez jamais lu des articles médicaux disant que certaines maladies se développent surtout dans les pays trop propres? Il faut s'habituer à une certaine crasse, c'est très sain.

— Je tiendrai compte de vos judicieuses remarques: je ne me laverai plus qu'une fois par semaine.

Tina rit à gorge déployée. Le timbre de ce rire un peu rauque rappelait à Elliot celui de Nancy. Elle ne lui ressemblait pas mais il se sentait bien en sa compagnie comme autrefois avec sa femme; on avait plaisir à converser avec elle, elle était vive, drôle, sensible.

C'était peut-être un peu prématuré mais il avait l'impression que le destin subitement lui offrait une seconde chance d'être heureux.

Le dessert achevé, tandis qu'ils buvaient leur seconde tasse de café, Elliot demanda:

— Alors, Tina, vous avez encore une petite faim de hamburger?

— Je reconnais que votre repas a été un vrai chef-d'œuvre: champignons en salade, fettucine Alfredo, zabaglione, sensationnel. Je salue en vous, cher Elliot, le *roi* des cordons-bleus, conclut Tina d'un ton solennel.

— Vous croyiez que je vous racontais des bobards, avouez-le.

— Il ne me reste plus qu'à savourer votre ragoût de corbeau.

— Vous en avez mangé sans vous en apercevoir.

— Je n'ai pas même remarqué les plumes.

Ils plaisantaient comme des potaches, des blagues pas très fines mais qui les amusaient et leur faisaient oublier leurs soucis. Tina avait déjà pressenti avant le dîner que leur soirée se finirait peut-être au lit ; à présent elle en était sûre et certaine. Ils ne firent pas pression l'un sur l'autre, ils étaient poussés par des forces naturelles comme l'eau des rivières qu'entraîne le courant, comme les nuées d'orage qui s'accumulent à l'horizon et dont vont surgir les éclairs et la foudre. Ils réalisaient instinctivement qu'ils avaient besoin l'un de l'autre sur tous les plans : physique, mental et émotionnel... et qu'il n'en pourrait résulter que du bien.

Ils se laissèrent porter par le cours des événements. Au début cette attirance sexuelle réciproque rendit Tina un peu nerveuse. Depuis ses dix-neuf ans — quatorze ans déjà ! — elle n'avait fait l'amour qu'avec Michael et depuis presque deux ans elle avait été totalement privée de ce genre de plaisir. Subitement elle découvrait qu'elle avait été stupide de vivre comme une nonne tout ce temps-là, Evidemment, pendant la première de ces deux années, elle était encore mariée à Michael et elle avait voulu lui rester fidèle bien qu'ils eussent déjà envisagé séparation puis divorce, et malgré ses infidélités à lui. Ensuite les préparatifs de la revue et le poids de sa douleur maternelle l'avaient empêchée de penser à des aventures amoureuses, l'avaient même privée de toute envie.

A présent elle ne se sentait pas plus expérimentée qu'une pauvre gamine au sortir de l'adolescence. Elle avait terriblement peur de se montrer maladroite, ridicule, stupide au lit. Elle se dit que « ça » ne devait pas s'oublier, pas plus qu'on ne désapprend la façon de monter à bicyclette ; cette comparaison lui donna envie de rire mais ne la rassura pas complètement. Pourtant, au fur et à mesure que se déroulait le prélude habituel à cette sorte de relation amoureuse, elle s'enhardit et s'étonna elle-même à la fois de son aisance et de la fraîcheur de ses sensations... comme si ses quatorze ans de vie conjugale se dissipaient en fumée. Après tout, c'est comme la bicyclette, on ne désapprend pas et on éprouve toujours la même joie.

Après le dîner, ils s'installèrent dans le petit salon, devant une bonne flambée. Les journées d'hiver dans cette région avaient beau être souvent d'une douceur printanière (comme cela avait été le cas aujourd'hui), les nuits étaient toujours fraîches et parfois aigres. Quand le vent gémissait derrière les fenêtres bien closes, on aimait à se pelotonner près de l'âtre. Elliot mit une pile de disques de Sinatra sur la stéréo. Tina envoya valser ses chaussures. Ils s'assirent côte à côte sur le divan, face à la cheminée, et les yeux fixés sur la danse des flammes et l'envol des étincelles. Tout en sirotant de la crème de menthe, en écoutant la musique, ils parlèrent, parlèrent, parlèrent.

Tina eut l'impression qu'ils avaient parlé toute la soirée sans discontinuer, comme s'il y avait urgence à déballer tout ce qu'ils avaient sur le cœur avant que sonnât l'heure de la séparation. Et plus ils s'exprimaient, plus ils se découvraient de points communs, d'affinités. Elle sentit qu'elle l'aimait de plus en plus. Qui prit l'initiative du premier baiser, elle ne le sut jamais. Il s'était peut-être penché sur elle, elle avait peut-être posé la tête contre son épaule, peu importe, toujours est-il que leurs lèvres s'étaient rencontrées avec douceur, fugitivement puis une deuxième, une troisième fois. Elle sentit une pluie de petits baisers s'abattre sur tout son visage, le front, les yeux, les joues, le nez, les commissures des lèvres, le menton, les oreilles et à nouveau les yeux, le menton, le cou. Un long baiser sur les lèvres, lèvres fermées, lèvres entrouvertes, langue explorant doucement la bouche de l'autre ; les mains d'Elliot lui effleurèrent les épaules, les seins, la taille, s'attardèrent sur les rondeurs fermes de son corps. Elle aussi toucha ses épaules, ses bras, son dos musclé et ferme. Que c'était bon! Comme dans un rêve, ils quittèrent le petit salon pour la chambre à coucher d'Elliot. Il alluma sur la commode une lampe qui versait une lumière douce et tamisée. Il déborda drap et couverture. Durant le court instant où il s'était éloigné d'elle, Tina craignit de voir se rompre l'enchantement mais, dès qu'il revint, elle l'embrassa et se retrouva envoûtée comme auparavant. Elle s'accrocha à son cou et il la pressa contre lui en lui prenant délicatement les fesses dans ses mains. Ils restèrent ainsi étroitement enlacés et Tina ne parvenait pas à réaliser que c'était la première fois qu'elle l'étreignait : il lui semblait être avec lui depuis la nuit des temps.

— Dire que nous nous connaissons à peine ! s'écriat-elle.

— C'est ce que vous ressentez ?

— Non, au contraire, j'ai l'impression que nous nous connaissons depuis toujours.

— Moi aussi.

— Pourtant il n'y a que deux jours que nous nous sommes rencontrés.

— Vous trouvez que nous allons trop vite en besogne ?

— Oh non, Elliot.

— Sûre ?

— Sûre.

— Vous êtes ravissante.

— Aimez-moi.

Ce n'était pas un colosse mais il la cueillit dans ses bras comme si elle était un petit enfant. Elle le tint par le cou et vit le regard brûlant qu'il posait sur elle ; elle n'y lut pas simplement le désir mais aussi l'amour et le besoin d'être aimé. Elle aurait voulu qu'il devinât dans ses yeux les mêmes sentiments.

Il la déposa doucement sur le lit, la pria de s'allonger et commença à la dévêtir lentement, le visage brillant d'amoureuse anticipation.

Il se dépouilla à la hâte de ses vêtements, la rejoignit au lit, la prit dans ses bras.

Il explora son corps avec une lenteur délibérée, des yeux, des mains, des lèvres et de la langue... en caresses longues, brûlantes, tendres aussi.

Tina comprit qu'elle avait eu tort de penser que seul le célibat était compatible avec le deuil. C'est le contraire qui est vrai. Faire l'amour avec un homme qui vous aime l'aurait aidée à refaire surface bien plus vite, car le sexe est le contraire de la mort, la négation de la tombe.

La lumière ambrée donnait aux muscles d'Elliot un modelé de marbre antique. Il pencha son visage sur celui de Tina, il l'embrassa. Elle glissa la main entre leurs deux corps et le caressa. Elle sentait une faim de lui dévorante, sans pudeur, insatiable.

Quand il la pénétra, elle laissa ses mains vagabonder sur son corps, sur ses hanches fines.

— Vous êtes merveilleuse, murmura-t-il.

Ils se laissèrent emporter par le rythme immémorial de l'amour ; pendant de longs, longs moments ils oublièrent que la mort existe. Ils flottèrent dans un bonheur lisse et soyeux qui leur semblait receler des promesses d'immortalité.

Troisième Partie

Jeudi 1er janvier

15

Tina resta toute la nuit avec Elliot et il s'aperçut qu'il avait oublié combien c'était agréable de dormir à côté d'un être auquel on tient profondément. Bien sûr il avait couché avec d'autres femmes ces deux dernières années et quelques-unes avaient passé la nuit chez lui ; pourtant avec aucune d'entre elles il n'avait ressenti autant de joie d'une simple présence. Avec Tina le plaisir sexuel était en quelque sorte un merveilleux cadeau *en plus,* mais ce n'était pas l'essentiel de ce qu'elle lui donnait. Elle était une partenaire excellente au lit, avec sa peau satinée, ses longues jambes, ses seins fermes et ronds, son désir de faire plaisir à l'autre sans dédaigner pour autant le sien propre, mais elle était également une *personne* qui méritait d'être connue, qui avait une vraie personnalité, un œuvre, une âme, hors du commun et c'était pour cette raison qu'il s'estimait privilégié d'être en relation amoureuse avec elle.

Il savait qu'il pouvait partager avec Tina plus et mieux que de simples moments de plaisir. Il écouta sa respiration et il regarda dans l'obscurité la forme de son corps sous le drap. Tout était calme et il se sentit protégé contre la solitude. Finalement, il s'assoupit mais à quatre heures il fut réveillé par ses cris. Elle s'était redressée brusquement, repoussant les couvertures, émergeant d'un cauchemar dont, essoufflée, haletante, elle lui raconta des bribes. Il était question d'un homme en noir, d'un monstrueux personnage. Elliot s'empressa d'allumer la lampe de chevet pour lui prouver qu'ils étaient seuls dans la pièce. Elle lui avait parlé déjà de ces rêves mais il n'avait pas encore réalisé dans quel état épouvantable ils la mettaient. A présent, il se dit que l'exhumation serait peut-être bénéfique pour elle, même si, sur le moment, le spectacle devait être intolérable. « Si au moins cela la débarrasse de ses cauchemars... », songeat-il. Il éteignit, la convainquit de se rallonger et la tint serrée contre lui jusqu'à ce qu'elle cessât de frissonner. A sa grande surprise il s'aperçut que l'épouvante de Tina s'était rapidement muée en désir et il fut également très étonné de pouvoir y répondre avec la même subite ardeur bien qu'auparavant leur séance-marathon l'eût laissé plutôt épuisé. Ils avaient essayé toutes les positions, expérimenté toutes les sensations ; cette fois-ci ils se bornèrent à découvrir le tempo, le rythme qui leur convenait le mieux à tous deux et ils s'endormirent ensuite dans les bras l'un de l'autre.

Le lendemain matin il fut surpris de pouvoir encore faire l'amour sous la douche alors qu'ils étaient tous deux trempés et couverts de savon. Ce fut rapide et passionné ; il eut l'impression d'avoir dépensé toute son énergie vitale. Pendant le petit déjeuner, il lui proposa de l'accompagner à la réception où il devait se rendre l'après-midi. C'était là qu'il comptait rencontrer le juge Kennebeck et lui demander le permis d'exhumer. Mais elle décida de rentrer chez elle pour ranger définitivement la chambre de Danny. Elle se sentait de force à mener à bien cette tâche et ne voulait pas la remettre à plus tard.

— Rendez-vous ce soir, alors. Cela te va ?

— D'accord, Elliot.

— Je te ferai quelque chose de bon.

— Quel genre de choses ? demanda-t-elle avec un petit sourire plein de sous-entendus.

— Uniquement dans le domaine culinaire, ma chère. Après une nuit pareille il faut que je recharge mes batteries avant de recommencer nos prouesses. Je crois qu'il me faudra au moins deux jours de repos... avec ta permission.

Elle se leva de sa chaise, se pencha par-dessus la table pour l'embrasser.

— Moi, je parie que tu seras rechargé à bloc dans deux heures.

Son parfum, le regard vibrant de ses yeux bleus, la douceur de sa peau quand elle lui prit le visage entre ses mains firent naître en lui des ondes de tendresse et de désir.

— Sapristi, s'écria-t-il, tu as raison, je suis redevenu un adolescent de seize ans, ma parole. Une gosse qui ne pense qu'à ça.

— C'est fantastique, non ?

— Tu ne te rends pas compte. Je vais me consumer par les deux bouts, et tu n'auras plus qu'un pauvre débris entre les mains, un coquillage vidé de toute substance.

Il la raccompagna jusqu'à sa petite VW et s'attarda encore un peu, accoudé à la vitre baissée, histoire de lui conter tous les bons petits plats qu'il allait lui préparer pour le soir. Quand enfin elle démarra, il regarda s'éloigner l'auto jusqu'à ce qu'elle disparût au tournant de la rue. Il comprenait pourquoi il n'avait pu résister à son envie de lui faire tumultueusement l'amour sous la douche alors qu'il ne se sentait pas sûr de pouvoir aller jusqu'au bout tant il était épuisé, et pourquoi il avait essayé de la retenir le plus longtemps possible quand elle était déjà au volant. C'était qu'il avait une peur terrible de ne jamais plus la revoir, une fois qu'elle l'aurait quitté.

Il n'avait aucune raison valable d'avoir peur. Evidemment le mystérieux inconnu qui la tourmentait pouvait avoir de mauvaises intentions à son égard mais Tina n'avait pas l'air de redouter un danger et Elliot s'était rangé à cette opinion : le type voulait la faire souffrir mentalement et spirituellement mais il ne désirait pas sa mort, ce qui lui ôterait son plaisir sadique. Elliot était superstitieux. Il se voyait offrir sur un plateau d'argent un si grand bonheur, si rapide, si tôt, trop facile ; il redoutait un piège du destin et une rechute cruelle dans le malheur. Tina pourrait lui être reprise comme Nancy. Il tenta de chasser ce maudit pressentiment et revint chez lui. Il passa une heure et demie dans son bureau à feuilleter ses bouquins juridiques, à la recherche de cas semblables où l'exhumation est demandée, comme dit la cour, « en l'absence de raisons légales pressantes et seulement pour des motifs humanitaires, par considération pour la famille de la personne décédée ». Elliot ne craignait pas que le juge Kennebeck lui créât des difficultés. Celui-ci ne lui demanderait certes pas une liste des décisions prises précédemment en pareil cas mais mieux valait tout de même se documenter pour parer à toute éventualité. Il se rappelait qu'au Deuxième Bureau, c'était un officier juste mais exigeant.

A treize heures il partit au volant de sa Mercedes argentée pour assister à la réception de Nouvel An sur la Sunrise Mountain. Le ciel était bleu, limpide, et il regretta de n'avoir pu voler quelques heures dans son Cessna. C'était un temps rêvé pour se retrouver en plein ciel, libre et purifié. Dimanche, quand ils n'auraient plus la perspective de l'exhumation, il pourrait peut-être emmener Tina pour la journée en Arizona ou à Los Angeles par la voie des airs.

Sur la Sunrise Mountain, la plupart des luxueuses propriétés avaient ce qu'on appelait le « décor naturel », autrement dit un environnement de rochers, de pierres colorées et de cactus disposés avec art au lieu des classiques jardins avec pelouses, buissons et arbres, sans doute pour souligner le fait que l'emprise humaine sur le désert était encore toute nouvelle et minime. La nuit, la vue que l'on avait de Las Vegas était féerique mais Elliot, pour sa part, n'avait jamais compris qu'on pût choisir de vivre ici au lieu d'habiter les plus anciens quartiers de la cité, bien plus favorisés côté verdure. Ces versants dénudés, battus par les vents de sable, déshérités par la nature, ne verdiraient pas avant dix ou même vingt ans. Sur les collines brunâtres, les vastes demeures se dressaient tels des vestiges d'anciens cultes abandonnés des dieux et des hommes ; les résidents pouvaient s'attendre à partager leurs patios, leurs terrasses, le pourtour de leurs piscines avec ces charmants visiteurs que sont les scorpions, les tarentules et les serpents à sonnettes. Les jours de grand vent, la densité de poussière était si forte dans l'air que l'on se serait cru en plein brouillard et cette poussière s'insinuait sous les portes, les fenêtres et par les orifices d'aération. En fait c'était devenu le grand chic d'habiter là-haut depuis que les premières maisons y avaient été construites pour des millionnaires ; d'autres, tels des moutons de Panurge, les avaient imités en se disant que des millionnaires ne pouvaient se tromper alors que ceux-ci n'avaient opté pour cet endroit que par sénilité.

La demeure où était donnée la réception était située à mi-pente et construite dans le style néo-espagnol. Une tente à trois pans en éventail avait été plantée sur la « pelouse », de derrière, parallèlement à un des côtés de la piscine de douze mètres et s'ouvrait face à la maison. Un orchestre de dix-huit musiciens y était installé tout au fond, sous une toile rayée aux couleurs vives. Environ deux cents invités dansaient ou s'égaillaient de tous côtés, tandis qu'une centaine d'autres se divertissait à l'intérieur des quinze pièces. Elliot connaissait presque tout le monde : pour la plupart des avocats et leurs épouses. Un homme de loi sourcilleux aurait peut-être vu d'un mauvais œil cette assistance où se mêlaient magistrats, conseillers fiscaux, avocats d'assises, avocats-conseils, avocats d'affaires, qui buvaient en compagnie des juges devant lesquels ils plaidaient chaque semaine.

Elliot alla de groupe en groupe, discutant avec les uns et les autres, avant de découvrir dans un coin le juge Kennebeck, un homme grand, d'allure austère, avec des cheveux blancs bouclés. Ils se serrèrent la main avec chaleur et bavardèrent de leurs sujets favoris, c'est-à-dire de cuisine, de pilotage et de descente de rivières. Elliot ne voulait pas lui demander de faveur à portée de voix de tous ces gens du métier et comme il n'y avait pas moyen aujourd'hui de trouver un endroit tranquille où parler, ils sortirent de la propriété, descendirent la rue, dépassèrent le parc à autos où stationnaient les voitures des invités (l'on y trouvait la gamme complète des marques existantes depuis les Rolls Royce jusqu'aux Honda). Kennebeck écouta avec intérêt les explications préalables d'Elliot. Celui-ci ne jugea pas nécessaire d'exposer la série des mystérieux phénomènes qui avaient bouleversé Tina. C'était trop compliqué et il estimait, quant à lui, qu'après l'exhumation il faudrait mettre de bons détectives privés aux trousses du cruel mystificateur. Pour convaincre le juge de la nécessité de procéder au plus vite à l'exhumation de Danny, il exagéra l'état de confusion mentale et de dépression dans lequel se trouvait la malheureuse mère.

Harry Kennebeck avait un tempérament peu expansif et il s'était forgé, au temps du Deuxième Bureau, un visage impassible. Elliot ignorait donc s'il avait su, par ses propos, l'apitoyer sur le sort de Tina. Ils cheminèrent en silence dans la rue ensoleillée. Kennebeck s'écria soudain :

— Et le père, qu'en pense-t-il ?

— J'espérais que vous ne me poseriez pas cette question.

— Ah ?

— Le père ne sera pas d'accord.

— Vous en êtes certain ?

— Oui.

— Pour des raisons religieuses ?

— Pas du tout. Ça ne marchait plus entre eux et ils ont divorcé avant la mort du petit. Michael Evans déteste son ex-femme.

— Alors il pourrait s'opposer à l'exhumation rien que pour lui faire de la peine ?

— Oui.

— Il me faut tout de même tenir compte des vœux du père.

— Du moment qu'il n'y a pas d'objections d'ordre religieux, légalement il suffit de l'autorisation de l'un des parents.

— Il n'empêche que j'ai le devoir de tenir compte de l'opinion de chacun en la matière.

— Si le père se voit offrir la possibilité de contester, nous n'en avons pas fini. La cour y passera beaucoup de temps, je le crains.

— Evidemment j'aimerais mieux l'éviter : le calendrier est surchargé. Nous n'avons pas assez de juges ou pas assez d'argent, le système est grippé et rien ne fonctionne convenablement, soupira le juge, soucieux.

— Et lorsque les discussions seront closes, ma cliente aura gagné la partie et le permis d'exhumer lui sera accordé de toute façon.

— Il y a bien des chances.

— C'est sûr et certain. Résumons-nous : le mari va faire de l'obstruction uniquement pour peiner son ex-femme. Ce faisant il fera perdre à la cour un temps précieux et le résultat sera le même que si on ne lui avait pas donné l'occasion de se manifester.

— Hum, fit le juge en haussant le sourcil.

Ils s'arrêtèrent. Kennebeck réfléchissait, les yeux clos et le visage tourné vers le soleil.

— Au fond, reprit-il, vous voulez me faire mettre les bouchées doubles ?

— Pas vraiment. Disons que je vous serais reconnaissant de bien vouloir donner l'ordre d'exhumation sur la requête de la mère. La loi l'autorise.

— Je suppose qu'il vous le faut immédiatement ?

— Demain matin si possible.

— Et vous procéderez à l'exhumation demain après-midi.

— Samedi au plus tard.

— Avant que le père ne puisse obtenir d'un autre juge un ordre contraire.

— S'il n'y pas d'accroc, le père ignorera tout de l'exhumation.

— Je vois.

— Tout le monde y gagne. Cela économisera à la cour du temps et des efforts, à ma cliente de l'angoisse inutile, et à son mari des sommes importantes qu'il aurait versées en vain à un avocat.

— Je vois, répéta le juge.

Ils refirent le chemin inverse sans échanger un mot. Les invités menaient grand tapage et les échos en venaient jusqu'à eux. Avant les derniers cent mètres, le juge déclara :

— Il faut me laisser le temps de réfléchir, Elliot.

— Ce sera long ?

— Hum... Serez-vous à la réception tout l'après-midi ?

— Sûrement pas, il y a trop de collègues pour mon goût. On se dirait au Palais, pas à une fête.

— Vous rentrez directement chez vous ?

— Oui.

— Bien, dit-il en repoussant une mèche qui lui venait dans les yeux, je vous appellerai chez vous dans la soirée.

— Pouvez-vous me dire vers quelle solution vous penchez ?

— La vôtre, me semble-t-il.

— Vous savez que c'est la bonne, Harry.

— Cher maître, dit Kennebeck en souriant, j'ai écouté attentivement votre plaidoirie. C'est à moi à présent d'étudier la question et je vous appellerai ce soir quand j'aurai pris ma décision.

Elliot espérait une réponse plus rapide et plus positive ; mais c'était déjà un bon point qu'il ne lui eût pas dit non d'emblée. D'ailleurs il ne demandait pas la lune. Ils se connaissaient depuis longtemps. Il savait le juge prudent et réfléchi mais sans excès. Son hésitation dans une affaire relativement simple étonnait Elliot, mais il n'avait plus rien à dire et se résigna à patienter quelques heures encore.

Changeant de sujet, ils en vinrent à parler d'une recette incomparable de pasta accommodées avec une sauce légère à base d'huile d'olive, d'ail et de basilic.

Elliot ne resta finalement que deux heures à la réception : il n'avait pas envie de parler boutique avec tous ses collègues et il n'y avait pas assez de gens appartenant à d'autres professions pour profiter d'échanges intéressants. Partout il entendait résonner les mots « préjudice », « assignation », « ajournement », « procès » « appel », « conciliation » et « déductions fiscales ». Pas question d'empoisonner ses pauvres heures de loisir avec des salades qu'il était obligé de déguster toute la sainte journée.

A seize heures il était déjà dans sa cuisine. Il attendait

Tina vers dix-huit heures et il préférait vaquer aux épluchages et préparations diverses à l'avance. Planté devant l'évier, il pela et hacha les oignons, lava une tige de céleri, épluca des carottes nouvelles. Juste au moment où il versait quelques cuillerées de vinaigre de vin dans un verre gradué, il entendit remuer derrière lui. Il se retourna vivement et vit deux inconnus venus de la salle à manger pénétrer dans la cuisine : un petit bonhomme dans les 1 m 55, au visage étroit encadré d'une barbe blonde bien taillée, habillé d'un complet marron, d'une chemise beige et d'une cravate dont la couleur était assortie à celle du costume, et muni d'une sacoche ressemblant à celle des médecins ; et un type beaucoup plus impressionnant, plus grand, plus massif, les mains comme des battoirs. Dans son pantalon de flanelle fraîchement repassé, sa chemise d'un bleu vif, sa cravate à pois et sa veste de sport grise, il avait l'allure d'un footballeur professionnel qui s'est endimanché pour une grande occasion et ne se sent pas très à l'aise ainsi attifé ; il semblait tout de même décontracté. Ils s'arrêtèrent tous deux près du réfrigérateur, à quelques pas d'Elliot. Le plus petit eut un rictus nerveux, l'autre sourit.

— Comment êtes-vous entrés chez moi ? demanda Elliot trop surpris pour pouvoir les interroger sur leur identité.

— C'est qu'on a un passe-partout, expliqua le grand, Bob en a pour toutes les sortes de serrures, c'est bien pratique.

— Nom de Dieu ! qu'est-ce que ça signifie ? Qui vous a permis de vous introduire chez moi ? Expliquez-vous !

— Du calme ! dit le footballeur endimanché.

— Vous êtes des cambrioleurs ?

— Mais non, mais non.

Ledit Bob ne soufflait mot mais sa mimique indiquait clairement sa surprise à l'idée qu'on pût le prendre pour un vulgaire malfaiteur.

— C'est un kidnapping ?

— Absolument pas, déclara le porte-parole d'un air offusqué.

— Alors quoi, bon sang ! Qu'est-ce que vous venez fabriquer ici ?

— Du calme.

— Vous vous trompez de victime.

— Pas du tout, c'est bien vous...

— Oui, dit Bob en écho, c'est bien vous.

— Ecoutez, je ne me connais aucun ennemi, ce ne peut être qu'une erreur. Si vous...

— Mr Stryker, calmez-vous, dit le plus grand.

— Oui, répéta Bob, détendez-vous.

Elliot fit un pas vers eux et le grand dégagea aussitôt de dessous sa veste de sport un pistolet équipé d'un silencieux.

— Vous avez intérêt à faire gaffe, restez bien calme.

Elliot recula, le dos contre l'évier.

— A la bonne heure! s'écria le grand.

— C'est bien mieux comme ça, fit Bob en sourdine.

— Qui êtes-vous, les gars?

— Si vous vous montrez coopérant, on ne vous fera pas de mal, assura le footballeur.

— Allez, on s'y met, s'écria Bob.

— On va se servir de la table du petit déjeuner, là; ça ira.

Bob s'approcha de la table de chêne, posa sa sacoche, y prit un lecteur de cassettes ainsi qu'un tuyau de caoutchouc, un sphygmomanomètre pour mesurer la tension, deux petits flacons emplis d'un liquide ambré et une boîte de seringues hypodermiques jetables.

Pendant ce temps Elliot passait en revue à toute vitesse les affaires dont s'occupait sa firme, cherchant un rapport quelconque avec ces deux mystérieux intrus... en vain.

— Allez en vitesse vous asseoir à cette table, clama le footballeur en brandissant son arme.

— Pas avant que vous ne me disiez à quoi rime cette histoire à dormir debout.

— C'est moi qui donne les ordres.

— Mais moi je ne suis pas disposé à vous obéir, riposta Elliot sur le même ton.

— Je vous troue la peau si vous ne vous remuez pas.

— Je parie que non, déclara Elliot, moins assuré qu'il n'en avait l'air. Vous avez une idée derrière la tête et ce sera fichu si vous m'abattez purement et simplement.

— Si tu ne te décides pas à te magner le cul, ça va faire mal, dit le grand, la colère lui faisant retrouver son langage habituel.

— Pas avant d'obtenir des explications.

Le grand gaillard roula des yeux furieux. Elliot affronta son regard sans ciller et l'autre finit par lui dire :

— On a des questions à te poser.

Décidé à ne pas leur laisser voir qu'il avait peur, car le moindre signe de désarroi serait pris comme une preuve de faiblesse et les encouragerait, Elliot s'exclama :

— Quelle foutue manière de vous y prendre pour faire un sondage d'opinion !

— Très drôle, mais magne-toi le train en vitesse.

— Puis-je savoir à quoi vont servir ces seringues ?

— Bouge-toi, je te dis.

— A quoi servent-elles ?

— On veut être sûr que tu vas pas nous raconter des blagues, lui répondit-on avec un soupir.

— Vous voulez me droguer ?

— Oui, ça aide vachement.

— Ouais, et après j'aurai la cervelle comme de la gelée de groseille.

— Non, intervint Bob, c'est une drogue qui fait pas de dégâts, ni physiques ni mentaux.

— Quel genre de questions ?

— Gaffe ! Faut pas me pousser à bout...

— Moi non plus.

— *Magne-toi.*

Elliot ne bougea pas d'un pouce. Il évitait de regarder le pistolet braqué sur lui, voulant avoir l'air des plus paisibles alors que tout son être vibrait d'effroi.

— Fils de pute, tu t'amènes ou...

— Je vous ai demandé trois fois quel genre de questions vous voulez me poser.

Le grand gaillard écumait de fureur et c'est Bob qui lui souffla :

— Allons, Vince, dis-lui. Il faudra bien les lui poser, ces questions, une fois qu'il sera assis. Accouche, vaut mieux faire vite.

Vince se gratta le menton et tira de sa poche intérieure

quelques feuillets dactylographiés. Le pistolet bougea légèrement sans cesser d'être braqué sur Elliot.

— Je suis censé te poser toutes les questions qui sont inscrites là-dessus, y en a long, une bonne trentaine ou quarantaine, mais ça prendra pas longtemps si tu fais pas d'histoires et si tu coopères.

— Des questions sur quoi? redemanda Elliot.

— Sur Christina Evans.

Elliot resta pétrifié de surprise. C'était bien la dernière chose à laquelle il s'attendait... *Christina!* Il hocha la tête comme si cela allait lui dégager la langue et il dit posément:

— Tina Evans? Qu'est-ce que vous voulez que je vous dise?

— Nous voulons savoir pourquoi elle veut faire rouvrir la tombe de son gosse.

Elliot, ahuri, demanda, les yeux écarquillés:

— Bon Dieu! Mais comment le savez-vous?

— Ça nous regarde.

— Ouais, intervint Bob, ça n'a pas d'importance, *comment* nous le savons; ce qui est important, c'est que nous sommes *au courant*.

— Bon sang! Alors c'est vous les salauds qui la persécutent?

— Euh...

— Répondez: c'est vous qui lui envoyez tout le temps des messages?

— Quels messages? demanda Bob.

— Vous êtes les salauds qui ont saccagé la chambre de son fils?

— Ah çà! De quoi tu causes? demanda Vince. On n'a pas entendu parler de ça.

— Il y a quelqu'un qui lui envoie des messages à propos de son gosse? demanda à son tour Bob.

Ils avaient l'air tous deux sincèrement étonnés et Elliot fut à peu près certain qu'ils n'étaient pour rien dans les événements précédents. Ce n'étaient pas des mystificateurs, des psychopathes qui se seraient plu à effrayer des femmes sans défense. Ils devaient plutôt travailler pour des politiciens bien que le grand eût l'allure et le langage d'un vulgaire voyou; le pistolet équipé d'un silencieux, les passe-partout pour n'importe quelle serrure, le sérum de vérité, tout cela indiquait que ces hommes faisaient partie d'une organisation hautement sophistiquée et disposant de substantielles ressources financières.

— Quel genre de messages elle a reçu? demanda Vince en continuant à surveiller de près l'avocat.

— Désolé, mais ça fera une question de plus qui restera sans réponse.

— Oh si! La réponse, on l'aura.

— Nous aurons des réponses à toutes nos questions, aussi sûr que deux et deux font quatre, lança Bob d'un air goguenard.

— Finies les salades! cria Vince, maintenant tu vas te remuer ou je te colle une balle dans le ventre.

— Kennebeck, clama soudain Elliot sous le coup d'une brusque inspiration. C'est lui, lui seul, qui a pu vous mettre au parfum.

Les deux acolytes échangèrent un coup d'œil, visiblement gênés d'entendre le nom du juge.

— Je comprends pourquoi il a voulu gagner du temps. Il voulait vous permettre de venir ici avant. Mais pourquoi, bon Dieu, est-ce important pour lui qu'on rouvre ou pas la tombe de Danny? En quoi ça vous regarde *vous*? Qui diable êtes-vous? Pourquoi avez-vous peur d'une exhumation?

— Nous ne sommes pas des trouillards, enfonce-toi ça dans la caboche, espèce de ringard, tonitrua Vince, cramoisi de fureur.

— Il faut croire pourtant que d'autres ont une sacrée trouille pour vous envoyer ici avec tout votre équipement, pistolet, seringues, et tout, et tout. Je ne pense pas que c'est une simple curiosité qui vous a poussés à me faire cette drôle de visite. Qu'est-ce qu'il y a derrière tout ce cirque?

Vince, hors de lui, hurla, les yeux exorbités:

— Dis donc, l'enfoiré, t'imagine pas que tu vas continuer à nous débiter toutes tes conneries merdiques. Maintenant je ne te répondrai plus mais je te signale que je vais t'expédier une balle dans les couilles si tu ne viens pas t'asseoir ici à la seconde.

Elliot feignit de ne pas avoir entendu cet ultimatum. L'arme qui le menaçait lui faisait peur mais il craignait encore plus ce à quoi il venait de penser tout à coup : un frisson lui courut le long de l'échine comme une araignée géante et glacée. Il réalisa ce qu'impliquait la présence de ces individus en relation avec l'accident qui avait provoqué la mort de Danny. Il dit d'une voix altérée :

— Je commence à comprendre... Il y a quelque chose d'étrange dans la mort de Danny, dans la mort de toute cette équipe de scouts. La version qu'on a donnée de l'accident doit être entièrement mensongère. Il n'y a pas eu de bus basculant dans un précipice. Hein !

Comme personne ne lui répondait, il poursuivit :

— Ce qui s'est passé en réalité est bien pire, c'est quelque chose d'abominable, une machination si effroyable que des gens haut placés se donnent un mal de chien pour que le secret soit gardé envers et contre tous. En fait, ce doit être le gouvernement qui tient à ce que ça ne s'ébruite pas. Forcément, sinon de qui Kennebeck pourrait-il avoir la frousse ? Il a toujours été un bon serviteur du gouvernement. Toutes ces années passées au Deuxième Bureau, dans les différents ministères... Il a sûrement gardé des accointances avec tous les services secrets. On conserve toute sa vie la mentalité d'un agent secret. Quelles sont les initiales du service qui vous emploie, les gars ? Quel est votre sigle, hein ? Pas le FBI, ce sont tous des aristos, civilisés, instruits. Ce n'est pas votre style. Vous êtes trop grossiers pour appartenir à la CIA. Alors ? Pas à une organisation militaire non plus : difficile de vous imaginer en bons soldats disciplinés. Voyons... Vous êtes employés par une organisation secrète et peu reluisante, inconnue du grand public. J'ai tapé dans le mille, non ?

Vince blêmit de rage. Il avait la respiration sifflante :

— Maintenant tu réponds ou je t'abats comme un sale cabot.

— Du calme, fit Elliot sans se démonter. Je connais la chanson, moi aussi j'ai appartenu au Deuxième Bu-

144

reau autrefois. Je sais comment ça fonctionne, je connais les règles du jeu, pas besoin de jouer aux gros durs avec moi, ça ne prend pas. Mettons cartes sur table, donnez-moi ma chance et je vous donnerai la vôtre.

Bob sentit que la surexcitation de Vince était à son comble, que ça risquait de tourner au drame et de faire capoter leur mission. Aussi s'empressa-t-il de prendre la parole :

— Comprenez-moi, Stryker, nous ne pouvons pas répondre à la plupart de vos questions pour la bonne raison que nous ignorons la réponse. Oui, nous travaillons pour une organisation gouvernementale. Oui, c'en est une dont vous ne connaissiez pas l'existence et que vous ne connaîtrez sans doute jamais. Mais nous ne savons pas pourquoi ce gosse est si important. Nous savons qu'il *l'est* mais nous ne savons pas *pourquoi* on lui attache une si grande importance. Vous saisissez ? Bien sûr, vous comprenez. On ne nous a pas donné de précisions, même pas d'indications générales et nous ne voulons pas en savoir davantage. Ce n'est pas à vous, un ancien du Deuxième Bureau, que je l'apprendrai : moins un gars sait de choses, moins de chances il a de se faire épingler. Seigneur ! Vous pensez bien que nous ne sommes pas des gros bonnets, nous ne sommes que de pauvres salariés, alors ne faites plus d'histoires, venez vous asseoir, laissez-moi vous faire une piqûre, déballez-nous quelques informations et nous pourrons ensuite aller tranquillement chacun de notre côté. On ne peut pas rester ici éternellement.

— Si vous travaillez pour une organisation gouvernementale, filez me chercher des papiers légaux : mandat de perquisition et assignation à témoin.

— Pas ça, pas vous ! lança Vince, toujours agressif.

— L'organisation pour laquelle nous travaillons, expliqua patiemment Bob, n'a pas d'existence officielle. C'est pourquoi vous n'avez jamais entendu prononcer son sigle, donc ne vous attendez pas à ce que nous vous apportions sur un plateau des papiers légaux. Un peu de sérieux, Mr Stryker.

— Et si je me laisse injecter votre sérum, que

m'arrivera-t-il quand j'aurai fini de répondre à vos questions?

— Rien, dit Vince.

— Absolument rien, renchérit Bob.

— Comment en être sûr?

Cette phrase qui annonçait une reddition prochaine détendit un peu Vince dont le visage était encore empourpré de colère.

— Je vous ai déjà dit que nous décampons dès que vous nous aurez donné les informations que nous voulons, dit-il en reprenant des formes un peu plus civilisées. Nous avons besoin de savoir pourquoi cette femme s'est mis dans la tête de vouloir rouvrir la tombe. Si c'est un type qui lui a mis la puce à l'oreille, ce gars-là, nous le clouerons à la porte d'une grange. Mais on n'a rien contre vous. Vous répondez et on s'en va.

— Et je pourrai prévenir la police?

— Les flics, on s'en balance, déclara Vince avec arrogance. Vous seriez sacrément emmerdé de ne pas pouvoir leur dire qui on est et de quel côté ils doivent fouiner. Ils peuvent toujours chercher, je leur souhaite bien du bonheur : ils ne dégoteront rien et si *par hasard* ils étaient sur une piste on ferait pression pour qu'ils lâchent en vitesse. Vous avez deviné, c'est pour le gouvernement, la sécurité nationale, les gros pontes, qu'on fonctionne, nous. Alors le gouvernement, il ne se gêne pas pour tricher avec les lois, puisque c'est lui qui les fabrique.

— C'est une explication qui ne correspond pas tout à fait à ce qu'on enseigne dans les facultés de droit, dit Elliot.

— On n'est pas dans une tour d'ivoire, glissa Bob en triturant nerveusement sa cravate marron.

— Ouais, nous, on a affaire à la vie réelle. Bon, assez de parlote : vous venez vous asseoir et on y va.

— Allons, Mr Stryker, un peu de bonne volonté, enjoignit Bob.

— Pas question, déclara Elliot.

Son intuition du danger, qui avait été bien affinée

146

pendant toutes ses années au Deuxième Bureau, s'était éveillée. Il avait analysé la situation froidement et la sonnette d'alarme carillonnait en lui. Il savait pertinemment que, lorsque ces deux individus auraient récolté leurs informations, ils l'abattraient purement et simplement. Sinon ils n'useraient pas de leurs vrais noms et ils ne perdraient pas leur temps à essayer de le faire coopérer, ils le forceraient. S'ils ne lui faisaient pas violence, c'est qu'ils ne voulaient pas que son corps en portât des traces. Cela leur permettrait de maquiller le meurtre en accident ou en suicide. Il voyait d'ici le scénario... Probablement un suicide. Quand il serait sous l'influence de la drogue, ils lui feraient écrire une lettre annonçant son intention de mettre fin à ses jours. Il devrait la signer de sa façon habituelle, facilement identifiable. Ils le traîneraient au garage, l'installeraient à son volant en fixant soigneusement la ceinture de sécurité et mettraient le moteur en marche, en laissant fermées les portes du garage. Il ne serait pas en état de bouger et l'oxyde de carbone parachèverait la besogne. Dans un jour ou deux on le découvrirait le visage bleu, la langue pendante, les yeux exorbités fixés sur le pare-brise comme s'il voyait venir la mort à grands pas. A condition que son corps ne portât pas de marques suspectes qui contrediraient la possibilité du suicide, le coroner n'y verrait que du feu et tout serait vite réglé. Aucun doute sur le déroulement de ce scénario, il connaissait la chanson.

— Pas question ! reprit-il d'une voix encore plus assurée. Si vous voulez que je m'asseye à la table, mes salauds, il faudra m'y traîner de force.

16

Tina avait déblayé la chambre de Danny. Il n'y avait plus trace du saccage et elle avait presque fini d'empaqueter ses affaires pour les donner à une œuvre de bienfaisance. Plusieurs fois un objet ou un autre avait failli lui arracher des larmes car il évoquait en elle une foule de souvenirs heureux ou attendrissants, mais elle tint bon et résista à la tentation de fuir sans avoir mené à bien la tâche qu'elle s'était prescrite.

A présent il ne restait plus grand-chose, juste quelques cartons enfouis dans les profondeurs d'un placard. Elle essaya de soulever l'un d'entre eux, mais il était trop lourd, et elle se contenta de le tirer jusqu'au milieu de la chambre éclairée par les rayons de soleil qui passaient entre les branches des arbres et filtraient à travers les vitres poussiéreuses. En l'ouvrant, elle constata qu'il était plein de bandes dessinées dont Danny faisait collection : histoires de monstres, de vampires, récits horrifiques de toutes sortes. Cette fascination qu'il avait pour se genre macabre n'avait jamais paru très saine à Tina, mais elle lui avait toujours laissé la liberté de se plonger dans les livres de son choix. D'ailleurs la plupart de ses camarades partageaient ce goût plutôt morbide pour les fantômes et les goules et cela l'avait rassurée.

Sur le dessus des deux piles de *comics* étaient posés deux numéros aux couvertures criardes : l'une représentait une voiture noire tirée par quatre chevaux noirs aux yeux flamboyants, un homme décapité menant l'attelage qui filait sur la route sous un clair de lune blafard. Un flot de sang vermeil jaillissait du cou sectionné et des caillots gélatineux restaient accrochés aux ruchés de la chemise blanche. La tête reposait sur le siège à côté de son propriétaire, et le visage semblait vivre encore, la bouche esquissant un rictus démoniaque.

Tina fit une grimace horrifiée ; si c'était là ce dont Danny se délectait le soir avant de s'endormir, comment pouvait-il jouir d'un si bon sommeil ? En effet, il avait toujours eu un sommeil profond et paisible que ne venait troubler aucun cauchemar. C'était étrange. Elle tira un autre carton aussi lourd que le premier et sans doute rempli également de bandes dessinées. Elle l'ouvrit pour s'en assurer.

Elle hurla : *il* la fixait ; oui, sur la couverture exposée à son regard, c'était *lui*. L'homme en noir de ses cauchemars, le même visage dont la peau parcheminée collait aux os, dessinant une vraie tête de mort ; dans les orbites profondément creusées, des yeux rouges et globuleux la toisaient avec une expression de haine intense. Elle revoyait la même grappe de gros vers blancs accrochée au coin de l'œil, le même rictus découvrant les dents jaunâtres. C'était la hideuse créature qui la hantait depuis ces deux dernières nuits. Dans ses moindres et affreux détails.

Comment se faisait-il qu'elle eût rêvé de cette horreur justement la nuit dernière et qu'elle la retrouvât tapie dans ce carton ? Elle battit en retraite et le regard sembla la suivre.

« J'ai dû voir cette image il y a un certain temps. Les couleurs voyantes m'ont sans doute frappée quand Danny l'a rapportée à la maison et j'ai gardé cette vision dans mon subconscient jusqu'à ce qu'elle réapparaisse dans mes rêves. C'est la seule explication logique », se dit-elle.

Mais elle avait beau raisonner pour se rassurer, au fond d'elle-même elle savait que ce n'était pas vrai. Elle n'avait jamais vu cette couverture de bande dessinée. Quand Danny s'était mis à acheter ce genre de *comics* avec son argent de poche, elle avait regardé ses premières acquisitions de près, se demandant si c'était nocif ou pas mais, une fois sa décision prise de le laisser lire selon ses goûts, elle n'avait jamais plus surveillé ce qu'il achetait.

Pourtant elle avait rêvé de l'homme en noir et elle le voyait ici même, correspondant jusqu'au plus petit détail au personnage de son cauchemar. Désirant lire l'histoire d'où cette image avait été tirée, elle se pencha sur le carton mais à peine ses doigts avaient-ils effleuré le papier glacé que retentit le timbre de la porte. Elle tressauta, terrifiée. On sonna encore. Elle réalisa que c'était la porte d'entrée et se précipita, le cœur battant. Par l'œilleton, elle vit un jeune homme portant une casquette avec un écusson non identifiable. Il souriait, attendant son bon vouloir.

— Que voulez-vous ? cria-t-elle sans ouvrir.

— C'est la Compagnie du Gaz, madame, nous sommes obligés de vérifier le bon état des conduites et pour ça il faut que nous puissions entrer chez les particuliers.

— Un premier janvier ! s'exclama Tina, étonnée et méfiante.

— C'est le service des dépannages urgents, nous craignons qu'il n'y ait une fuite de gaz dans le coin.

Elle hésita, entrouvrit la porte en laissant la chaîne de sûreté et examina le jeune gars.

— Une fuite de gaz ?

— Rassurez-vous, fit-il avec le sourire. Il n'y a probablement aucun risque mais nous avons constaté une baisse de pression et nous essayons de trouver la cause. Pas question d'évacuation. Il ne s'agit pas de paniquer les gens, vous pensez bien, mais il faut contrôler les installations dans chaque foyer. Avez-vous une cuisinière à gaz ?

— Non.

— Une chaudière à gaz peut-être ?

— Oui.

— C'est bien ce que je pensais : toutes les maisons par ici se chauffent au gaz. Il faut que je jette un coup d'œil, que je vérifie si tout est en ordre.

Elle le regarda des pieds à la tête. Il portait l'uniforme des employés de la Compagnie du Gaz et il avait à la main une sacoche à outils avec l'écusson de la compagnie.

— Vous avez des papiers?

Il fouilla dans sa poche de chemise et en extirpa une carte d'identité usagée avec sa photo, son nom, ses particularités physiques et le tampon de la Compagnie.

Tina fut un peu confuse de s'être montrée si réticente, comme une vieille femme qui redoute tout le temps d'être attaquée. Elle murmura:

— Veuillez m'excuser, vous n'avez pas l'air d'un malfaiteur mais par les temps qui courent...

— Mais c'est bien normal. Ne vous excusez pas: vous avez bien fait de me demander mes papiers. A notre époque il ne faut jamais ouvrir tout de suite sa porte à un inconnu. On ne sait jamais.

Elle referma pour pouvoir décrocher la chaîne puis ouvrit en grand et s'effaça pour laisser passer l'employé.

— Entrez.

— Où se trouve la chaudière? Dans le garage?

— Oui.

— Si vous préférez, je peux y entrer directement, par dehors.

— La porte est automatique et la télécommande pour l'ouvrir se trouve dans l'auto, mieux vaut passer par la maison.

Il franchit le seuil. Elle referma la porte et tira le verrou.

— C'est joli, ici.

— Merci.

— Ça a l'air confortable. Les couleurs sont vraiment bien choisies. Ça ressemble un peu à chez moi: ma femme a aussi le sens des couleurs.

— J'ai choisi cette teinte parce que c'est reposant.

— Oh oui, c'est bien plus agréable pour les yeux que ces couleurs violentes, comme les gens les affectionnent à présent.

— Le garage, c'est par ici.

Il la suivit dans la cuisine, dans un petit couloir, dans la buanderie et de là dans le garage. Elle alluma. Il restait des zones d'ombre le long des murs et dans les coins. Cela sentait légèrement le moisi mais on ne remarquait aucune odeur de gaz suspecte.

— Je crois qu'il n'y a pas la moindre fuite ici, déclara Tina.

— Je suis de votre avis, mais on n'est jamais trop prudent, il vaut mieux tout vérifier : la fuite pourrait se trouver sous la maison et alors le gaz s'accumulerait sans que vous vous en aperceviez. N'empêche que ce serait comme s'il y avait une bombe qui pourrait exploser d'un moment à l'autre.

— Jolie perspective !

— Ça rend la vie intéressante, on n'est jamais à l'abri du danger...

— Heureusement que vous n'êtes pas chargé du département des relations publiques dans votre compagnie.

— Ne vous tracassez pas, dit-il avec un large sourire. Si j'avais la moindre inquiétude, je ne ferais pas cette tête-là.

— Evidemment.

— Vous pouvez dormir sur vos deux oreilles. Je vous garantis que vous ne courez aucun risque. Je vais procéder à une simple inspection de routine.

Ce disant il posa sa sacoche à outils sur le sol, s'accroupit, ouvrit une petite porte métallique, découvrant ainsi les pièces intérieures de la chaudière, et un anneau de flammes vacillantes baigna son visage d'une lumière bleuâtre qui semblait émaner d'un autre monde.

— Alors ? demanda Tina d'un ton un peu anxieux.

— Ça va me prendre une vingtaine de minutes, répondit-il en levant la tête vers elle.

— Je pensais que ça irait plus vite.

— Non, il faut regarder de près dans ces cas-là.

— Bon, prenez votre temps, ça vaut mieux.

— Vous savez, vous n'avez pas besoin de rester ici. Je suppose que vous avez beaucoup à faire. Je n'aurai besoin de rien.

Tina, toujours obsédée par l'image de l'homme noir, tenait absolument à en connaître l'histoire. Elle avait

153

l'intuition, sans trop savoir pourquoi, qu'il y avait des similitudes entre celle-ci et l'accident mortel de Danny.

— Alors je vous laisse, j'étais en train de faire des rangements dans la pièce du fond. Si vous êtes sûr que...

— Oui, oui, ça ira très bien, je ne veux surtout pas vous déranger.

Elle s'éclipsa et il resta dans le garage aux ombres mouvantes, le visage illuminé par le reflet bleu des flammes qui lui avivait aussi les prunelles.

17

Quand Elliot refusa de s'éloigner de l'évier pour gagner la table du coin-repas à l'autre bout de la cuisine, Bob, le petit bonhomme en complet marron, hésita puis fit un pas vers lui.

— Stop! cria Vince.

Bob obéit, visiblement soulagé de laisser son compagnon s'occuper du rebelle.

— Fous-moi le camp de là, lui dit Vince qui renfonça les feuillets portant les questions dans sa poche pour avoir la main gauche libre, je me charge de ce salopard.

Bob lui laissa le champ libre et Elliot concentra son attention sur Vince qui, le pistolet dans la main droite, brandit le poing gauche et dit d'un ton sarcastique :

— Tu crois vraiment que tu fais le poids, mon petit gars ? Tu sais, quand j'étais môme et après, on se bagarrait entre bandes dans la rue et je n'avais jamais le dessous, crois-moi, pas une fois. Tu vois ces bras, ces biceps, c'est du costaud, mec. Tous les jours je fais des poids et haltères... et mes mains, reluque-les bien, c'est elles qui me font gagner. Ma main à elle seule est plus grosse que tes deux mains réunies, des outils de joueur de basket, de type qui a l'habitude des combats de rue. Et mon poing, parole d'honneur, il est plus gros que ta tête et tu sais pas comme il va jouir, mon poing, quand il va te rentrer dedans.

Elliot se faisait une idée fort précise de ce qu'il allait déguster, et la sueur lui coulait le long du dos, mais il ne broncha pas.

— Et toi, poursuivit Vince, tu vas être complètement K.O. Comme si un train de marchandises te rentrait directo dans l'estomac. Alors tu arrêtes de jouer à celui qui n'a peur de rien, sacrée tête de mule !

« Ils s'en donnent du mal tous les deux pour éviter les grands moyens », pensa Elliot de plus en plus convaincu qu'ils voulaient avant tout donner corps à la thèse du suicide en ne l'abîmant pas au préalable.

Vince fit un pas en avant.

— Tu deviens raisonnable ? Tu vas coopérer maintenant ? demanda-t-il sans obtenir la moindre réaction de la part d'Elliot.

Un pas de plus ; Elliot attendait de pied ferme. Rictus bestial de Vince. « Quel sadique, se dit Elliot, c'est une vraie jouissance pour lui de faire trembler ses victimes, de les menacer, de les brutaliser. »

— Un direct dans le creux de l'estomac et tu vas dégueuler sur ton froc.

Un autre pas.

— Et quand tu auras bien dégueulé, je t'attrape par les couilles et je t'envoie dinguer sur la table, compris ?

Vince approcha, puis resta planté à un mètre à peine d'Elliot. Celui-ci jeta un coup d'œil furtif en direction de Bob, debout près de la table, la boîte de seringues à la main.

— Je te laisse une dernière chance.

Rapide comme l'éclair, Elliot saisit le verre gradué dans lequel il avait versé tout à l'heure du vinaigre et en jeta le contenu au visage de Vince qui cria de surprise et de douleur. Il en avait reçu plein les yeux. Elliot se débarrassa du verre, agrippa le pistolet mais son adversaire eut le réflexe d'appuyer sur la gâchette. Le coup partit, la balle passa à quelques millimètres de la figure d'Elliot, allant fracasser la vitre derrière l'évier. Il esquiva un terrible coup de poing et se baissa vivement, tenant toujours le pistolet que l'autre ne voulait pas lâcher ; il prit son élan et frappa de toutes ses forces Vince à la gorge avec son coude replié. La tête bascula en arrière, et du plat de la main Elliot lui décocha un coup formidable sur la pomme d'Adam, lui enfonça le genou dans le bas-ventre, lui arracha l'arme des doigts qui avaient relâché leur emprise. Vince se plia en avant, la bouche ouverte, et Elliot lui cogna la tempe avec le canon du pistolet. Le truand tomba à genoux puis à plat-ventre et ne bougea plus.

Le combat avait duré à peine dix secondes. Vince s'était fié à sa taille et à son poids, supérieurs à ceux de son adversaire, mais il avait eu grand tort. Comme il l'avait raconté la veille à Tina, Elliot continuait à s'exercer aux arts martiaux pour se garder en forme. Trois fois par semaine il s'entraînait, guidé par le meilleur maître de Las Vegas et il excellait en aïkido, karaté, judo et autres disciplines exotiques.

Dès qu'il eut constaté que Vince gisait sans connaissance sur le sol, Elliot s'en prit à Bob et braqua sur lui le pistolet ; l'autre s'enfuit à toutes jambes, traversa la salle à manger en direction des pièces de devant. Il n'avait pas d'arme et la façon dont Elliot s'était débarrassé de son adversaire, apparemment plus costaud et de surcroît armé, l'avait vivement impressionné. Il renversa les chaises pour ralentir la course de son poursuivant. Dans le salon aussi il sema des obstacles : fauteuils, livres, objets divers. Pour Elliot c'était d'un véritable slalom qu'il s'agissait. Quand il sortit de la maison, l'autre avait déjà traversé la rue et était monté dans une banale Chevrolet vert foncé. En atteignant le bout de l'allée, Bob démarra en trombe. La boue qui maculait sa plaque empêchait de distinguer le numéro.

Elliot revint en courant dans la maison. Vince gisait à terre, toujours inconscient. Il lui prit le pouls, lui souleva la paupière. Il s'en tirerait mais sans doute faudrait-il l'hospitaliser et pendant quelques jours il aurait de la peine à avaler. Il fouilla dans ses poches où il ne trouva que quelques pièces de monnaie, un peigne, un portefeuille et les feuillets où avaient été tapées les questions auxquelles Elliot devait répondre. Il les replia soigneusement et les empocha à son tour. Dans le portefeuille il y avait quatre-vingt douze dollars, pas de carte de crédit, pas de permis de conduire, aucune sorte de papier d'identité. Ce qui confirma Elliot dans l'opinion que ce n'était pas un gars du FBI — qui pourvoit ses agents de papiers en bonne et due forme — ni de la CIA qui fournit les siens en cartes d'identité, même si elles portent de faux noms. Pour l'avocat, cette absence de papiers d'identité était bien plus inquiétante qu'une collection de faux papiers. Un tel anonymat faisait penser à une police secrète avec tout ce que ces deux mots éveillaient de sinistres sous-entendus. Pas aux Etats-Unis, bien entendu, mais en Union soviétique, dans les républiques sud-américaines. Dans la moitié des pays du globe, les polices secrètes, modernes Gestapos, sévissaient et les citoyens avaient appris à en redouter les visites nocturnes. « Mais enfin ce n'est pas possible aux Etats-Unis », pensa-t-il avec indignation.

En admettant au pire que le gouvernement eût constitué une force de police secrète, pourquoi lui, Elliot, en serait-il la cible ? Pourquoi cette volonté acharnée de camoufler les vraies conditions dans lesquelles s'était déroulé l'accident qui avait coûté la vie aux jeunes scouts ? Qu'essayait-on de cacher concernant la tragédie de la Sierra ? Que s'était-il passé réellement là-haut dans la montagne ?

— *Tina !* s'écria-t-il soudain, réalisant qu'elle courait un danger encore plus grand que lui.

Si ces gens voulaient à tout prix le tuer pour empêcher l'exhumation, ils voudraient aussi la supprimer, elle. Ce devait être leur premier objectif. « *Mon Dieu !* » Il tremblait de tous ses membres à l'idée du péril qui la menaçait, courut au téléphone, décrocha, s'aperçut qu'il ne connaissait pas son numéro, raccrocha et feuilleta fébrilement l'annuaire pour constater que Christina Evans n'y figurait pas. « *Merde !* » Impossible d'obtenir communication d'un numéro qui devait être sur la liste rouge. Alors ? S'il appelait la police et parvenait à expliquer tant bien que mal la situation, il y avait de fortes chances pour qu'elle n'intervînt pas à temps...

Pendant un instant il n'arriva pas à prendre une décision, obnubilé par l'affreuse crainte de perdre Tina ; l'image de la jeune femme flottait devant ses yeux avec ce sourire un tantinet dissymétrique, qui était un charme de plus, ces légers et soyeux cheveux bruns, ces yeux d'un bleu profond, purs et limpides comme l'eau des torrents... Il sentit dans sa poitrine un poids si douloureux qu'il put à peine reprendre son souffle.

Tout à coup son adresse lui revint en mémoire, elle la lui avait donnée l'avant-veille, à la réception qui avait suivi la générale de *Mabyck!* Elle habitait tout près, il pourrait y être en cinq minutes. Il avait encore en main le pistolet équipé du silencieux et décida de le garder, par précaution. Il pourrait en avoir besoin. Subitement certain qu'il lui serait indispensable, il courut à sa voiture.

18

Tina laissa l'employé du gaz au garage, près de la chaudière, et retourna dans la chambre de Danny ; elle sortit la bande dessinée du carton et s'assit sur le lit dans la coulée de soleil, un soleil couchant couleur de cuivre légèrement terni, qui se faufilait entre les rideaux et éclaboussait le mur du fond de mille gouttelettes de lumière qui faisaient penser à une pluie de petites pièces de monnaie.

Le magazine cher à Danny contenait une demi-douzaine d'histoires d'horreur. Celle dont la couverture illustrée l'avait fait frémir — avec son personnage décapité — se déroulait sur seize pages. Sur la première, le titre était écrit en lettres figurant un assemblage de bouts de linceul pourri au-dessus d'une image représentant avec mille détails précis un cimetière sous une pluie battante. Tina lut avec stupeur : *L'enfant qui n'était pas mort*. Elle pensa aussitôt au message inscrit sur le tableau noir et sur l'écran de l'ordinateur : *Pas mort, Pas mort, Pas mort...*

Elle manqua laisser tomber le magazine tant ses mains tremblaient. L'histoire se passait au milieu du XIXe siècle, à l'époque où les médecins ne savaient pas encore très bien déceler la frontière entre la vie et la mort. Le héros était un gamin qui tombait d'un toit et qui, à la suite d'une fracture du crâne, entrait dans un coma profond. La technologie médicale ne permettant pas de déceler le moindre signe de vie, on diagnostiquait la mort et les parents désespérés s'apprêtaient à enterrer l'enfant. A cette époque on ne procédait pas à l'embaumement, on ne pouvait rien faire pour conserver le corps un peu plus longtemps. Il était donc possible d'enterrer un être encore vivant et c'était ce qui se passait dans l'histoire. Les parents quittaient la ville immédiatement après les obsèques, avec l'intention de s'isoler dans leur résidence estivale, loin des obligations professionnelles et sociales pour y pleurer leur fils. Mais, la première nuit, la mère avait une vision : son fils enterré vivant l'appelait à son secours. Cette vision était si frappante, elle présentait des caractères de si grande vraisemblance que les parents décidaient de rentrer en ville la nuit même et de faire rouvrir la tombe à l'aube. Mais la Mort était déterminée à garder l'enfant en sa possession puisque les funérailles avaient eu lieu et qu'il était sous la terre. D'où de multiples péripéties, la Mort s'acharnant à empêcher les parents d'exécuter leur projet : interventions multiples de cadavres surgis de leurs tombes, vampires, goules, zombies et fantômes. Le père et la mère en triomphaient finalement, arrivaient au cimetière à l'aurore, faisaient procéder à l'exhumation, retrouvaient leur fils vivant, sorti de son coma. La dernière image montrait le trio sortant du cimetière sous l'œil de la Mort qui murmurait : « Votre victoire est fugitive, vous m'appartiendrez tôt ou tard. Je vous attends. »

Tina était bouleversée. La gorge sèche, elle ne savait que penser de tout cela. « C'est absurde de me laisser prendre à cet horrible mélo », se dit-elle. Et pourtant... que dire des points communs existant entre ce qu'elle venait de lire... et ce qu'elle venait de vivre ? Elle posa le magazine loin d'elle à l'envers pour ne plus voir l'abominable tête de mort.

L'enfant qui n'était pas mort.

Quel étrange enchaînement, quel bizarre enchevêtrement d'événements réels et de fantasmes ! Elle avait rêvé que Danny avait été enterré vivant et elle avait intégré dans son cauchemar un personnage de bande dessinée issu de la collection de Danny. Cet homme en noir figurait sur la couverture d'une histoire qui avait pour héros un garçon ayant à peu près l'âge de Danny, qu'on avait cru mort, qu'on avait enterré vivant, puis exhumé.

Coïncidence? C'était difficile de le croire tant les ressemblances étaient frappantes.

Tina n'avait jamais ressenti un trouble de cette nature, elle se trouvait aux prises avec un phénomène inexplicable, comme si son cauchemar ne provenait pas du tréfonds de son subconscient mais lui était inspiré du dehors, tel un avertissement... un message, qu'une personne ou une force voulait lui adresser pour lui faire comprendre...

Lui faire comprendre quoi?

Que Danny lui aussi aurait été enseveli vivant? Impossible, le petit avait été meurtri, brûlé, gelé, horriblement mutilé, il était mort sans qu'on pût une seconde en douter. En tout cas c'est ce que les autorités et l'entrepreneur des Pompes funèbres lui avaient dit et redit. Et puis on n'était plus au milieu du XIXe siècle ; de nos jours, les médecins étaient capables de détecter le battement de cœur le plus ténu, le souffle à peine perceptible, la plus petite trace d'activité cérébrale. Danny était mort et il l'était quand on l'avait enterré. Et s'il y avait une chance sur un million qu'il eût été vivant quand on l'avait inhumé, pourquoi aurait-il fallu attendre une année entière pour qu'elle eût une vision provenant du monde des esprits, de ce milieu mystérieux d'où les médiums reçoivent leurs messages?

Elle sursauta. Pourquoi venait-elle de penser au monde des esprits, aux médiums? Elle n'avait jamais accordé la moindre importance à ce genre d'histoires, parapsychologiques ou autres. A tout le moins elle s'était toujours targuée de ne pas y croire... Pourtant elle venait d'envisager spontanément que ses rêves pouvaient avoir une signification de cet ordre. « Allons, Tina, tu déraisonnes, tu ne vas pas tomber dans le panneau, c'est trop absurde! » Elle s'admonesta ainsi et, pour mieux se convaincre, elle se redit tout ce qu'elle avait lu sur les rêves: qu'ils puisent leur matériau dans les expériences accumulées du plus profond de la psyché, que ce ne sont pas des messages qu'enverraient aux humains anges ou démons, etc. N'empêche que sa soudaine crédulité, si étrangère à sa vraie nature, l'inquiéta. Ne lui signifiait-elle pas que sa décision concernant l'exhumation n'aurait pas l'effet sédatif escompté ?

Elle alla se poster à la fenêtre, contempla pour se calmer la rue paisible, les oliviers, les palmiers qu'aucun souffle de vent n'agitait. Il fallait absolument qu'elle s'en tienne aux faits, à la réalité froide et nue. Il était exclu désormais qu'elle se laisse envahir par ces absurdes imaginations, ces superstitions d'un autre âge, ces contes de bonnes femmes. Elle avait fait un *cauchemar* parce qu'elle n'était pas encore remise de la mort de Danny, un point c'était tout. Maintenant il fallait qu'elle trouve une explication logique à ces coïncidences.

Et il n'y avait qu'une explication plausible pour la personne rationnelle qu'elle avait décidé d'être : elle avait *dû* voir l'homme en noir sur la couverture du magazine quand Danny l'avait rapporté à la maison. Impossible de sortir de là.

Le hic, c'est qu'elle était sûre de ne pas l'avoir vu. Et même si elle avait vu cette illustration, elle ne connaissait pas le premier mot de l'histoire. Elle se rappelait très bien avoir feuilleté les deux premières bandes dessinées que Danny avait achetées pour se faire une opinion : était-ce ou non une lecture malsaine pour un jeune garçon ? Mais la date de celle qu'elle venait de regarder était beaucoup plus récente : elle avait paru il y avait à peine plus de deux ans et à cette époque il y avait longtemps qu'elle le laissait lire ce genre de littérature.

Elle en revint au point de départ. Son cauchemar était directement inspiré par cette histoire d'horreur qu'elle n'avait jamais lue jusqu'à maintenant. Impossible de trouver d'autre explication. *Bon sang !* Allait-elle continuer à tourner en rond ? C'était intolérable et elle avait les nerfs à bout. Elle revint s'asseoir sur le lit et reprit le magazine, mais à ce moment précis l'employé du gaz l'appela. Elle le trouva près de la porte d'entrée.

— Ça y est, madame, j'ai fini, il n'y a rien qui cloche. Vous n'avez rien à craindre. S'il y a une fuite dans le quartier, ce n'est pas chez vous.

Elle le remercia. Il répondit qu'il n'avait fait que son boulot. Ils se souhaitèrent mutuellement une bonne soirée et elle verrouilla la porte après son départ.

Elle retourna dans la chambre de Danny reprendre sa lecture, affronter de nouveau le regard haineux de la Mort. Peut-être à la relecture allait-elle remarquer un élément important qui lui avait échappé jusque-là. Trois à quatre minutes se passèrent et la sonnette retentit à nouveau, une, deux, trois, quatre fois, quelqu'un d'apparemment très pressé. Elle se dirigea vers la porte d'entrée, le magazine à la main, grommelant contre ce visiteur importun. Et impatient, car il continuait à sonner.

Par l'œilleton, elle aperçut Elliot. Dès qu'elle ouvrit, il entra en trombe comme s'il avait le diable à ses trousses, regarda de tous côtés et demanda d'une voix angoissée :

— Tout va bien ? Tu vas bien ?

— Très bien ! Pourquoi cette mine affolée ?

— Tu es seule dans la maison ?

— Pas depuis que tu es entré.

Il referma la porte et tira le verrou.

— Dépêche-toi de faire ta valise.

— Quelle drôle d'idée. Pourquoi ?

— Tu n'es pas en sécurité ici.

— Elliot, tu es armé ?

— Oui, j'ai été...

— C'est un vrai pistolet ?

— Oui, je l'ai arraché au truand qui voulait me tuer.

— Mais pourquoi t'en voulait-il tellement ? T'avait-il entendu siffler des airs d'opéra ?

— Tina, tu vois bien que je n'ai pas envie de plaisanter.

Elle ne comprenait pas où il voulait en venir ; elle se rendait bien compte qu'il n'était pas dans son état normal mais elle ne parvenait pas à croire qu'il avait failli se faire descendre.

— Mais qui voulait te tuer, et quand ?

— Il y a un instant, chez moi.

— Mais...

— Tina, écoute-moi bien : on a voulu m'abattre parce que j'allais t'aider à faire exhumer le corps de Danny.

— Mais qu'est-ce que tu dis? fit-elle, les yeux écarquillés de stupeur.

— Eh bien oui, meurtre, complot, quelque chose de sacrément bizarre, mais c'est comme ça et j'ai affreusement peur qu'ils veuillent te supprimer toi aussi.

— Mais enfin...

— Insensé mais vrai.

— Elliot...

— Dépêche-toi de faire ta valise, je t'en prie, il n'y a pas de temps à perdre, crois-moi.

Au début elle avait cru à une mystification et elle ne voulait pas se montrer trop crédule, mais à présent elle sentait que la situation était grave.

— Mon Dieu, Elliot! On a vraiment voulu te tuer?

— Je te raconterai plus tard.

— Mais tu n'es pas blessé au moins?

— Non, non, mais je crois qu'il faut que nous prenions énormément de précautions en attendant d'y voir plus clair.

— As-tu prévenu la police?

— Je ne crois pas que ce soit la chose à faire.

— Pourquoi pas?

— Elle est peut-être de mèche... Où ranges-tu tes valises?

— Où allons-nous? demanda-t-elle, ne sachant plus très bien à quel saint se vouer.

— Je n'en sais rien.

— Mais...

— Ne discute pas, dépêchons-nous, fais ta valise et filons d'ici avant que ces types ne nous tombent dessus.

— Mes bagages sont rangés dans le placard de ma chambre.

Il la poussa doucement mais fermement hors de l'entrée. Elle se dirigea vers la chambre, déconcertée. La peur commençait à se faire sentir. Il la suivit sur ses talons.

— Il n'y a eu personne dans la maison cet après-midi?

— Si, moi j'y étais.

— Je veux dire, personne n'a essayé de s'introduire ici?

— Non.

— Je n'arrive pas à comprendre pourquoi ils ont voulu s'occuper de moi en premier.

— Ah si! s'écria Tina tandis qu'ils s'engageaient en hâte dans le petit couloir qui menait à sa chambre à coucher, il y a eu le type du gaz qui est passé.

— Qui?

— L'employé de la Compagnie du Gaz.

Elliot lui mit la main sur l'épaule et la fit pivoter:

— Un ouvrier?

— Oui, mais ne t'en fais pas, j'ai demandé à voir ses papiers.

— Mais c'est un jour férié.

— Il assurait les dépannages urgents.

— Il y avait une urgence?

— Oui. La pression du gaz n'étant pas normale, ils se sont dit qu'il devait y avoir une fuite quelque part par ici.

Elliot avait l'air de plus en plus inquiet.

— Mais pourquoi voulait-il te voir?

— Il désirait vérifier le bon fonctionnement de ma chaudière pour être sûr que la fuite ne venait pas de là.

— Tu ne l'as pas laissé entrer?

— Si, sa carte était en règle, c'était bien un type du gaz. Il a vu la chaudière, il paraît qu'il n'y a rien de détraqué.

— Quand est-il parti?

— Quelques minutes avant ton arrivée.

— Combien de temps est-il resté?

— Un quart d'heure, vingt minutes.

— Ça lui a pris tout ce temps pour vérifier ta chaudière?

— Oui.

— Tu es restée tout le temps avec lui?

— Non, j'étais en train de ranger la chambre de Danny et...

— Où est-elle, la chaudière?

— Au garage.

— Montre-moi où c'est.

— Et la valise?

— On n'a peut-être pas le temps, répondit-il.

Il était blême et des gouttes de sueur perlaient à son front. Tina devint à son tour blanche comme un linge.

— Mon Dieu, tu crois que...

— Vite, allons voir la chaudière.

Elle se précipita, traversa la maison en trombe, passa par la cuisine, la buanderie ; il y avait une petite porte au fond qui menait au garage. Elle posa la main sur le loquet mais il y avait déjà une forte odeur de gaz.

— *N'ouvre surtout pas la porte,* hurla Elliot.

Elle retira sa main en toute hâte comme si elle venait de la poser sur une tarentule.

— Le loquet pourrait provoquer une étincelle et tout faire sauter. Passons par la porte d'entrée, *vite !*

Ils rebroussèrent chemin à toute allure, passèrent devant une magnifique plante verte, un schefflera de plus d'un mètre de haut, bien en feuilles, qu'elle avait acheté quand il était encore minuscule. Elle eut une envie folle de s'arrêter — au risque de sauter avec le reste de la maison — pour l'emporter, mais la figure hideuse de la Mort, telle qu'elle l'avait vue sur l'image, avec ses yeux de braise au fond des orbites creuses, l'en empêcha. Sa main se crispa sur le magazine qu'elle n'avait pas lâché depuis que le coup de sonnette d'Elliot l'avait tirée de sa lecture. Elle sentait obscurément qu'il ne fallait pas le laisser derrière elle.

Une fois dans l'entrée, Elliot poussa vivement la porte, fit passer Tina devant lui. Ils sortirent dans le jardin qu'éclairaient les derniers rayons du soleil.

— Ne t'arrête pas, vite, dans la rue ! cria Elliot.

Tina marchait comme une automate, hantée par la vision de sa maison balayée par l'explosion. Elle voyait en imagination des débris de bois, de verre, de métal qui voltigeaient ; elle se sentait percée de part en part par des éclats pointus. Le sentier dallé lui semblait s'allonger sans fin mais, dans la rue, elle aperçut la Mercedes d'Elliot un peu plus loin. Elle n'en était plus éloignée que de quelques mètres quand le souffle de l'explosion la propulsa en avant. Elle trébucha et heurta du genou l'aile de la voiture. Se retournant, folle d'angoisse, elle vit qu'Elliot était sain et sauf. Il vacillait lui aussi sous l'impact mais retrouva rapidement son équilibre.

C'était le garage qui avait sauté en premier. La grande porte arrachée de ses gonds s'était abattue en mille morceaux dans l'allée, les bardeaux du toit retombaient en fragments enflammés comme une pluie de confettis. Puis, avant que le garage ne soit entièrement la proie des flammes, une seconde explosion dévasta la maison de bout en bout, les flammes surgissant de partout, faisant sauter les quelques fenêtres qui avaient résisté.

Tina assistait, horrifiée, à ce spectacle. Elle voyait les flammes qui sortaient d'une fenêtre et grillaient les palmes desséchées d'un arbre voisin.

— Ne reste pas là, entre vite, ordonna Elliot qui lui ouvrit la portière.

— Mais la maison brûle !

— Tu ne peux strictement rien y faire.

— Il faut attendre les pompiers.

— Si nous restons ici nous serons des cibles rêvées.

— Mais…

Il l'attrapa par le bras pour l'arracher à ce spectacle qu'elle contemplait comme hypnotisée.

— Pour l'amour du Ciel, ne reste pas plantée là, sauvons-nous avant qu'on nous mitraille.

Elle finit par obéir ; dès qu'elle fut installée, il sauta derrière le volant.

— Ça va ? demanda-t-il plein de sollicitude.

Elle se contenta d'un signe de tête affirmatif.

— Nous sommes vivants, c'est déjà beaucoup, dit-il en posant le pistolet sur ses genoux, le canon face à la portière de son côté, à l'écart de Tina. D'une main tremblante il fouilla dans sa poche à la recherche de ses clés et mit le contact.

Elle regarda par la vitre baissée les flammes qui se promenaient du toit du garage sur celui de la maison et qui les léchaient, léchaient, avides, couleur de sang, en cette pâle lumière de fin d'après-midi.

19

Tandis qu'Elliot conduisait sa compagne loin de l'incendie, tous ses sens étaient en alerte. Comme aux jours lointains du Deuxième Bureau, il se tenait prêt à toute éventualité, se fiant à la fois à son flair d'animal en danger et à sa force nerveuse d'homme qui sait se contrôler. Il aperçut dans le rétroviseur un fourgon noir qui démarrait.

— Nous sommes suivis, annonça-t-il.

Tina regarda par la vitre arrière.

— Je parie que le salaud qui a fichu le feu à ma maison est tranquillement assis dans ce camion, lança-t-elle.

— Cela ne fait aucun doute.

— Si j'attrapais ce fils de pute, déclara-t-elle hors de ses gonds, je lui arracherais les yeux.

Elliot fut tranquillisé paradoxalement par cet accès de violence. Jusqu'à maintenant elle avait semblé dans une sorte d'hébétude consécutive à la soudaineté du drame et à ce péril mortel évité de justesse. Il fut heureux de voir qu'elle reprenait du poil de la bête.

— Attache bien ta ceinture, il va falloir filer à toute vitesse.

— Tu vas essayer de les semer? dit-elle en s'exécutant.

— Je vais faire *plus* que d'essayer, fais-moi confiance.

Dans ce quartier résidentiel, on ne devait pas dépasser le quarante à l'heure. Elliot, le pied sur l'accélérateur, fit

171

bondir en avant son élégante voiture de sport. La distance s'accrut entre eux et leurs poursuivants, mais ceux-ci accélérèrent à leur tour.

— Ils ne peuvent pas nous rattraper. Au mieux ils vont éviter de nous laisser gagner du terrain, assura Elliot.

Dans la rue les badauds sortaient de leurs maisons, curieux de voir ce qui se passait, se demandant où avait eu lieu l'explosion. Ils suivirent des yeux la Mercedes qui filait comme une flèche. Pour prendre le tournant deux pâtés de maisons plus loin, Elliot fut obligé de ralentir un peu. Les pneus crissèrent, l'auto fut déportée légèrement mais la superbe suspension et l'habileté du conducteur maintinrent le véhicule fermement sur ses quatre roues.

— Ils vont peut-être se mettre à tirer sur nous ? demanda Tina.

— Je n'en sais rien. Tout ce que je sais, c'est qu'ils voulaient que tu aies l'air d'avoir péri par suite d'une explosion de gaz accidentelle et que moi, je passe pour m'être suicidé, mais, maintenant qu'ils nous savent au courant de leurs intentions, ils peuvent paniquer et nous tirer dessus ouvertement. Ils sont capables de tout. La seule chose dont je sois sûr, c'est qu'ils ne nous laisseront pas nous en tirer comme ça.

— Mais qui est derrière…

— Je te dirai ce que je pense mais plus tard.

— Mais qu'est-ce que ç'a à voir avec Danny ?

— Attends, je te dis, cria-t-il impatienté.

— Tout ça est si incompréhensible.

— Tu crois ?

Il prit la tangente partout où c'était possible, virant à droite, à gauche, pour essayer de semer le fourgon en escomptant que les poursuivants ne le voient pas tourner à temps et perdent quelques précieuses minutes à se demander où il avait bien pu passer. Au quatrième tournant il s'aperçut trop tard que la rue était une impasse, bordée de deux rangées de modestes maisons. Il stoppa.

— Merde !

172

— Fais marche arrière, conseilla Tina.

— Pour qu'ils nous cueillent plus facilement ?

— Tu as un pistolet.

— Tu oublies qu'ils sont sûrement plusieurs, et bien armés.

Elliot remarqua à ce moment-là que la cinquième maison sur la gauche avait un garage dont la porte était grande ouverte, un garage vide. Il y fit entrer sa voiture avec autant de détermination que si c'était le sien propre. Il coupa le moteur, descendit promptement pour aller fermer la porte. Ses efforts se révélèrent infructueux jusqu'à ce qu'il se fût aperçu qu'il s'agissait d'une fermeture automatique. Derrière lui, Tina lui cria de s'écarter. Elle avait repéré le bouton de télécommande sur le mur du fond. La porte descendit avec bruit, les soustrayant à la vue d'éventuels passants.

— Ouf ! dit Elliot en venant près d'elle. Nous l'avons échappé belle !

Elle lui prit la main dans les siennes, qui étaient glacées, mais elle avait l'air calme et en pleine possession de ses facultés.

— Espérons, murmura-t-elle, que les propriétaires ne vont pas rentrer chez eux pendant que nous y sommes.

— Nous n'allons pas nous éterniser ici, il faut attendre simplement que les types du fourgon filent en pensant que nous ne sommes plus dans le voisinage. Je pense que c'est une question de quelques minutes.

— Tu as raison, mais qui sont-ils au juste ?

— Ecoute, d'abord j'ai parlé à Harold Kennebeck, le juge…

Sur ces entrefaites, la porte de communication entre le garage et la maison s'ouvrit en grinçant, faisant sursauter Elliot et Tina. Un homme imposant aux pectoraux puissants, en pantalon défraîchi et T-Shirt blanc, alluma et les regarda avec étonnement. Il avait des bras dont la circonférence équivalait à celle d'une cuisse de l'avocat ; quant au cou, il devait faire craquer les boutons de toutes les chemises, même celles de large encolure. Il pétait la santé et son ventre débordait un peu sur la ceinture de son pantalon.

— Qui êtes-vous ? demanda-t-il d'une voix douce et aimable qui surprenait émanant d'une telle force de la nature.

Elliot eut grand-peur qu'il appuyât sur le bouton et fît remonter la porte juste au moment où le fourgon noir passerait devant la maison. Il s'agissait de gagner du temps.

— Salut ! Je m'appelle Elliot et voici Tina.

— Et moi je suis Tom, Tom Polumby.

Il n'avait pas l'air contrarié de les trouver chez lui, juste un peu surpris. Un homme aussi costaud que lui ne devait avoir peur de personne.

— Belle bagnole ! fit-il avec un accent de sincère admiration, et il regarda la Mercedes avec envie.

Pour un peu Elliot aurait éclaté de rire. *Belle bagnole !* Ils s'étaient introduits subrepticement chez lui, s'y étaient enfermés et tout ce qu'il trouvait à dire c'était : *Belle bagnole !*

— Ah oui, une chouette petite bagnole, répéta Tom en se passant la langue sur les lèvres d'un air pensif.

Visiblement, jamais il ne lui serait venu à l'esprit que des truands, des tueurs ou autres individus douteux puissent s'acheter de telles voitures. Pour lui, posséder une auto pareille c'était comme un certificat de moralité. Elliot se demanda quelle eût été sa réaction s'ils s'étaient engouffrés dans son garage au volant d'une Pinto.

— Qu'est-ce que vous fichez ici ? demanda-t-il sans la moindre nuance d'agressivité.

— Nous avions rendez-vous, expliqua Elliot.

— Pas avec moi.

— Nous sommes venus au sujet du bateau, poursuivit Elliot au hasard pour gagner du temps.

— Du bateau ? Je vois pas ce que vous voulez dire, dit Tom en haussant le sourcil.

— Vous savez bien, le six-mètres ?

— Je n'ai pas de six-mètres à moi.

— Celui qui est équipé de moteurs Evinrude.

— Inconnu au bataillon.

— Il y a une erreur quelque part.

— Pour sûr vous vous êtes trompé d'endroit, dit Tom

en allongeant la main en direction du bouton de télé-commande de la porte.

— Mr Polumby, attendez une seconde, intervint Tina, l'erreur ne vient pas de nous, on nous a donné cette adresse.

Tom laissa son geste en suspens, surpris.

— Vous n'êtes pas le monsieur que nous étions censés voir, il a dû oublier de vous prévenir au sujet du bateau, voilà tout !

Elliot la regarda avec admiration : elle ne perdait pas facilement le nord.

— Comment s'appelle le gars que vous vouliez voir ? demanda Tom.

— Sol Fitzpatrick, répondit Tina sans sourciller.

— Je connais personne de ce nom-là.

— Mais enfin, il nous a donné cette adresse et il nous a même dit que le garage serait ouvert et que nous n'avions qu'à entrer sans nous gêner.

Pour un peu Elliot l'avait serrée dans ses bras, mais ce n'était ni le lieu ni le moment. Il s'élança sur la piste qu'elle venait d'ouvrir si brillamment.

— Ouais, Sol nous a dit d'entrer au garage, comme ça nous dégagerions de la place dans l'allée pour le bateau quand il l'amènerait.

Tom se grattouilla le crâne et se tira l'oreille, visible-ment intrigué.

— Fitzpatrick, c'est bien ça ?

— Oui.

— Jamais entendu parler de ce gars-là. Et pourquoi il trimbalerait son bateau jusqu'ici ?

— Nous voulons le lui acheter, expliqua Tina.

— Je veux dire, pourquoi diable il viendrait *ici* ?

— Eh bien, nous avions compris qu'il habitait à cette adresse, dit Elliot.

— Ben moi, je peux vous garantir que ce mec vous a raconté des craques. C'est moi, ma femme et ma petite fille — elles sont sorties pour l'instant — qui habitons ici. Jamais entendu parler de ce mec-là, grommela-t-il.

— Qu'est-ce qui lui a pris de nous donner votre adresse ? lança Tina, feignant d'être indignée.

— Ah dame! C'est pas moi qui vous renseignerai, à moins que... dites, vous ne lui auriez pas déjà versé quelque chose?

— Heu!...

— Un acompte?

— Nous lui avons donné deux cents dollars en acompte, dit Elliot, juste pour qu'il nous garde le bateau jusqu'à ce que nous l'ayons vu ; s'il ne nous plaît pas, il doit nous rendre l'argent.

— Je parie que vous n'en reverrez pas la couleur, de votre fric, déclara Tom avec un sourire goguenard.

— Quoi? lança Tina d'un air furibond, vous croyez que ce monsieur nous a roulés?

Très content au fond que des gens assez riches pour s'offrir une Mercedes eussent trouvé plus malin qu'eux, Tom expliqua d'un ton suffisant:

— Ben, si vous lui avez refilé du fric et s'il vous a donné une fausse adresse, m'est avis que votre Fitzpatrick, il n'a pas plus de rafiot que moi.

— Bon Dieu! s'exclama Elliot.

— Vous avez raison, Mr Polumby, ce salaud nous a bien eus.

— Oh! fit remarquer Tom toujours pontifiant, c'est peut-être une bonne leçon pour vous, les amis.

— Oui, dit Tina en hochant le chef, pour être refaits on l'est et sur une grande largeur.

— On peut pas dire le contraire.

— Qu'est-ce qu'on fait? demanda Tina à Elliot.

Celui-ci consulta sa montre et dit:

— Je crois qu'on peut partir sans risque.

— Sans risque? répéta Tom d'un air ahuri.

Tina se glissa doucement devant Tom et appuya sur le bouton puis, sans se préoccuper de la mine éberluée de leur hôte, elle s'installa dans l'auto à côté d'Elliot, tandis que la porte se relevait.

— Qu'est-ce qui se passe? demanda Tom, vous aviez la frousse de quoi?

— Ne vous en faites pas pour nous, Tom, et merci beaucoup pour votre aide, lança Elliot en sortant la voiture du garage à reculons.

L'amusement ressenti devant la bonne bouille effarée de Tom ne dura pas. Il serra les dents et son cœur battit à grands coups car il s'attendait d'une seconde à l'autre à ce qu'une balle s'en vînt fracasser le pare-brise. Il n'était plus habitué à ce genre de tension. Physiquement il était solide mais, mentalement et émotionnellement, il avait moins de résistance qu'autrefois. A cet égard il n'avait pas su se maintenir en forme. Beaucoup d'eau avait passé sous les ponts depuis ses années au Deuxième Bureau, les nuits blanches de Saigon et autres cités éparpillées dans l'Asie du Sud-Est. En ce temps-là il avait la belle résistance de la jeunesse et il ne pensait pas comme maintenant à la mort. Il avait pris plaisir à jouer au chasseur, à traquer les proies humaines ; et même de se sentir *poursuivi* n'avait pas été sans charme, car cela lui avait permis de mettre en jeu toutes ses ressources d'intelligence et d'audace pour échapper à toutes sortes de périls. Mais la vie civile, la vie d'avocat, le succès, la facilité, l'avaient dangereusement amolli. A vrai dire il ne s'était plus attendu à courir des risques physiques. Serait-il de taille à tenir le coup ?

Tina regarda à droite et à gauche pendant qu'il manœuvrait.

— Pas de fourgon noir en vue, murmura-t-elle.

— Pour le moment.

Par-delà les toits des maisons, dans le ciel qui s'assombrissait, une colonne de fumée noirâtre s'élevait et les volutes supérieures en étaient légèrement teintées de rose par les derniers rayons du soleil couchant. La demeure de Tina qui brûlait ou plutôt les décombres de ce qui avait été sa jolie maison... Elliot traversa le quartier résidentiel, s'éloignant délibérément du sinistre, et, à chaque croisement, il s'attendait à voir déboucher le fourgon à l'allure de corbillard.

Tina n'était pas plus optimiste que lui quant à leurs chances d'échapper aux tueurs. Tantôt elle se penchait vers l'avant, scrutant les voitures qui venaient en sens inverse, tantôt elle se dévissait le cou pour regarder s'ils étaient suivis. Elle avait les traits tirés et elle se mordillait nerveusement la lèvre inférieure. Ils prirent par

Maryland Parkway, Sahara Avenue, Las Vegas Boulevard et finirent par atteindre sans encombre Charleston Boulevard. Leur angoisse commençait à se dissiper. Ils étaient loin de chez Tina. Si vaste que fût l'organisation qui les menaçait, la ville était trop importante pour que le danger les guettât dans tous les azimuts. Avec trois cent cinquante mille habitants, douze millions de touristes par an et un vaste désert qui lui permet de s'étendre largement, Las Vegas offrait bien des coins tranquilles où se réfugier pour reprendre souffle et choisir un plan d'action. Du moins c'était ce que se disait Elliot.

— Où vas-tu ? demanda Tina en le voyant tourner à droite.

— J'ai envie de rouler quelques kilomètres dans cette direction pour être plus tranquille : nous avons pas mal de points à élucider et de décisions à prendre ensemble.

— Quel genre de décisions ?

— Entre autres : ce qu'il convient de faire pour rester en vie.

20

Tout en conduisant, il la mit au courant de ce qui était survenu chez lui : l'arrivée des deux hommes, l'intérêt qu'ils avaient manifesté à propos de l'exhumation, comment ils en étaient venus à avouer qu'ils travaillaient pour une organisation secrète gouvernementale, les seringues hypodermiques...

Tina l'interrompit à plusieurs reprises en posant des questions qu'il s'était déjà posées lui-même et auxquelles il ne pouvait répondre. Elle suggéra :

— Et si nous retournions chez toi ? Au cas où Vince y serait encore nous pourrions utiliser ce fameux sérum. Même s'il ignore pourquoi son organisation se soucie de cette exhumation, il doit bien savoir pour qui il travaille, quels sont ses chefs. On pourrait apprendre des choses intéressantes, tu ne crois pas ?

Profitant d'un arrêt à un feu rouge, Elliot lui prit la main et la serra tendrement. Ce contact lui redonna courage.

— Bien sûr j'aimerais interroger Vince mais ce n'est pas possible.

— Pourquoi ?

— D'abord il y a peu de chances qu'il soit encore chez moi... Il a dû reprendre ses esprits et filer le plus vite possible. Et, même s'il est encore plus sonné que je ne le pense, il y a sûrement certains de ses acolytes qui sont venus le chercher pendant que je me précipitais chez toi. Mais surtout, si nous allons chez moi, j'ai l'impression que nous nous jetons dans la gueule du loup.

— C'est vrai, ils doivent surveiller ton domicile.

— Certainement.

Le feu vira au vert et à son grand regret il fut obligé de lui lâcher la main.

— Tu comprends, Tina, ils ne nous tomberont dessus que si nous commettons des imprudences. Quelle que soit leur identité, ils ne sont pas omniscients. Nous pouvons nous cacher le temps qu'il faudra et vivre en sécurité. S'ils ne nous trouvent pas, ils ne peuvent pas nous nuire.

— Tu m'as dit que nous ne pouvions pas avertir la police : explique-moi pourquoi.

— Parce que la police peut être dans le coup, tout au moins dans la mesure où les chefs de Vince peuvent exercer une pression sur elle. N'oublie pas que nous avons affaire à une organisation gouvernementale et qu'il y a forcément coopération entre les différents services qui dépendent du gouvernement.

— Tout ça est absolument insensé.

— Je suis de ton avis : ça ne tient pas debout mais *c'est* un fait.

— On se sent épié de tous les côtés. Ça fait une drôle d'impression, il faut l'avouer.

— Tu sais, s'ils ont un juge dans leur manche, ils peuvent également disposer de quelques flics.

— Mais tu m'avais dit que Kennebeck était un type bien, que tu avais beaucoup de respect et d'estime pour lui, que c'était un juge intègre.

— C'est vrai. C'est un bon juge qui connaît bien ses textes et qui est fair-play.

— Et tu l'imagines coopérant avec des tueurs et violant le secret professionnel, c'est vraiment incroyable ! s'écria Tina, montant sur ses grands chevaux.

— Ma pauvre petite, tu ne connais pas le monde des agents secrets ni leurs mœurs. C'est une moralité à part, je te prie de le croire ; beaucoup ne connaissent qu'une loyauté : vis-à-vis de l'organisation qui les emploie. Kennebeck pour sa part a appartenu à plusieurs organisations secrètes différentes. Pendant trente ans il a été plongé jusqu'au cou dans ce genre de job. Quand il a pris

180

sa retraite, il y a dix ans environ, il était encore jeune, cinquante-trois ans, et il a cherché à s'occuper. Il avait sa licence en droit mais ne voulait pas être pris vingt-quatre heures sur vingt-quatre, il a donc posé sa candidature et a été élu à la cour. Il prend cette charge très au sérieux mais, que veux-tu, il a été agent secret diablement plus longtemps que juge, et ça marque. Après tout il n'a peut-être pas vraiment pris sa retraite, il est possible qu'il continue à travailler pour Dieu sait quel service et qu'il ait brigué un poste pour que ses chefs aient un ami dans la place... Qui sait ? Tout est plausible dans ce domaine.

— Tu crois ? Comment pouvait-on être sûr qu'il serait élu ?

— Ils se sont peut-être arrangés pour truquer l'élection.

— Tu plaisantes, ou quoi ?

— Enfin, Tina, tu ne te rappelles pas, il y a deux ans, ce personnage officiel (il organise les élections au Texas) qui a raconté que la première élection locale de Lyndon Johnson avait été « arrangée » ? Il a dit qu'après toutes ces années il se sentait moralement obligé de soulager sa conscience. Il n'aurait pas dû se donner cette peine, presque personne n'a sourcillé, ça arrive de temps à autre. Tu penses comme ce doit être facile dans une petite élection locale comme celle de Kennebeck d'arroser qui de droit si tu as suffisamment de fric et une organisation qui assure tes arrières. C'est l'enfance de l'art.

— Oui, mais ça ne me dit pas pourquoi on placerait Kennebeck comme juge à Las Vegas au lieu de choisir une ville bien plus importante comme Washington ou New York.

— Oh ! dis-toi bien que Las Vegas est une ville *très* importante. Par exemple, si tu veux blanchir l'argent de la drogue, c'est ici que c'est le plus facile ; si tu veux te procurer un faux passeport, un faux permis de conduire, n'importe quoi de ce genre, tu déniches ici les meilleurs spécialistes en faux papiers. Si tu cherches un tueur free-lance ou un gars qui fasse le commerce d'armes clandestines ou un mercenaire qui mette sur pied une petite force expéditionnaire pour une opération outremer, tu trouveras tout sur place. Le Nevada a la législation la moins sévère de tous les Etats-Unis. Les impôts y sont modérés, il n'y a pas d'impôt sur le revenu. Les banques, les agents immobiliers et les particuliers sont soumis à des dispositions réglementaires bien moins sévères qu'ailleurs, à l'exception des propriétaires de casinos. C'est agréable pour tout un chacun mais spécialement attirant pour les gens qui veulent dépenser ou investir de l'argent pas très propre. Le Nevada offre plus de libertés aux citoyens que les autres Etats, ce que j'apprécie personnellement, mais, bien sûr, là où on dispose de plus de libertés, il se trouve des individus qui en usent et abusent. Vegas est un terrain d'élection pour les organisations secrètes.

— Donc il est impératif de se dire qu'on est épié de tous les côtés.

— En un sens oui.

— En admettant que les chefs de Kennebeck aient la mainmise sur la police locale, penses-tu que les flics nous laisseraient abattre comme un vulgaire gibier, sans intervenir ?

— Disons qu'elle serait censée ne pas disposer des forces nécessaires pour assurer notre protection.

— C'est tout de même incroyable qu'une organisation gouvernementale soit en mesure de court-circuiter la loi de cette façon et que d'innocents citoyens puissent être ainsi supprimés sous prétexte qu'ils font obstacle aux manigances d'agents secrets !

— Je t'assure que ça fait un bout de temps que je me creuse les méninges pour découvrir de quel genre d'organisation secrète il s'agit... et cela me terrifie, conclut-il d'un air sinistre.

Nouvel arrêt à un feu rouge. Tina enchaîna :

— Si je comprends bien, nous devons nous débrouiller tout seuls ?

— En tout cas pour le moment.

— Mais c'est terrible, comment pourrons-nous ?

— Nous trouverons le moyen.

— Comment veux-tu, deux pauvres types comme nous *face à eux ?*

Elliot lança un nouveau coup d'œil dans le rétroviseur, ce qu'il ne cessait de faire depuis tout à l'heure. Personne ne les poursuivait, mais il ne pouvait s'empêcher de le vérifier.

— Ça n'a rien de désespéré, il faut prendre le temps d'envisager les éventualités et de décider des moyens d'y parer. D'ailleurs nous trouverons peut-être quelqu'un qui puisse nous aider.

— Qui, par exemple ?

Feu vert.

— La presse, entre autres, dit Elliot qui accéléra au carrefour en surveillant son rétroviseur. Nous tenons une preuve qu'il se passe quelque chose d'inhabituel : ce pistolet équipé d'un silencieux que j'ai arraché à Vince. Il y a aussi l'incendie de ta maison. Je suis à peu près certain de dégoter un journaliste qui nous pondra un article pour raconter comment une bande d'individus sans identité et sans visage essaient de nous empêcher de faire rouvrir la tombe de Danny. Si on divulgue ma théorie selon laquelle la version de l'accident dans la Sierra est truquée, si l'on fait allusion à une sorte de complot à la base, beaucoup de parents voudront faire procéder à l'exhumation de leurs enfants. Il y aura une demande de nouvelles autopsies, d'investigations, etc. Les chefs de Kennebeck veulent nous empêcher à tout prix de semer le moindre doute sur la véracité des explications officielles de l'accident, mais une fois que nous l'aurons semé, ce doute, et que les familles de *tous* les scouts, et la ville entière, réclameront une enquête sérieuse, ils n'auront plus aucun intérêt à nous éliminer. Tu vois, nous avons des atouts dans notre jeu et ce n'est pas ton genre de lâcher le manche après la cognée.

— Mais je n'ai pas l'intention de lâcher, Elliot, dit Tina en soupirant.

— A la bonne heure !

— Tu sais bien que je n'abandonnerai jamais la partie avant de savoir exactement ce qui s'est passé pour Danny.

— J'aime mieux ça, je retrouve ma Christina Evans.

La nuit était tombée, et il alluma ses phares. Tina dit d'une voix altérée :

— Mets-toi à ma place. Ça fait un an que je lutte pour me faire à l'idée que Danny a trouvé la mort dans cet accident stupide et, juste au moment où je sens que je peux voir les choses en face et me remettre à envisager l'avenir, je découvre qu'il n'est peut-être pas mort de cette façon et que tout est à recommencer.

— A nous deux, nous en viendrons à bout.

— Tu crois ?

— Oui, je suis là pour t'épauler. Tu ne seras plus jamais seule.

Nouveau coup d'œil dans le rétroviseur. Rien de suspect. Il sentit qu'elle l'observait. Finalement elle s'écria :

— Tu veux que je te dise ?

— Quoi ? Vas-y !

— J'ai l'impression que d'une certaine façon ça ne te déplaît pas.

— Explique-toi.

— Eh bien, je pense que tu prends un certain plaisir à ce genre de course-poursuite.

— Je te garantis que ça ne me plaît pas du tout d'être obligé de prendre l'arme d'un gaillard deux fois gros comme moi.

— Bien sûr, ce n'est pas ce que j'ai voulu dire.

— Et je ne *choisis* pas de gaieté de cœur de voir ma vie paisible et agréable tourneboulée par ce genre d'aventure. Je préfère de beaucoup être un brave citoyen bien tranquille plutôt que de jouer au fugitif traqué par des hommes invisibles.

— Je ne parle pas d'un choix que tu ferais si tu en avais la possibilité mais maintenant que ça t'est arrivé, que ça t'est tombé sur la tête sans crier gare, tu n'es pas mécontent : il y a tout au fond de toi un certain Elliot qui accepte le défi avec une sorte de plaisir. Je t'assure que ça se voit à la façon dont tu agis, dont tu prends en main les événements, dont tu t'exprimes. Tu n'es pas exactement le même que ce matin.

— Ne dis pas de bêtises, voyons, Tina.

— Non, je t'assure, je ne sais pas très bien expliquer mais je sens en toi une espèce de force instinctive, d'énergie vitale, d'astuce pour faire face au danger que tu n'avais pas avant...

— La seule nouveauté, si tu veux savoir, c'est que ce matin je ne ressentais pas encore cette peur affreuse qui me prend aux tripes.

— Mais cette frousse dont tu parles fait partie du scénario. Le danger a fait vibrer une corde en toi, ça te rappelle sans doute ton passé aventureux, ta jeunesse ; ça redonne du piment à ton existence.

— Tu en as de bonnes. Désolé si je te déçois mais je n'aspire pas à retrouver le bon vieux temps de l'espionnage et du contre-espionnage. Tu as trop d'imagination, petite fille, je ne suis pas un héros, un redoutable homme d'action. Je suis le bon vieil Elliot qui aime bien son petit confort et son whisky au coin du feu...

— En tout cas, je suis rudement contente de te sentir à mes côtés.

— Je préfère quand tu es sur moi.

— Ecoute, ce n'est vraiment pas le moment de plaisanter. As-tu toujours eu l'esprit aussi mal tourné ?

— J'ai dû m'exercer régulièrement.

— Félicitations, tu as atteint un bon niveau.

— Merci du compliment.

— Seigneur ! Tu te rends compte ?

— De quoi ?

— Nous sommes là, à rire...

— Et alors ?

— Nous blaguons au beau milieu d'un désastre.

— « Le rire est un baume pour les affligés, la meilleure défense contre le désespoir, le seul remède à la mélancolie. »

— Signé Shakespeare ?

— Groucho Marx. Enfin, je crois.

— Ils se valent, dit-elle.

En soupirant, elle se baissa et ramassa entre ses pieds le fameux magazine.

— Tiens, ce maudit truc...

— Où l'as-tu ramassé ?

— Je l'ai emporté de chez moi, machinalement.

Quand il l'avait fait sortir précipitamment, peu avant l'explosion, il n'avait pas remarqué qu'elle le tenait à la main. Il jeta un bref coup d'œil mais il faisait trop sombre.

— Dis-moi ce que c'est, je ne vois rien.

— C'est une bande dessinée que j'ai trouvée dans les affaires de Danny quand j'ai rangé sa chambre. C'était dans un carton avec toute sa collection de *comics* d'horreur.

— Pourquoi l'as-tu emporté, avec toi ?

— Tu te souviens des cauchemars que je t'ai racontés ?

— Oui, évidemment.

— Le monstre que j'ai vu dans mes rêves est représenté sur la couverture de ce magazine. C'est lui trait pour trait, dans le moindre détail.

— Tu as sûrement vu ce magazine avant et ça...

— Non, non, j'ai essayé de m'en convaincre mais ce n'est pas vrai, je n'ai jamais jeté le moindre coup d'œil à cette collection. Je n'ai jamais contrôlé ce qu'il achetait.

— Peut-être que...

— Attends, dit-elle en lui coupant la parole, je ne t'ai pas dit le pire.

La circulation était bien plus fluide depuis qu'ils s'étaient éloignés du centre et les montagnes semblaient plus proches ; massives et sombres, elles se détachaient sur le ciel qu'éclairaient les dernières traînées pourpres du couchant. Tina parla alors à Elliot de l'histoire de L'enfant qui n'était pas mort.

Les similitudes frappantes entre cette histoire d'horreur et leurs efforts personnels pour faire rouvrir la tombe de Danny lui firent froid dans le dos.

— Et maintenant, conclut Tina, comme la Mort qui essaie d'empêcher les parents d'ouvrir la tombe, il y a quelqu'un qui ne veut pas non plus que je fasse rouvrir la tombe de mon fils.

Ils étaient en train de trop s'éloigner de la cité. La route s'enfonçait dans les ténèbres et les terres commençaient à monter vers le Mont Charleston : en moins d'une heure ils seraient dans la neige et les forêts de pins. Elliot préféra faire demi-tour pour repartir vers la ville qui, de loin, ressemblait à un champignon dont le vaste chapeau lumineux s'étalait sur la plaine noire et désertique.

— On ne peut nier qu'il y ait des ressemblances, fit-il songeur.

— De sacrées ressemblances, tu peux le dire.

— Mais il y a également une grande différence : le garçon avait été enterré vivant tandis que Danny est bien mort. La seule inconnue est : comment est-il mort ?

— C'est en fait la seule différence entre l'histoire et ce que nous sommes en train de vivre. Le « Pas mort » dans le titre, l'âge du héros qui est celui de Danny, trop c'est trop.

Ils roulèrent en silence durant quelques minutes puis Elliot s'écria :

— Tu as raison, ça ne peut être une simple coïncidence, tes cauchemars, le magazine. Ça ne me plaît pas du tout de le dire mais ça ne peut être une simple coïncidence.

— Mais alors, comment expliquer ces nombreux recoupements ?

— Je ne vois pas du tout, déclara-t-il, perplexe et inquiet.

— Tiens, un petit restoroute, s'exclama Tina.

Elliot s'engouffra dans le parking dont l'entrée n'était éclairée que par une lanterne suspendue à une perche. Seul le premier tiers en recevait une lumière rougeâtre. Il contourna le bâtiment et par derrière s'insinua dans un étroit emplacement tout à fait obscur entre une Toyota et une petite caravane. De la rue, les voitures étaient absolument invisibles.

— As-tu faim au moins ? demanda Elliot.

— C'est à peine croyable étant donné les heures que nous avons vécues, mais je dois avouer que j'ai l'estomac dans les talons, et toi ?

— Moi aussi mais ça n'a rien d'étonnant. Nous avons dû brûler des tas de calories en émotions diverses et à cause de la tension.

— Ce serait peut-être un truc à recommander aux gens qui veulent maigrir.

— Oui, nous écrirons en collaboration un ouvrage qui s'intitulera : « Le Régime de la Terreur ».

Elle sourit faiblement et suggéra :

— Si, avant d'entrer, nous regardions la liste de questions auxquelles ils voulaient que tu répondes ? Ça peut nous donner des idées.

— Attendons d'être à l'intérieur, nous serons mieux éclairés. Il n'y a pas beaucoup de consommateurs, me semble-t-il, nous pourrons parler sans qu'on nous entende. Prends aussi le magazine : je voudrais lire l'histoire.

Il descendait de l'auto et son attention fut attirée par une fenêtre latérale — sans rideau — de la caravane. Son regard plongea dans l'intérieur obscur. Il ne vit rien mais eut la sensation qu'un individu s'y cachait et l'observait. « Attention à la paranoïa », se dit-il. Avant de pénétrer dans le restaurant, il remarqua un recoin particulièrement sombre près d'une poubelle et à nouveau il eut l'impression que quelqu'un y était tapi, aux aguets.

Tout à l'heure, il avait dit à Tina que les patrons de Kennebeck n'étaient pas omniscients. Il ferait bien de se le répéter de temps en temps. Certes, Tina et lui étaient confrontés à une dangereuse organisation qui désirait à tout prix garder le secret sur la tragédie de la Sierra mais, après tout, elle était composée d'hommes qui ne possédaient pas le don d'ubiquité.

Pourtant...

Pendant qu'ils s'acheminaient vers l'entrée du restaurant, il eut la nette impression que quelqu'un ou quelque chose les observait... pas nécessairement une personne mais un œil surhumain ou sous-humain, bizarre, étrange. Il n'avait jamais rien perçu d'analogue et cela le mit tout à fait mal à l'aise.

Tina s'arrêta sous la lumière rouge de la lampe, et jeta un regard en direction de la voiture, avec une drôle d'expression.

— Qu'y a-t-il ? demanda Elliot.

— Je ne sais pas trop...

188

— Tu as vu quelque chose ?

— Non.

Ils cherchèrent à scruter les ténèbres environnantes.

— Tu sens ? finit-elle par lui demander.

— Quoi ?

— Quelque chose qui me donne la chair de poule.

Elliot ne répondit pas.

— Je suis certaine que tu as la *même* impression, reprit-elle.

— Oui.

— Comme si nous n'étions pas seuls.

— Je deviens dingue sûrement, c'est comme si quelqu'un me regardait.

— Pourtant il n'y a personne, affirma-t-elle en frissonnant.

— Personne.

Ils continuèrent à fixer l'obscurité comme si à tout moment quelqu'un allait en surgir.

— Tu crois que nous sommes en train de craquer ?

— On serait nerveux à moins, dit-il, mais il ne parvenait pas tout à fait à croire qu'ils étaient victimes d'une illusion.

Une brise légère et fraîche s'était levée, apportant des bouffées d'odeurs du désert ; elle faisait bruisser les palmes d'un dattier non loin d'eux.

— C'est une sensation *très forte*, dit Tina, et sais-tu ce qu'elle me rappelle ?

— Non, dis-moi.

— C'est la même affreuse angoisse qui m'a envahie quand j'étais dans le bureau d'Angela et que l'ordinateur s'est mis en marche tout seul. Ce n'est pas comme si simplement quelqu'un m'observait, c'est plus étrange… comme une mystérieuse *présence*.

Elliot comprenait tout à fait ce qu'elle ressentait mais il ne voulait pas s'attarder là-dessus parce que malgré tous ses efforts, il n'avait pas la moindre explication à suggérer. C'était un homme qui aimait à se battre contre des réalités bien définies, des faits clairement perçus, des arguments sensés. Un très bon avocat qui bâtissait ses plaidoyers sur une montagne d'informations et de documents. Il préféra déclarer :

189

— En fait nous sommes à bout.

— Cela n'ôte rien à ce que je ressens.

— Allons prendre quelque chose, ça nous remettra d'aplomb.

Tina s'attardait à contempler les ténèbres hors d'atteinte de la chiche lumière rougeâtre.

— Tina, viens vite.

Un souffle de vent fit rouler sur le macadam une touffe d'herbes sèches, et un oiseau vola au-dessus de leurs têtes. Ils ne pouvaient le voir mais entendaient le battement de ses ailes.

Tina s'éclaircit la voix et dit:

— C'est comme si... la nuit elle-même nous observait, l'obscurité, les ombres, les yeux des ténèbres.

Le vent ébouriffa les cheveux d'Elliot, agita l'anse métallique d'une poubelle et la rabattit bruyamment à plusieurs reprises sur le couvercle. La grande enseigne du restaurant se balançait en grinçant entre ses deux supports.

Tina et Elliot se résignèrent enfin à entrer dans la salle sans plus regarder derrière eux.

21

La salle du restaurant était plus longue que large, en forme de L. Il entrait dans la décoration beaucoup de chrome, de verre, de plastique, de formica et de vinyle écarlate. Le juke-box jouait un air de Country chanté par Kenny Rogers et la musique flottait dans l'atmosphère, mêlée à de délicieuses odeurs d'œufs frits, de bacon et de saucisses.

Un consommateur entamait un copieux petit déjeuner, sans doute un noctambule comme il y en a tant à Las Vegas. Ce spectacle et les effluves alléchants firent saliver Tina. Près de l'entrée il y avait onze clients, cinq au comptoir, perchés sur les tabourets, six assis dans les box rouges. Elliot et Tina allèrent s'attabler le plus loin possible, dans le dernier box situé dans le petit côté du L. La serveuse, dont les cheveux étaient teints au henné, s'appelait Elvira, elle avait un visage rond creusé de fossettes, des yeux brillants et l'accent du Texas. Ils lui passèrent leur commande : cheeseburgers, frites, salade de chou blanc et deux Coors[1].

— Si on jetait un coup d'œil aux papiers que tu as pris à ce dénommé Vince ? proposa Tina dès qu'ils se retrouvèrent seuls.

Elliot étala sur la table les trois feuillets, qui comportaient chacun une dizaine de questions tapées à la machine. Assis l'un en face de l'autre, ils en prirent connaissance.

1. Bière fabriquée primitivement dans le Colorado, spécialité locale qui n'a pas tardé à se faire apprécier dans tous les Etats-Unis.

1) *Depuis combien de temps connaissez-vous Christina Evans ?*

2) *Pourquoi s'est-elle adressée à vous, de préférence à un autre avocat pour négocier l'exhumation de son fils ?*

3) *Quelles raisons a-t-elle de suspecter la version officielle de la mort de son fils ?*

4) *A-t-elle des preuves que la version officielle de la mort de son fils est mensongère ?*

5) *Si preuves il y a, quelles sont-elles ?*

6) *Qui les lui a fournies ?*

7) *Avez-vous déjà entendu parler du « Programme Pandora » ?*

8) *Vous a-t-on livré, à vous ou à Mrs Evans, un document quelconque relatif aux installations ultra-secrètes de recherches militaires situées dans les montagnes de la Sierra ?*

Elliot leva les yeux de la page et demanda à Tina :

— Tu as déjà entendu parler du « Programme Pandora » ?

— Absolument pas.

— Et des laboratoires secrets dans la Sierra ?

— Ça oui, Mrs Neddler m'en a parlé en long et en large.

— Qui est Mrs Neddler ?

— Ma femme de ménage.

— Encore une blague.

— Comme si c'était le moment.

— « Un baume pour les affligés, le seul remède à la mélancolie. »

— Groucho Marx.

— Bravo, Christina ! J'ai le plaisir de vous annoncer que vous venez de gagner soixante-quatre mille dollars...

— A l'évidence ils s'imaginent qu'ils ont des espions sur le dos.

— Oui, ça en a tout l'air.

— Penses-tu que ce soit à l'origine de ce qui s'est passé dans la chambre de Danny ? Quelqu'un du « Programme Pandora » aurait écrit ces messages sur le tableau noir... et aurait piraté l'ordinateur ?

— Ça se peut.

— Tu n'as pas l'air convaincu.

— Si un type avait un sentiment de culpabilité, il me semble qu'il viendrait plutôt te trouver directement.

— Pas s'il a peur, et à mon avis il a de sacrées raisons d'avoir la trouille.

— Oui, dit Elliot d'un air sceptique, mais je pense que c'est plus compliqué que ça. Ne me demande pas de t'expliquer... c'est une sorte d'intuition.

Ils finirent tous deux les paragraphes restants sans apprendre grand-chose de nouveau. La plupart des questions avait trait à ce que Tina pouvait savoir des vraies circonstances de l'accident ; à ce qu'elle avait pu communiquer à Elliot, à Michael, aux gens avec qui elle avait pu en parler... Ils n'y trouvèrent plus d'allusions excitantes au programme top secret, rien qui les mît sur une piste intéressante.

Elvira leur apporta des verres bien glacés ainsi que les deux bières sortant du réfrigérateur. Le juke-box jouait une chanson lugubre de Barbara Mandrell. Elliot sirota sa bière en feuilletant le magazine de Danny.

— Incroyable, cette histoire de l'enfant qui n'était pas mort !

— Ça te frapperait encore plus si tu avais eu à subir mes affreux cauchemars. Alors, que décidons-nous ?

— Dis-moi, les obsèques de Danny se sont faites cercueil fermé. En a-t-il été de même pour les autres scouts ? demanda Elliot après quelques minutes de réflexion.

— Pour la moitié, oui.

— Ce qui signifie que les parents n'ont pas vu les corps ?

— Si, on a demandé à tous les autres parents d'identifier leurs enfants malgré l'horrible état de certains d'entre eux qui a fait qu'on n'a pas pu les rendre présentables pour la cérémonie. Michael et moi avons été les seuls auxquels on ait formellement déconseillé de voir le corps de leur enfant parce qu'il était encore plus... mutilé que les autres.

Même après tout ce temps, elle ne pouvait penser sans

frémir aux derniers moments que Danny avait passés sur cette terre, à ses souffrances épouvantables, si brèves qu'elles eussent pu être. Elle sentit sa gorge se serrer, ses larmes prêtes à couler. Avec un gros effort de volonté, elle ravala son chagrin et but une bonne rasade de bière avant de demander à Elliot pourquoi il lui posait cette question.

— Je me disais que nous pourrions nous faire des alliés des autres parents ; n'ayant pas vu les corps de leurs gosses, il se peut qu'il leur soit venu des doutes comme à toi. Je pensais que nous les convaincrions facilement de se joindre à nous pour faire une demande *collective* d'exhumation de toutes les victimes. Si nous avions été nombreux à le demander, les chefs de Vince n'auraient pas pu nous réduire tous au silence et nous aurions sauvé notre peau. Réflexion faite, je crois que ma suggestion ne vaut pas un clou : si d'autres parents ont pu identifier les corps, si aucun d'entre eux n'a conçu le moindre doute, ils ont dû apprendre à se résigner. Peut-être sont-ils réconciliés avec la vie et si nous allons les trouver avec une sombre histoire de conspiration, ils n'auront pas très envie de nous écouter.

— Conclusion : nous sommes toujours aussi seuls pour faire face.

— Hélas oui.

— Tu as parlé tout à l'heure d'aller trouver un journaliste pour mettre la presse dans le coup. Tu pensais à quelqu'un de précis ?

— Je connais deux types dans la presse locale, mais ce n'est peut-être pas une bonne idée de s'adresser aux journaux du coin. Les patrons de Vince nous attendent sans doute au tournant et ne nous laisseront pas le temps nécessaire pour glisser une phrase ou deux. Nous serons abattus avant. Il vaut mieux aller plus loin, plus haut, et auparavant récolter un peu plus d'informations.

— Pourtant tu pensais qu'avec le pistolet arraché à Vince et l'incendie de ma maison, tu avais assez de matériaux pour intéresser un bon reporter.

— Oui, pour un journal de Las Vegas, ça suffirait. Ici les lecteurs se souviennent de l'accident, ç'a a été une tragédie locale ; mais si nous allons trouver une agence de presse de Los Angeles ou de New York, il faut proposer une histoire qui présente un intérêt plus général. Il est possible qu'avec notre récit actuel nous arrivions à les convaincre que nous touchons à quelque chose d'important mais ce n'est pas sûr et je veux alerter l'opinion avec des informations de haut niveau. Pour moi, l'idéal serait de pouvoir apporter au gars une hypothèse solide sur ce qui a pu arriver aux scouts, une explication qui ferait sensation et lui permettrait d'écrire un article susceptible de passionner tous les publics.

— Quelle sorte d'hypothèse ?

— Je n'en ai pas encore une idée très nette mais il me semble que ce qui saute aux yeux c'est que les scouts et leurs chefs ont pu voir quelque chose qu'ils n'auraient pas dû voir...

— En relation avec ce fameux « Programme Pandora » ?

Elliot but une gorgée et se passa un doigt sur la lèvre supérieure pour essuyer un peu de mousse qui y était resté.

— Oui, un secret militaire. Sinon je ne vois pas ce qui aurait incité une organisation comme celle de Vince à intervenir de façon aussi urgente. Elle semble trop importante, trop sophistiquée, elle ne se met sûrement pas en peine pour des broutilles.

— Mais ça semble si bizarre, des secrets militaires... On se croirait en plein feuilleton, tu ne trouves pas ?

— Pour le cas où tu ne le saurais pas, le Nevada est l'Etat de l'Union qui a le plus d'installations relatives à la Défense. Et je ne te parle pas de celles qui sont ultra-connues comme la Nellis Air Force Base et le site des essais nucléaires. Ici c'est l'endroit idéal pour les centres de recherches secrets ou quasi secrets, armements de haute sécurité et engins analogues. Pense à ces milliers de kilomètres carrés loin de tout et dépeuplés : les déserts, les régions montagneuses reculées. La plupart de ces territoires appartiennent au gouvernement fédéral. Toutes les conditions sont réunies pour que la sécurité ne soit pas difficile à assurer.

Les coudes sur la table, les mains enserrant son verre de bière, Tina se pencha vers Elliot et murmura:

— Tu crois que Mr Jaborski, Mr Lincoln et les scouts sont tombés par le plus grand des hasards sur un de ces centres dans le fin fond de la Sierra?

— C'est vraisemblable.

— Et ils auraient découvert ce que personne n'est censé voir, un énorme secret militaire?

— Peut-être...

— Et à cause de ça... on les a liquidés, c'est bien ça que tu as dans l'idée?

— Disons que cette théorie pourrait susciter l'intérêt d'un bon reporter.

— Elliot, fit Tina scandalisée, ne me dis pas que le gouvernement ferait assassiner des gosses qui ont entrevu bien malgré eux une arme secrète.

— Ça te surprendrait?

Des rafales de vent secouaient les grandes vitres du restaurant. Sur le boulevard les autos circulaient dans un nuage de poussière entre des bouts de papier qui voltigeaient allégrement.

— Mais ces pauvres gosses n'ont sûrement pas vu grand-chose, dit Tina que cette conversation glaçait d'effroi. Tu dis toi-même qu'en pleine solitude, loin de toute civilisation, les mesures de protection ne sont pas difficiles à mettre sur pied. Si l'endroit est bien gardé comme ça paraît vraisemblable, ils n'ont pas pu y jeter plus qu'un coup d'œil.

— Un simple coup d'œil est peut-être suffisant pour signer leur perte.

— Les gosses n'ont pas tellement le sens de l'observation. Ils sont impressionnables, excitables, vite bouleversés et portés à l'exagération. Ils seraient tous revenus avec une version différente de ce qu'ils auraient aperçu. Je ne vois vraiment pas en quoi ils auraient pu mettre en danger la Défense nationale.

— Tu as sans doute raison.

— C'est l'évidence même.

— Mais certains gars des Services secrets n'ont peut-être pas la même vision des choses que nous.

196

— Ce sont vraiment les pires idiots qui soient d'imaginer que la meilleure solution était de les liquider et de simuler l'accident. C'était beaucoup plus risqué que de laisser ces mioches raconter des salades que personne n'aurait prises au sérieux.

— N'oublie pas les adultes qui les accompagnaient. Eux, on les aurait crus et l'enjeu devait être trop important pour que les hommes qui étaient chargés de la sécurité sur place les laissent repartir. Il fallait les abattre et cela condamnait les scouts qui auraient été témoins du double assassinat.

— C'est une machination diabolique.

— Peut-être, mais c'est plausible.

Tina fixa le rond humide que son verre avait laissé sur la table ; tout en réfléchissant à ce que venait de lui expliquer Elliot, du bout du doigt qu'elle avait trempé dans l'eau, elle traça sur le cercle une bouche, un nez, deux yeux, elle ajouta deux cornes, transformant la trace du verre en une petite figure démoniaque. Elle l'essuya vivement d'un revers de main en marmonnant :

— Vraiment tout ça me dépasse : des installations de recherches enfouies en pleine montagne, des armes ultra-secrètes, du jamais vu, jamais connu, pardonne-moi mais ça me paraît d'un mélo, d'un tiré par les cheveux... J'ai vraiment de la peine à y croire.

— Libre à toi, je ne t'oblige pas à me suivre sur ce terrain ; je me contente de dire non pas que c'est arrivé ainsi mais que c'est envisageable, et que ça peut donner envie à un journaliste ambitieux d'en découvrir plus. Il nous faut suffisamment de faits pour étayer notre théorie.

— Et le juge Kennebeck ?

— Que veux-tu savoir ?

— Il pourrait nous donner les tuyaux dont nous avons besoin ?

— Ma pauvre Tina, tu n'y penses pas ! C'est la dernière chose à faire : si nous allions le trouver, ce serait nous livrer pieds et poings liés aux tueurs. Tu peux être sûre et certaine que les copains de Vince nous attendent chez lui.

— Il n'y a pas moyen d'atteindre le juge sans tomber dans la souricière ?

— Je n'en vois pas.

Tina s'affaissa sur sa banquette, l'air profondément abattu.

— D'ailleurs, reprit Elliot, Kennebeck ne doit pas connaître le fin mot de l'histoire ; comme aux deux types qui sont venus chez moi, on n'a dû lui dire que le strict nécessaire.

Elvira reparut avec son plateau : les cheeseburgers avaient très bon aspect, le faux filet haché était juteux et tendre, les frites bien dorées et le chou blanc en salade avait un petit goût aigrelet juste ce qu'il fallait. Par un accord implicite ils ne parlèrent plus de leurs problèmes pendant leur repas ; en fait, ils ne parlèrent même pas d'autres choses et dégustèrent tranquillement les plats choisis en écoutant le juke-box et sa musique Country. De temps à autre ils regardaient par la fenêtre : la tempête de sable obscurcissait la lumière des phares et ralentissait l'allure des voitures.

Ils ne pouvaient s'empêcher de penser aux meurtres passés et aux menaces qui planaient sur leurs têtes. Ce fut Tina qui rompit le silence la première, leur repas achevé.

— Tu penses qu'il faut avoir des preuves de ce que nous avançons pour pouvoir alerter la presse ?

— Oui, sinon ce sera un coup d'épée dans l'eau, déclara catégoriquement Elliot.

— C'est bien joli mais des preuves, qui nous en donnera et comment s'y prendre ?

— J'y ai réfléchi et, tout bien considéré, je crois que le mieux est de faire procéder à l'exhumation et de s'adresser à un pathologiste réputé qui examinera le corps et pourra déterminer si la mort a été provoquée par un accident ou non.

— Evidemment, ce serait la meilleure solution mais je ne nous vois pas très bien nous introduire subrepticement la nuit dans le cimetière et creuser la terre par nos propres moyens. Sans compter que c'est un cimetière privé entouré d'un haut mur et qu'il y a sûrement un système d'alarme pour mettre en fuite les vandales.

— Et les copains de Kennebeck y ont sûrement posté leurs hommes. Si nous ne pouvons pas examiner le corps il faut s'adresser à celui qui l'a vu en dernier.

— C'est-à-dire?

— Eh bien... le coroner.

— Le coroner de Reno?

— C'est bien là que le permis d'inhumer a été délivré?

— Oui, les corps ont été ramenés de la montagne jusqu'à Reno.

— Attends, j'ai une meilleure idée. Ce coroner a été officiellement désigné pour déclarer que les gosses étaient morts dans un accident. Il y a quatre-vingt-dix-neuf chances sur cent qu'il ait été choisi par la bande de Kennebeck et il n'est certainement pas de notre côté. Ce serait risqué de l'approcher. Nous aurons sans doute l'occasion de lui parler mais il vaut mieux, je crois, nous adresser au type des Pompes funèbres qui s'est chargé de la mise en bière, il pourrait nous apprendre pas mal de choses. Est-il à Vegas?

— Non, toujours Reno: le cercueil est arrivé ici scellé.

Sur ces entrefaites, Elvira vint leur demander s'ils ne désiraient plus rien, leur donna l'addition et emporta les assiettes sales sur son plateau.

— Tu te souviens du nom du gars des Pompes funèbres de Reno?

— Bellicosti. Luciano Bellicosti.

Elliot but la dernière gorgée de bière et dit:

— Bien! On va aller à Reno tout de suite.

— On ne peut pas se contenter de lui téléphoner?

— Tu sais, rien ne dit qu'il ne soit pas mis sur écoute, et puis en le voyant nous verrons mieux s'il nous dit la vérité ou pas.

Quand Tina leva son verre, il remarqua que sa main tremblait.

— Ça ne va pas?

— Je... Je... j'appréhende follement d'aller à Reno, dit-elle d'une voix balbutiante.

Et c'était vrai, elle était envahie d'une terreur encore

plus paralysante qu'au cours des dernières heures. Elliot posa tendrement la main sur la sienne.

— Calme-toi, chérie; il y a moins à craindre là-bas qu'ici. C'est *ici* que les tueurs nous traquent.

— Oui, je sais bien. J'ai affreusement peur de ces salauds, mais je crois que j'ai encore plus peur de ce qu'on va découvrir au sujet de la mort de Danny et je sens que c'est ça qui nous attend à Reno.

— Et pourtant, tu voulais absolument être fixée?

— Bien sûr mais en même temps j'ai peur... Ça va être terrible à affronter... la vérité.

— Peut-être pas.

— Oh si !

— La seule alternative c'est de renoncer à savoir ce qui s'est réellement passé.

— Ce serait pire.

— Et puis dis-toi bien qu'on n'a pas le choix, c'est notre seule chance de nous en tirer. Si nous apprenons la vérité, nous aurons des armes pour nous défendre; sinon, tout est fichu.

— Tu as raison sur toute la ligne; quand partons-nous?

— Tout de suite, cette nuit. Nous allons prendre mon Cessna Skylane, un bon petit appareil, tu verras, et nous serons en quelques heures sur place. Je crois qu'il vaudrait mieux y passer deux jours, même si nous avons tout de suite le rendez-vous avec Bellicosti ; ça nous permettrait de réfléchir calmement aux moyens de nous sortir de ce guêpier. On doit nous courir après à Vegas et plus loin on sera, plus on pourra respirer en paix.

— Je n'y vois aucun inconvénient mais je n'ai pas eu le temps d'emporter quoi que ce soit de chez moi, même les choses les plus élémentaires, une brosse à dents, une chemise de nuit, une robe de rechange. Ni toi, ni moi, n'avons de manteau et tu sais comme il peut faire froid en cette saison à Reno.

— Il suffira d'acheter, avant de partir, les affaires dont nous risquons d'avoir besoin, dit calmement Elliot.

— Mais dis-toi bien que je n'ai pas un sou sur moi.

— Moi j'en ai, deux cents dollars et un portefeuille

plein de cartes de crédit. Rien qu'avec elles nous pourrions faire le tour du monde. Ce n'est pas un problème.

— Tu as oublié que nous sommes en période de fêtes et que...

— Tina, je te rappelle que nous sommes à Vegas et qu'ici il y a toujours un magasin ouvert, ne serait-ce que dans les hôtels ; c'est l'époque de l'année où les commerçants font leur plus gros chiffre d'affaires, tout sera ouvert, ne t'en fais pas. Nous pourrons nous acheter tout ce que tu veux en un rien de temps.

— Je te rembourserai quand...

— C'est vraiment secondaire, nous sommes associés dans cette aventure. Viens vite, je me sentirai plus à l'aise quand nous aurons décampé d'ici, déclara Elliot en se levant vivement de son siège non sans laisser sur la table un généreux pourboire.

Tina l'accompagna à la caisse près de l'entrée. Le caissier était un homme à cheveux blancs, avec des verres très épais qui lui donnaient l'apparence d'un hibou. Il demanda s'ils étaient satisfaits du repas, manipulant la monnaie lentement avec des doigts déformés par les rhumatismes.

Une riche odeur de sauce au chili émanait de la cuisine, poivrons verts, oignons, piment rouge ; et pour couronner le tout, flottaient également des arômes de fromages : cheddar, Monterey Jack. La longue salle était pleine à présent. Une quarantaine de clients y étaient attablés devant des assiettes pleines, ou attendant qu'on les servît. On entendait des rires, des reparties joyeuses. Un jeune couple se murmurait de tendres propos, têtes rapprochées par-dessus leur table. Visiblement les gens se détendaient, s'amusaient entre amis, avec l'agréable perspective de trois ou quatre jours fériés à passer le plus gaiement possible.

Comme Tina les enviait soudain ! Elle aurait tant voulu comme eux mener une vie tout ordinaire, ponctuée de travaux et de moments de détente en compagnie d'amis, une existence banale certes mais combien reposante. Aucun de ces dîneurs n'avait à se préoccuper de tueurs professionnels, de ténébreux desseins, d'employés du gaz qui font tout sauter, de pistolets équipés d'un silencieux, d'une exhumation qui posait tant de problèmes. Ils ne connaissaient ces péripéties que dans les films qu'ils regardaient, confortablement installés dans leur fauteuil. Ils ne réalisaient sûrement pas quelle chance était la leur ; elle sentit se creuser entre elle et ces gens un gouffre infranchissable : connaîtrait-elle jamais le centième de leur insouciance et de leur joie de vivre ?

Un courant d'air glacé vient soudain lui souffler dans le cou. Elle se retourne pour voir si la porte d'entrée n'est pas restée ouverte après le passage d'un client négligent. Non, la porte est close, personne n'est entré. Pourtant l'atmosphère de la salle a changé, il fait nettement froid... Le juke-box, placé à gauche de la porte, joue une romance populaire, une ballade très connue :

« Chérie, chérie, chérie, je t'aime toujours.
Notre amour vivra, il vivra toujours.
Une chose est sûre, tu dois y croire encore :
Notre amour n'est pas mort, pas mort, pas mort,
Non il n'est pas mort
pas mort
pas mort... »

Le disque doit être rayé, le même passage recommence indéfiniment.

Tina regarde le juke-box avec horreur.

« pas mort
pas mort
pas mort »

Elliot se détourne du caissier qui était en train de lui rendre sa monnaie et pose la main sur l'épaule de Tina :
— Bon Dieu ! qu'est-ce qui se passe ?
Tina est sans voix, pétrifiée de terreur.

« pas mort
pas mort
pas mort »

Il fait de plus en plus froid, elle frissonne. Les clients se taisent et fixent la machine qui redit toujours le même fragment de phrase. Tina revoit passer devant ses yeux le masque décomposé de la Mort.

— Arrêtez le juke-box, crie-t-elle.
Une voix lance :
— Tirez sur le pianiste.
— Flanquez un coup de pied dans cette foutue machine, et qu'on en finisse ! dit un autre.
Elliot va secouer doucement l'appareil. L'aiguille qui n'est plus retenue dans son sillon continue son chemin et la chanson reprend son cours normal mais, dès qu'Elliot a tourné les talons, deux mots, toujours les mêmes, recommencent à résonner, lugubres :

> « *pas mort*
> *pas mort*
> *pas mort* »

Tina a toutes les peines du monde à s'empêcher d'aller saisir chacun des convives à la gorge jusqu'à ce qu'elle découvre qui a manipulé le juke-box, tout en sachant fort bien que c'est absurde : l'explication n'est pas aussi simple que ça, personne parmi eux n'a bloqué l'aiguille sur ces mots-là. Il y a un moment à peine elle les enviait de n'être que de bons petits Américains bien tranquilles et maintenant, pour un peu, elle les soupçonnerait d'appartenir à l'organisation secrète qui a fait sauter sa maison. « Tu deviens complètement cinglée, ma pauvre fille, se dit-elle, furieuse contre elle-même. Tout ces gens ne pensent qu'à déguster leur souper. »

> « *pas mort*
> *pas mort*
> *pas mort* »

Cette fois, Elliot a beau secouer le juke-box, l'aiguille reste bloquée. Le thermomètre a dû baisser de plusieurs degrés, Tina entend les consommateurs se plaindre du froid. Elliot secoue de toutes ses forces l'appareil mais le chanteur répète inlassablement le message comme si une main invisible bloquait implacablement l'aiguille dans le même sillon. Le caissier se déplace en personne et dit d'une voix rassurante :
— Un instant, messieurs-dames, je m'en occupe.
Et appelant Jenny, une serveuse, il lui demande

d'aller vérifier le thermostat, ajoutant à l'intention de l'assistance :

— Il nous faut de la chaleur cette nuit, on n'a pas besoin du climatiseur.

Elliot lui cède la place près de l'appareil et au même moment, avant que personne ne l'ait touché, le volume du son s'intensifie et les deux mots sont clamés avec une telle violence que la salle entière, les fenêtres, les couverts, l'argenterie, en vibrent.

« PAS MORT
PAS MORT
PAS MORT »

Certains, avec une grimace, se bouchent les oreilles. Le vieux hurle pour se faire entendre :

— Il y a un bouton par-derrière pour rejeter le disque.

Tina aimerait bien aussi se boucher les oreilles mais ses bras refusent de lui obéir, ils pendent raides et glacés, les poings crispés, et elle ne trouve pas la force de volonté suffisante pour les rappeler à l'ordre. Elle voudrait hurler mais ne peut émettre le moindre son.

Le froid devient de seconde en seconde plus intense et elle a conscience à nouveau de cette présence mystérieuse qu'elle a devinée déjà quand elle se trouvait dans le bureau d'Angela au moment où l'ordinateur se mettait en marche de lui-même, celle dont elle sentait peser sur elle le regard dans le parking avant le dîner.

Le vieux s'accroupit, tâtonne de la main derrière le juke-box, trouve enfin le fameux bouton, il appuie plusieurs fois.

« PAS MORT
PAS MORT
PAS MORT »

clame de plus belle le chanteur.

— Faut le débrancher, crie le vieux.

Dans tous les coins du restaurant les haut-parleurs diffusent les deux mots avec le maximum d'intensité.

C'est à peine supportable pour les tympans pourtant habitués aux musiques fracassantes. Elliot écarte le juke-box du mur pour que le vieux puisse atteindre le fil électrique.

Tout à coup, en un éclair, Tina réalise qu'elle n'a rien à redouter de cette manifestation insolite. On ne lui veut aucun mal, c'est tout le contraire ; elle a percé le mystère qui jusqu'à cet instant l'a emplie de terreur. Ses mains se décrispent, son cou et ses épaules se détendent, son cœur ne bat plus la chamade ; s'il bat encore un peu vite ce n'est plus par peur mais à cause de ce qu'elle vient de découvrir. Elle n'a plus la gorge serrée ; si elle voulait hurler, elle le pourrait mais elle n'en a plus envie.

De ses mains déformées, le vieux caissier essaie d'arracher la prise ; Tina aimerait lui dire de n'en rien faire pour voir ce qui se passerait si personne ne contrecarrait la présence qui anime la machine mais avant qu'elle n'ait trouvé le moyen d'exprimer sa curieuse requête, le vieux a réussi à débrancher.

Un silence de plomb succède à ces instants de folie sonore. L'effet en est saisissant. Après une seconde de soulagement indicible, tout le monde applaudit ce haut fait. Sur ces entrefaites, Jenny l'appelle de derrière le comptoir :

— Hé, Al, venez voir, je n'ai pas touché au thermostat, il est réglé sur vingt et un degrés.

— Tu as dû le tourner, il commence déjà à faire moins froid.

— Je te jure que je n'ai rien touché, dit la serveuse.

Al n'en croit pas un mot mais Tina sait que c'est vrai.

— Ça va, toi ? demande Elliot en lui jetant un regard plein de sollicitude.

— Oh mon Dieu oui ! Il y a longtemps que je ne me suis sentie aussi bien.

Il fronce le sourcil, déconcerté par son sourire heureux et apaisé.

— Mais ce qui vient de se passer est...

— J'ai compris, Elliot, je sais exactement la signification de tous ces phénomènes qui me faisaient une telle peur.

— C'est vrai ?

— Oui. Viens, dépêche-toi, dit-elle tout excitée en l'entraînant par le bras.

Médusé, il se laisse faire ; Tina n'a pas l'intention de lui révéler ce qu'elle vient de réaliser ici, au milieu de tous ces gens. Elle pousse la porte et les voilà dehors.

22

La tempête suivait son cours mais le vent soufflait moins violemment que lorsque Tina et Elliot avaient contemplé derrière les vitres du restaurant les tourbillons de poussière et de détritus. Il venait de l'Est et était chargé de sable en provenance du désert. Ils baissèrent la tête pour se protéger les yeux et traversèrent à pas rapides le parking plongé dans l'obscurité. Une fois bien à l'abri dans la voiture, portières fermées, vitres relevées, Tina dit :

— Ce n'est pas étonnant que nous n'y ayons rien compris.

— Tu as l'air bien excitée, Tina. Je t'en prie, explique-toi.

— Nous nous sommes complètement trompés, Elliot. Nous avons pris le problème à l'envers. Rien d'étonnant à ce que nous ne trouvions pas d'explication !

— Qu'est-ce que tu racontes ? Enfin, tu as vu comme moi ce qui vient de se passer, tu as entendu ce vacarme dément. Je ne comprends pas que tu aies l'air si réjouie. Moi, franchement, ça m'a foutu les jetons... C'était tellement... inexplicable !

— Mais écoute-moi, laisse-moi parler. Justement nous avons pris ces manifestations pour les messages d'un sadique qui voulait me donner l'illusion que Danny était vivant, ou me faire savoir d'une façon plutôt tirée par les cheveux que sa mort ne correspondait pas à la version officielle. A présent, je *sais* qu'il ne s'agit pas d'un sadique, ni d'un témoin qui voudrait m'alerter. Les messages ne viennent ni d'un inconnu, ni de Michael ni d'une relation quelconque : ils sont *exactement* ce qu'ils paraissent être.

Elliot ne suivait plus du tout ; perplexe, il demanda :

— Et alors, d'après toi, comment les interpréter ?

— Ce sont des appels au secours.

Il la fixa, bouche bée, ses yeux sombres exprimant la plus profonde surprise.

— Quoi ?

— Oui, sans l'ombre d'un doute, c'est Danny qui nous appelle à son aide.

— Tu veux dire, fit Elliot totalement abasourdi, que Danny, du fond de sa tombe, a déclenché tout ce ramdam au restaurant, que son fantôme est venu hanter le juke-box ?

— Mais non, ne me prends pas pour une psychopathe, Elliot. Je dis seulement que Danny n'est pas mort.

— Attends une minute, fit-il avec douceur.

— Je suis absolument convaincue qu'il est vivant.

— Rappelle-toi que nous avons abondamment discuté à ce sujet.

— Je m'en souviens parfaitement mais nous nous trompions : Jaborski, Lincoln et les autres scouts ont peut-être péri dans la Sierra mais pas Danny, je le sais, je le sens. C'est comme si j'avais reçu une révélation, une vision. Il a pu y avoir un accident mais pas comme on nous l'a raconté. C'est tout à fait différent, quelque chose de très, très bizarre.

— Bizarre, c'est le moins qu'on puisse dire mais...

— Le gouvernement a été obligé de cacher ce qui s'était passé et l'organisation pour laquelle travaille ton juge a dû être chargée de veiller à ce que rien ne filtre.

— Là je te suis, cela découle logiquement des événements auxquels nous avons assisté tout récemment mais comment en conclus-tu que Danny est en vie ? C'est une tout autre affaire.

— Ecoute, ça n'a rien à voir avec ta logique, je te communique — ou plutôt j'essaie — ce que je *sais*, ce que je sens. Il y a un instant au restaurant, juste avant que tu aies réussi à faire taire le juke-box, j'ai été envahie d'une sorte de paix. Ça ne venait pas de mon subconscient, ça m'était envoyé de l'extérieur comme une vague. Bon sang ! je n'arrive pas à l'expliquer mais j'ai senti très fort que Danny voulait me rassurer à tout prix, qu'il voulait me faire savoir qu'il vivait. J'en suis convaincue : Danny a survécu à l'accident. Mais on ne pouvait pas le laisser revenir chez lui car il aurait pu raconter à tout le monde que le gouvernement était responsable de la mort de tous les autres, et on aurait vite découvert que la raison en était cette installation militaire ultra-secrète !

— N'essaie pas de te raccrocher à ce genre de rêve.

— J'en suis sûre.

— Et alors ? *Où* se trouve Danny dans ton hypothèse ?

— On le séquestre je ne sais où. J'ignore pourquoi on ne l'a pas abattu et combien de temps on va le garder prisonnier mais c'est un fait, tu ne m'en feras pas démordre. De toute façon, en admettant que je me trompe légèrement sur les circonstances précises, je ne dois pas être loin de la vérité.

Il voulut l'interrompre mais elle poursuivit aussitôt :

— Cette police secrète, ces types qui poussent Kennebeck, ils doivent penser qu'une personne impliquée dans le programme Pandora a lâché le morceau et est venue me dire ce qu'il en était réellement. Ils ont tort, bien entendu, ce n'est pas quelqu'un de là-bas, c'est Danny. Ne me demande pas comment il s'y prend, je n'en sais rien, mais il tâche de m'atteindre... Comprends-moi, il cherche... par un moyen psychique. C'est Danny qui a écrit à la craie sur le tableau noir. *Avec son esprit.*

— Pardonne-moi, je sais que mon scepticisme te peine et même t'exaspère mais tu n'as aucune preuve de ce que tu avances. Tu parles d'une sensation de paix, d'une révélation, ça ne prouve rien.

— Parle pour toi. Moi, ça me suffit. Si tu avais senti ce que j'ai senti, à toi aussi ça te suffirait. Je sais que Danny désirait me joindre au bureau, quand il s'est servi de l'ordinateur, et au restaurant en me parlant par l'intermédiaire du juke-box. Il doit avoir des pouvoirs psychiques, oui, certainement, et par ce moyen il tente de me dire qu'il est vivant, que je dois partir à sa recherche et le sauver. Et, bien sûr, les gens qui le détiennent *ne savent pas qu'il me prévient* de cette étrange manière. Ils mettent tout sur le dos d'un traître, un gars de leur camp qui aurait tourné casaque.

— C'est une théorie pleine d'imagination, mais...

— Moque-toi tant que tu veux de mon imagination mais ce n'est pas une théorie. C'est la vérité, j'en suis *intimement* et *intuitivement* persuadée. Quels arguments vas-tu me lancer à la tête pour me démontrer que ça ne tient pas debout?

— D'abord, dis-moi bien franchement : avant qu'il ne s'en aille avec Jaborsky, pendant toutes ces années que vous avez passées ensemble, t'es-tu jamais aperçue de ses facultés parapsychiques?

— C'est-à-dire... non.

— Comment expliques-tu que ces pouvoirs étonnants lui soient venus soudainement?

— Je me rappelle tout de même certaines choses qu'il a faites, un peu bizarres.

— Par exemple...

— Eh bien, un jour, il a voulu savoir en quoi consistait au juste le métier de son papa. Il devait avoir huit ou neuf ans et comme il posait tout le temps des tas de questions à Michael, celui-ci a voulu lui montrer concrètement. Ils se sont assis à la table de la cuisine et Michael lui a expliqué les règles du black jack. Danny avait à peine l'âge de les comprendre et il n'y avait jamais joué. Il était trop gosse pour se rappeler toutes les cartes et il n'avait pas des dons en maths suffisants pour pouvoir calculer ses chances à partir de là, comme font les cracks. Pourtant il a gagné tout le temps, Michael avait pris une boîte de cacahuètes pour représenter les jetons et il a tout remporté.

— Michael avait dû truquer le jeu pour le laisser gagner.

— C'est ce que je me suis dit mais Michael m'a juré

ses grands dieux que la partie s'était déroulée normalement et il était le premier étonné de cette chance inouïe du petit. Et puis Michael ne saurait pas manipuler les cartes. Il y a eu aussi l'histoire d'Elmer.

— Raconte.

— C'était notre chien, un petit caniche très mignon. Un jour, il y a deux ans, j'étais dans la cuisine en train de faire une tarte aux pommes. Danny est venu me dire qu'Elmer était introuvable. Apparemment il avait dû se faufiler dans la rue quand le type de la piscine était venu la nettoyer. Danny m'a déclaré qu'il ne reviendrait pas parce qu'il avait été écrasé par un camion. Je lui ai dit de ne pas s'inquiéter, que nous le retrouverions sain et sauf mais en fait on ne l'a jamais revu.

— Ce qui ne prouve pas qu'il se soit fait écraser.

— Danny en a été convaincu et il a été malheureux pendant des semaines.

— Gagner au black jack, ça c'est de la chance, tu l'as reconnu toi-même. Annoncer qu'un chien qui s'est sauvé a dû être écrasé par une voiture, ça semble une conclusion logique. Je n'y vois aucune faculté psychique exceptionnelle et même si ça signifiait qu'il avait certains dons, c'est à des années-lumière des phénomènes dont tu lui attribues la paternité.

— Je sais, mais ces dons ont pu s'intensifier du fait des circonstances, de la terreur, du stress.

— Alors dis-moi pourquoi il a attendu des mois pour se manifester à toi?

— Il faut peut-être des mois passés dans une situation désespérée pour développer ce genre de pouvoirs. Bon sang! Comment veux-tu que je le sache!

— Calme-toi, Tina, c'est toi qui m'as mis au défi de démolir ta théorie.

— En tout cas tu ne m'as pas convaincue, loin de là. Je le dis et je le répète: Danny est vivant, il est séquestré je ne sais où et il tâche de me joindre par des moyens psychiques. Il est capable de faire bouger des objets à distance, je le sais. N'y a-t-il pas un nom pour ça?

— Oui, c'est la télékinésie.

— Bon, eh bien, Danny a des pouvoirs télékinésiques. As-tu une meilleure explication pour ce qui s'est passé au restaurant ?

— Heu... non.

— Tu vas sans doute me soutenir que c'est un pur hasard si l'aiguille est restée bloquée sur ces deux mots.

— Non, ça ne peut être une simple coïncidence, ce serait encore plus difficile à admettre qu'une intervention de Danny.

— Tu vois bien.

— Je ne dis pas que tu aies raison. Simplement je n'ai pas pour le moment d'explication satisfaisante. Pour le reste tu ne me feras jamais gober ces histoires de parapsychologie à dormir debout.

Ils se turent tous deux et fixèrent d'un regard las le parking et la cour adjacente remplie de bidons. Dans l'obscurité la poussière quasi phosphorescente voltigeait en prenant des formes bizarres, fantomatiques. C'est Tina qui rompit brusquement le silence :

— Elliot, tant pis si tu ne me crois pas, je sais que *j'ai raison*. Mon hypothèse explique tout, même les cauchemars. C'est un autre moyen qu'il a employé pour m'alerter : toutes les semaines passées j'ai eu ces rêves si différents de ceux que j'ai d'habitude, bien plus frappants et réalistes.

La mimique d'Elliot fut éloquente : cette nouvelle assertion de Tina lui paraissait encore plus absurde que les précédentes.

— Une minute, Tina, tu vas fort, maintenant tu l'affubles d'un nouveau pouvoir en plus de ses prouesses télékinésiques ?

— Et pourquoi pas ?

— Je ne désespère pas de te voir bientôt le prendre pour Dieu le Père.

— Ne me tourne pas en ridicule. Je pense qu'il peut faire bouger les objets à distance *et* qu'il est capable d'influencer mes rêves. Ceci explique pourquoi j'ai eu cette affreuse vision de la Mort telle qu'elle était représentée dans sa bande dessinée. S'il m'envoie des messages, c'est normal qu'il utilise des images qui lui sont familières.

212

— Mais puisqu'il peut t'envoyer des rêves, explique-moi pourquoi il ne s'y prend pas de la façon la plus simple et la plus directe. Il pourrait t'expédier un télégramme mental bref que tu comprendrais en un rien de temps.

— S'il te plaît, je n'aime pas quand tu prends ce ton sarcastique.

— Je te pose une question, j'avance un argument de plus pour démolir ton hypothèse...

— Tu ne démolis rien du tout, riposta Tina qui ne se laissait pas désarçonner, il y a une raison évidente: Danny n'a pas de pouvoirs télépathiques alors qu'il en a de télékinésiques. Il peut influencer les rêves mais il ne peut transmettre de messages par télépathie. Sans doute ne peut-il pas se concentrer assez fort. Il communique avec moi comme il peut, avec les moyens du bord.

— Je voudrais qu'avec une oreille attentive... et objective, tu nous entendes dialoguer.

— J'écoute très attentivement, figure-toi.

— Moi, je trouve que nous avons l'air de deux cinglés qu'on devrait enfermer au plus vite.

— Ce n'est pas mon avis.

— Cette discussion où l'on jongle avec les termes de télépathie, télékinésie, etc... Le moins qu'on puisse dire est que ce n'est pas très rationnel.

— D'accord, j'attends de voir comment tu expliques ce à quoi nous avons assisté au restaurant. Vas-y!

— Bon Dieu, Tina! Je t'ai dit que je n'y comprenais rien, déclara Elliot du ton désespéré d'un prêtre qui verrait sa foi sérieusement ébranlée.

Dans son cas c'était sa vision scientifique des choses qui était remise en question.

— Arrête pour cette fois de raisonner en avocat, tu n'as pas affaire à des faits qu'on peut classer dans de belles chemises de toutes les couleurs avec les étiquettes appropriées. Nous ne sommes plus dans le domaine de la logique.

— C'est bien dommage car j'ai été formé pour ce genre de boulot.

— Je compatis, mais que veux-tu? La vie est pleine de

choses illogiques et pourtant vraies, et à présent c'est à ce genre de faits que nous sommes confrontés.

Le vent, qui continuait à souffler en rafales et gémissait sourdement, ébranlait la voiture.

— Tu vois, je me demande aussi pourquoi Danny ne cherche pas également à atteindre son père. Pourquoi serais-tu son seul objectif ?

— Sans doute parce qu'il ne se sent pas assez proche de lui pour essayer. Les deux dernières années de notre mariage, Michael courait le jupon, il sortait avec des tas d'autres femmes et le petit se sentait encore plus abandonné que moi. Comme je ne voulais pour rien au monde le monter contre son père, il m'est arrivé souvent de le justifier à ses yeux, mais Danny avait beaucoup de peine de son attitude. Je ne suis pas étonnée qu'il ait préféré m'appeler au secours plutôt que son père.

Elliot se tut ; il réfléchissait. Un voile de poussière tomba doucement sur la voiture.

— Tu penses toujours que mon hypothèse ne tient pas ?

— Non, tu as bien défendu ton point de vue.

— Merci, monsieur le Juge.

— Ne va pas croire pour autant que je l'adopte. Je sais qu'un tas de gens intelligents croient à l'existence de ces phénomènes parapsychiques. Pas moi. Je suis très réticent devant ce genre d'expériences hors de la norme. Je vais essayer de trouver des explications plus rationnelles.

— Si tu y arrives, je te promets d'y accorder la plus grande attention.

— Tu sais pourquoi j'ai discuté pied à pied avec toi, Tina ? lui dit-il en posant affectueusement la main sur son épaule. Eh bien, c'est parce que je m'inquiète pour toi.

— Pour ma santé mentale ?

— Bien sûr que non, ne dis pas de bêtises. Mais je ne voudrais pas que tu croies que Danny est vivant et qu'ensuite tu aies une terrible désillusion, que tu tombes de très haut.

— Sûrement pas, puisque Danny est vivant, comme toi et moi.

— Et si c'était le fruit de ton imagination ?

— Non ! Il est vivant.

— Si tu découvres qu'il est mort, tu en auras autant de chagrin que la première fois.

— Elliot, crois-moi, il est vivant : je le sens. J'en ai l'intuition. Je le *sais*.

Ils s'entêtaient, chacun refusant de céder du terrain.

— Tu imagines ce que tu ressentiras si tu découvres que malgré tout il est *mort* ?

— Je l'assumerai, décréta-t-elle après un instant de réflexion.

— Tu es sûre ?

— Absolument certaine.

Dans l'obscurité presque totale, il plongea son regard dans le sien... longuement. Elle eut l'impression que ce regard pénétrait profondément... jusque dans son cœur. Finalement il lui posa de petits baisers pressés au coin des lèvres, sur la joue, sur les yeux ; il murmura :

— Chérie, j'ai tellement peur que tu ne souffres encore plus.

— Ne t'inquiète pas.

— Je ferai tout ce qui est en mon pouvoir pour te protéger même contre le chagrin.

— Je le sais.

— Mais il y a si peu de chose en mon pouvoir. Je me sens si impuissant. On est obligé de se laisser porter par les événements.

Elle lui rendit ses baisers, le tenant par le cou, son visage contre le sien ; le goût de ses lèvres, sa chaleur, la rendaient indiciblement heureuse.

— Sais-tu ce que j'aimerais faire maintenant ?

— J'imagine...

— Voilà : nous irions dans un hôtel sous le nom de Mr et Mrs Smith et nous passerions une folle nuit d'amours illégitimes.

— Une nuit de passion déchaînée, de voluptés sauvages, enchaîna-t-elle sur le même ton badin.

— Une nuit d'amants lubriques, de dépravés sexuels, conclut-il.

— On dirait que nous nous sommes plongés dans le même genre de ciné-romans.

— Ce serait tout de même merveilleux si la vie pouvait être de temps en temps aussi simplette que dans les romans à deux sous.

Il l'enlaça et se blottit contre elle, la tête nichée au creux de son épaule ; malgré leurs plaisanteries sur le sexe, Tina réalisait que ce n'était pas seulement de ça qu'il avait faim. Il voulait se réfugier près d'elle, ayant besoin de sa tendresse et de son amour, comme elle avait besoin de ses marques d'affection, besoin de le savoir près d'elle, la défendant contre la souffrance et la solitude. Et leurs caresses réciproques n'avaient rien de sexuel, elles exprimaient la nécessité qu'ils avaient tous deux de se sentir le plus près possible l'un de l'autre. Une curieuse comparaison lui vint à l'esprit : elle imaginait Elliot et elle sous l'aspect de deux taupes se préparant à passer les longs mois d'hibernation, serrées l'une contre l'autre, museau contre museau, au fond de la terre. Jusqu'à présent Tina croyait que cette soif de tendresse qui peut se passer de toute manifestation sexuelle était particulière aux femmes et elle était étonnée de constater qu'Elliot l'éprouvait aussi. Avec Michael c'était un processus qui menait invariablement au lit, la tendresse n'étant le plus souvent pour lui qu'une savante technique de séduction. Elle réalisa de combien de dons précieux elle avait été privée avant de rencontrer Elliot.

— Un de ces jours il faudra que nous prenions une chambre dans un hôtel du Strip ; tu sais, ces hôtels spécialement conçus pour les lunes de miel, avec des miroirs au plafond, un lit qui prend toute la place...

S'il continuait dans cette voie, c'était pour la distraire de ses sombres pensées, non pour attiser son désir, et elle entra dans le jeu.

— Avec un matelas qui vibre, ajouta-t-elle.

— Et des huiles parfumées.

— Oui, un de ces jours nous irons.

C'était une manière aussi de se rassurer mutuellement en faisant des projets d'avenir. Comme s'ils se disaient : « Oui, nous survivrons à tous ces périls, et nous aurons encore le temps de profiter des joies de la vie. »

216

— En attendant, dit-il en s'écartant d'elle à regret, n'oublions pas nos courses bien prosaïques, manteaux d'hiver et brosses à dents.

— Oui, c'est moins excitant.

— Mais indispensable. Qui sait ? Une fois à Reno, nous dénicherons bien un hôtel de ce genre avec les derniers perfectionnements. Après tout Las Vegas n'a pas le monopole des folies amoureuses.

Malgré leurs efforts pour se changer les idées et malgré son indéracinable certitude que Danny était vivant, Tina sentait la peur l'envahir à nouveau au fur et à mesure qu'ils avançaient sur Charleston Boulevard. Elle ne redoutait plus ce qu'on pourrait lui apprendre à Reno : quoi qu'il eût pu arriver à son fils, ce serait moins affreux que sa mort ; mais ce qui l'épouvantait c'était l'idée de le retrouver vivant sans pouvoir lui porter secours. Au cours de leurs recherches, ils pouvaient très bien se faire descendre, Elliot et elle. Ils pouvaient également trouver la mort en essayant de sauver Danny. Ce serait un terrible coup du sort mais elle savait d'expérience que le Destin vous réserve bien de fâcheuses surprises au cours d'une vie... et elle tremblait.

23

Willis Bruckster étudiait son ticket de kéno[1], le comparant aux séries de numéros gagnants qui commençaient à passer sur le tableau électronique qui pendait du plafond. Il faisait semblant de s'y intéresser passionnément alors qu'il s'en souciait comme d'une guigne. Son ticket ne valait pas un clou, il ne l'avait pas pris au guichet des paris et n'avait pas dépensé un sou dessus. Il se servait juste de ce jeu comme d'une couverture pour ne pas attirer l'attention des agents de sécurité omniprésents dans le casino et le meilleur moyen de passer inaperçu c'était de ressembler à tout le monde. Aussi s'était-il revêtu d'un costume de vacances banal et bon marché et chaussé de mocassins vert foncé sur des socquettes blanches. Il tenait dans une main deux carnets de coupons à prix réduits que les casinos répandent dans le public pour attirer les amateurs de machines à sous et, la caméra en bandoulière, il jouait au kéno, un jeu qui n'intéresse ni les gros joueurs ni les tricheurs, les deux sortes de gibier que surveillent de préférence les agents de sécurité. Il était si sûr de paraître à leurs yeux comme le plus insignifiant des ploucs qu'il n'aurait pas été étonné de les voir bâiller d'ennui en le regardant.

Pas question de louper cette première mission qui serait déterminante pour son avenir. Le réseau tenait à éliminer quiconque pouvait réclamer l'exhumation de

---

1. Jeu de hasard qui ressemble au loto.

Danny Evans. Ils y tenaient absolument. C'était une situation de crise. Le chef du service du Réseau au Nevada n'en menait pas large. Tous les gros pontes de Washington avaient les yeux braqués sur lui. Les agents chargés de descendre Elliot Stryker et Tina Evans avaient raté leur coup et c'était parce qu'ils avaient foiré que lui, Willis Bruckster, allait pouvoir faire ses preuves : si dans ce casino bondé il éliminait proprement son type sans alerter personne, il aurait sa promotion.

Bruckster se planta à l'extrémité supérieure de l'escalator qui menait du niveau des boutiques, sous les arcades, à celui réservé au casino. Pendant les pauses périodiques, pour détendre leur cou et leurs épaules endoloris, les croupiers allaient se reposer dans une salle qui leur servait à la fois de salon et de vestiaire et qui se trouvait en bas, à droite de l'escalator. Un certain nombre d'entre eux y étaient descendus quelques instants auparavant. Ils allaient remonter à leurs tables pour une dernière séance avant qu'une équipe nouvelle ne vînt les relayer. Bruckster attendait l'un d'eux, qui s'appelait Michael Evans.

Il ne pensait pas le trouver au travail. Il croyait qu'Evans serait en train de surveiller la maison pendant que les pompiers cherchaient parmi les cendres brûlantes les restes de sa femme qui avait dû être surprise par l'explosion. Mais, quand il était arrivé au casino une demi-heure auparavant, il avait vu Evans qui bavardait gaiement avec des copains comme si de rien n'était. Peut-être ignorait-il l'accident ? Ou alors il se fichait complètement de son ex-femme après un divorce qui s'était mal passé ?

Il n'avait pas pu l'approcher au moment où Evans avait quitté le secteur du black jack au début de la pause ; il s'était donc posté en haut des marches et feignait de regarder avec attention le tableau du kéno, sachant qu'Evans lui tomberait dans les pattes dès qu'il sortirait du salon de repos. Les derniers numéros gagnants glissèrent sur le tableau, Willis froissa rageusement son ticket, la mine désappointée, comme s'il venait de gaspiller des dollars durement gagnés.

Un regard vers l'escalator. Les croupiers, pantalon noir, chemise blanche et cravate marron, montaient vers lui. Il s'éloigna de l'escalator, défroissa son ticket et le compara aux chiffres comme s'il voulait une dernière fois s'assurer de sa déveine. Six hommes débouchèrent avant Michael Evans, un beau gars à l'allure dégagée. Celui-ci s'arrêta pour glisser un mot à une jolie serveuse qui lui répondit par un sourire. Les autres le dépassèrent et finalement il se trouva en queue de la file qui se dirigeait vers les tables de black jack. Willis leur emboîta le pas. Ils furent tous obligés de jouer des coudes pour se frayer passage dans la foule des joueurs. Willis tira de sa poche une toute petite bombe d'aérosol, le genre de celles dont on se sert pour se rafraîchir l'haleine et qui tient facilement cachée dans la main.

Le cortège fit halte car le passage était obstrué par un groupe compact de joyeux drilles trop occupés à rire et plaisanter pour penser à faire de la place. Il profita de l'occasion pour taper sur l'épaule de Michael, qui se retourna. Willis sourit et dit :

— Je crois que vous avez fait tomber ceci.

Il tenait sa main assez bas pour que Michael fût obligé de baisser les yeux et il appuya sur la bombe, aspergeant de fines gouttelettes le nez et les lèvres du croupier. « Super ! se dit-il, c'est dans la poche. » Pris de court, Michael, interloqué par cette attaque surprise, en eut le souffle coupé. Il dilata les narines si bien que le poison pénétra à travers les membranes des sinus à une incroyable vitesse. En deux secondes il avait passé dans le sang et lui atteignit le cœur. Sur son visage l'expression de stupeur céda la place à un rictus de douleur. Sa bouche se convulsa, un filet de salive lui coula sur le menton, son regard bascula. On ne lui vit plus que le blanc des yeux et il s'affaissa.

Willis rempocha prestement sa bombe et s'écria :

— Vite ! Il y a quelqu'un qui vient de se trouver mal !

Des têtes se tournèrent.

— Faites de la place, grouillez-vous, appelez un docteur !

Personne ne se doutait de rien. Le meurtre avait été

commis en l'espace d'une seconde, occulté par le corps de l'assassin et celui de la victime, au milieu de la foule, en plein brouhaha. Bruckster s'agenouilla près de Michael, lui prit le pouls et ne perçut pas la plus petite pulsation. Le nez, la bouche et le menton demeuraient légèrement humides, à cause du fluide dans lequel le poison était en suspension. Le poison lui-même s'était évaporé immédiatement, et le fluide allait s'évaporer aussi, très vite. Le médecin ne pourrait rien remarquer de suspect.

Un agent de sécurité en uniforme fendit la foule des curieux et s'accroupit à côté de Willis.

— Qu'est-ce qui s'est passé?

— Ça m'a tout l'air d'une crise cardiaque.

— Vous le connaissez?

— Je ne l'ai jamais vu.

L'agent tâta le pouls de Michael. Il ne sentit rien, tenta un massage cardiaque et s'arrêta au bout de quelques minutes en déclarant qu'il n'y avait plus rien à faire.

— Ouais, pauvre type! soupira Willis d'une voix attristée.

— Un arrêt cardiaque comme vous le pensiez.

— Ça ne pardonne pas.

Le poison était indécelable; le médecin de l'hôtel confirmerait sûrement le diagnostic de l'agent, de même que le coroner. Il n'y aurait aucune difficulté pour obtenir le permis d'inhumer.

Crime parfait. Willis Bruckster avait toutes les raisons d'être satisfait de sa performance et il eut de la peine à s'empêcher de sourire.

24

Le juge Kennebeck avait un violon d'Ingres : il s'amusait à construire des bateaux dans des bouteilles. Aux murs de son fumoir étaient accrochées des vitrines où ils étaient posés. Sur une table, le modèle réduit d'une embarcation hollandaise du XVIIᵉ siècle, à l'intérieur d'une bouteille bleu pâle, voisinait avec une grande goélette carrée à quatre mâts, scrupuleusement reproduite, qui remplissait entièrement une carafe d'une contenance d'une quinzaine de litres. Il y avait des voiliers de toutes dimensions : barquentin à quatre mâts, kravel suédois du milieu du XVIᵉ siècle, caravelle espagnole du XVᵉ, navire marchand britannique, clipper de Baltimore, et des douzaines d'autres, construits avec une habileté et une exactitude remarquables jusque dans les moindres détails. Pour la plupart, ils étaient emprisonnés dans des bouteilles aux formes originales, ce qui en rendait la réalisation encore plus difficile et ingénieuse.

Kennebeck, debout devant une de ses vitrines, étudiait la voilure d'une frégate française de la fin du XVIIIᵉ ; l'œil fixé sur la maquette, il songeait aux récentes péripéties de l'affaire Evans. La contemplation de ses bateaux enfermés dans leur prison de verre le détendait. Il aimait à les regarder quand il avait un problème à résoudre ou quand il se sentait énervé. Ils lui rendaient sa sérénité, ce qui lui permettait de réfléchir avec plus de lucidité.

Plus il y pensait, plus il jugeait peu vraisemblable que

Christina Evan pût connaître la vérité au sujet de son fils. A coup sûr, si quelqu'un du programme Pandora était venu lui révéler ce qui était arrivé au groupe scout, elle n'aurait pu réagir à la nouvelle avec calme. Elle eût été effrayée, terrifiée, se serait empressée de prévenir la police, d'alerter la presse. Au lieu de cette démarche normale, elle était allée trouver Stryker.

C'est là que le paradoxe lui sauta à la figure comme un diable qui sort d'une boîte : d'un côté elle se comportait comme si elle ignorait la vérité, de l'autre elle cherchait à obtenir par l'intermédiaire de Stryker que l'on rouvrît la tombe de son fils, ce qui semblait indiquer qu'elle *savait* quelque chose. A en croire Stryker, ses motivations étaient innocentes : elle entretenait des remords pour n'avoir pas eu le courage de voir le corps mutilé de son fils avant la mise en bière. Elle avait l'impression d'avoir manqué aux égards les plus élémentaires vis-à-vis du défunt et ce sentiment de culpabilité avait engendré, toujours aux dires de l'avocat, des troubles psychologiques sérieux, cauchemars, etc.

Kennebeck se sentait porté à le croire. Evidemment il y avait une certaine coïncidence qui le faisait tiquer mais les coïncidences ne sont pas toujours significatives, ce qu'on a tendance à oublier quand on passe sa vie dans les services secrets. Il était probable que Christina Evans n'avait en rien mis en doute la version officielle de l'accident de la Sierra. Elle devait ignorer jusqu'à l'existence du programme Pandora quand elle avait demandé l'exhumation mais elle avait choisi le mauvais moment.

En admettant que cette femme ne soupçonnât qu'on eût donné une version truquée de l'accident, le Réseau aurait toujours pu se servir de son ex-mari et de la loi pour faire retarder l'exhumation ; pendant ce temps-là, des agents auraient déniché un cadavre d'enfant à peu près du même âge et dans un état de décomposition à peu près équivalent à celui de Danny si celui-ci avait été enterré un an plus tôt. On aurait pu rouvrir la tombe, la nuit, subrepticement ; le cimetière étant fermé, on aurait en vitesse mis le cadavre de remplacement à la place des pierres dans le cercueil et ensuite on aurait permis à la pauvre mère de jeter un regard horrifié sur les restes de son enfant. Evidemment ce n'aurait pas été une opération facile et sans risques — la mystification découverte, de même coup l'existence du Réseau eût été dévoilée — mais, tout compte fait, c'était faisable et cela n'aurait pas obligé à tuer.

Hélas! George Alexander, le chef du service du Réseau au Nevada, n'avait eu ni la patience ni l'astuce nécessaires pour déterminer les vrais motifs de la mère. Il avait supposé tout de suite le pire et agi en conséquence. Quand Kennebeck l'avait averti de la requête de Stryker concernant l'exhumation, Alexander avait mis le paquet, décidant un « suicide » pour l'avocat, une « mort accidentelle » pour Christina Evans et un « arrêt cardiaque » pour son ex-mari. Deux de ces projets avaient échoué. Stryker et la femme avaient disparu et finalement le Réseau entier se trouvait dans la merde... *jusqu'au cou.*

Le juge se demandait même s'il ne ferait pas mieux de quitter le Réseau avant que celui-ci ne s'effondre. A ce moment précis il leva les yeux de sa frégate et vit apparaître George Alexander sur le seuil de la porte donnant sur le couloir. C'était un homme mince, élégant, extrêmement distingué, habillé avec un grand raffinement : mocassins de chez Gucci, complet d'une excellente coupe, chemise de soie cousue main, montre de chez Cartier. Cheveux châtains argentés sur les tempes, yeux verts au regard décidé, un rien menaçant, visage bien modelé aux pommettes hautes, au nez droit et fin, aux lèvres minces. Quand il souriait, le coin de sa bouche remontait un peu plus vers la gauche et cette légère asymétrie lui donnait une expression dédaigneuse. Mais pour l'instant George Alexander ne souriait pas, il avait même l'air franchement rébarbatif.

Kennebeck le connaissait depuis cinq ans ; dès le premier moment il lui avait déplu et il devinait que cette antipathie était réciproque. Cet antagonisme latent provenait de milieux d'origine tous différents et dont chacun était particulièrement fier. Harry Kennebeck, issu d'une famille très pauvre, estimait ne devoir son ascension sociale et professionnelle qu'à ses talents personnels. Alexander, lui, était le rejeton d'une famille de Pennsylvanie riche et puissante depuis cent cinquante ans. Kennebeck s'était sorti de la pauvreté à la force du poignet, grâce à un rude labeur et à une détermination sans faille. Alexander ne savait pas ce que c'était que de travailler dur ; il était parvenu avec aisance à son poste élevé comme s'il était un prince de droit divin.

Le juge ne pouvait pas supporter non plus l'hypocrisie de ce monsieur. D'ailleurs toute cette famille n'était qu'un ramassis de sales hypocrites. Les Alexander se glorifiaient des services rendus par leurs ancêtres au gouvernement. Beaucoup d'entre eux avaient été nommés par le Président, avaient occupé des postes importants dans le gouvernement fédéral, quelques-uns avaient appartenu au cabinet du Président mais aucun membre de cette illustre lignée ne s'était abaissé à se présenter à une quelconque élection. On avait toujours associé leurs noms à la lutte en faveur des droits civiques des minorités, à l'Equal Rights Amendment[1], à la croisade contre la peine capitale. Pourtant plusieurs Alexander avaient rendu des services (secrètement bien entendu) au FBI, à la CIA et à d'autres organisations de renseignements ou de police, la plupart du temps celles-là mêmes qu'en public ils vilipendaient.

A présent George Alexander dirigeait au Nevada la première organisation de police secrète et apparemment cela ne pesait pas trop lourd sur sa conscience de libéral. Kennebeck, lui, penchait indéniablement vers l'extrême droite, qu'autrefois on aurait appelée fasciste, et il le reconnaissait sans la moindre honte. Quand, jeune homme, il s'était lancé dans une carrière d'agent secret, il avait été surpris de constater que son ultra-conservatisme n'était pas partagé par ses collègues. Il s'attendait à ce qu'ils fussent tous des super-nationalistes de droite mais il avait découvert qu'il y avait pas mal de libéraux dans les états-majors et il en vint à réaliser que l'extrême gauche et l'extrême droite ont en commun deux objectifs principaux : imposer un certain ordre à une société qui

1. Concerne l'égalité des droits entre Noirs et Blancs.

n'en a pas spontanément et la soumettre à l'autorité d'un gouvernement fortement centralisé. Elles ne diffèrent que sur des points de détail, et sur la question primordiale de l'identité de ceux qui auront le privilège d'appartenir à la classe au pouvoir, une fois que celui-ci aura été solidement établi.

« Au moins, moi je suis honnête avec moi-même, je vois clair dans mes motivations, se dit-il en voyant s'approcher Alexander, les opinions que j'affiche sont les mêmes que celles qui dirigent ma vie personnelle, ce qui n'est pas son cas ; je déteste l'hypocrisie, je ne peux pas sentir cette espèce de faux-jeton, de salaud qui a deux poids et deux mesures. »

— Je viens de parler aux hommes qui surveillent la maison de Stryker, déclara George Alexander. Il n'a pas encore refait surface.

— Je vous ai dit qu'il ne risquait pas de revenir chez lui.

— Tôt ou tard il réapparaîtra.

— Certainement pas avant que les choses ne se soient calmées. Je suis sûr que jusque-là il va se terrer.

— Il ne va pas manquer d'aller prévenir la police et nous le pincerons à ce moment-là.

— S'il avait pensé que les flics puissent lui être de quelque utilité, il y serait déjà allé, or il ne s'est pas manifesté, et il ne se manifestera pas.

— Il peut encore se pointer ici, dit George en regardant sa montre, je suis sûr qu'il a pas mal de questions à vous poser.

— Fichtre ! C'est sûr qu'il serait enchanté de m'interroger. Je suis bien certain qu'il aimerait me régler mon compte par la même occasion mais il ne viendra pas de longtemps, il sait que nous l'attendons au tournant. N'oubliez pas qu'il connaît les règles du jeu. Lui aussi est un vieux de la vieille.

— Oh, je sais ! s'énerva George, mais il a eu le temps d'oublier. Depuis quinze ans qu'il a raccroché les gants, il a perdu la main ; même s'il était doué pour ce genre d'activités, il doit être rouillé maintenant.

— Mais enfin, lança Kennebeck également agacé,

pourquoi ne me croyez-vous pas ? (Il repoussa d'un geste vif une mèche blanche qui lui tombait dans les yeux et poursuivit :) C'est un garçon astucieux, je me tue à vous le dire, l'un des meilleurs officiers que j'aie jamais eus sous mes ordres. Il était *fait pour ça*, or il était jeune en ce temps-là et inexpérimenté. Vous pensez bien qu'il a dû évoluer en mieux et qu'il est encore plus malin maintenant.

Alexander faisait la sourde oreille. En dépit du fait que deux des meurtres projetés eussent échoué, il conservait intactes son assurance, sa confiance en soi. Il était persuadé du triomphe final de son entreprise. « La fatuité de ce type me dépasse, pensa Kennebeck. Il n'a pourtant pas tellement de raisons d'être si satisfait. S'il se connaissait tel qu'il est, son ego serait écrabouillé, aplati comme une limande. » Sur ce George Alexander alla prendre place dans le fauteuil de Kennebeck derrière l'immense bureau en érable, sans-gêne qui fit luire un éclair meurtrier dans les yeux du maître de céans.

— Nous trouverons Stryker et la femme avant la fin de la nuit, décréta-t-il. J'en ai la conviction. Nous couvrons tous les lieux susceptibles de recevoir leur visite ; nos hommes sont allés vérifier tous les hôtels et motels.

— Bon Dieu ! coupa Kennebeck, quelle perte de temps ! Elliot n'est pas assez idiot pour aller inscrire son nom sur un registre d'hôtel. D'ailleurs il y a plus d'hôtels et de motels dans cette ville que dans n'importe quelle autre cité, alors...

— Je sais aussi bien que vous combien notre tâche est complexe, dit pompeusement Alexander, mais on peut toujours compter sur un coup de chance. En même temps j'ai fait contrôler les associés de Stryker, ses amis et relations ainsi que ceux de la femme, bref tous les gens chez qui ils ont pu trouver refuge.

— Etant donné que vous ne disposez pas d'assez d'hommes pour couvrir un si grand nombre d'endroits, vous devriez faire un tri plus judicieux, à mon avis il faudrait...

— Vous oubliez que c'est *moi* qui prends les décisions.

— Et l'aéroport ?

— On s'en occupe : nous avons envoyé des agents passer au crible toutes les listes de passagers au départ de Las Vegas, poursuivit Alexander tout en tripotant un coupe-papier à manche d'ivoire. Même si, comme vous dites, nous disposons de trop peu d'hommes pour couvrir autant de points critiques, je ne m'en inquiète pas outre mesure car je m'attends à épingler Stryker ici, dans cette maison ; c'est la raison pour laquelle vous me voyez chez vous. Je sais, je sais, vous n'y croyez pas mais rappelez-vous, vous avez été dans le temps son mentor, le type qu'il admirait, qui lui a tout appris, et maintenant vous l'avez bel et bien trahi. C'est quelque chose qu'il ne pourra pas encaisser ; il va venir vous demander des explications, même en sachant qu'il court un risque, vous verrez ce que je vous dis, il *viendra*.

— Bon Dieu, grommela Kennebeck avec amertume, nous n'avons jamais eu ce genre de relations, il...

— Je connais la nature humaine, fiez-vous à moi, dit sèchement Alcxander, mettant fin à la discussion.

Furieux, frustré, Kennebeck retournait à la contemplation de sa chère frégate quand tout à coup, se rappelant quelque chose d'important concernant Stryker, il s'exclama :

— Sapristi...

Alexander leva le nez, interrompu dans son examen attentif d'une boîte de cigarettes émaillée.

— Que se passe-t-il ?

— Stryker sait piloter et il possède un avion personnel.

Alexander fronça le sourcil et le juge demanda :

— Avez-vous fait contrôler le départ des avions de tourisme ?

— Non, seulement les appareils des grandes lignes.

— Ah bon !

— Il devra décoller en pleine nuit. Croyez-vous qu'il ait son brevet de pilote pour les vols de nuit ? La plupart des hommes d'affaires ou des amateurs ne l'ont pas.

— Vous feriez bien d'appeler vos hommes à l'aéroport. Je sais déjà ce qu'on va vous dire : je vous parie cent dollars contre dix *cents* que votre oiseau se sera envolé de Las Vegas sous leur nez...

Le Cessna Turbo Skylane RG fendait la nuit à trois mille mètres au-dessus du désert de Nevada.

— Elliot?

— Oui?

— Je suis terriblement ennuyée de t'avoir entraîné là-dedans.

— Tu n'apprécies pas ma compagnie?

— Ne plaisante pas, je n'ai pas le cœur à ça, je suis très tourmentée à ton sujet.

— Mais enfin Tina, tu n'y es pour rien. Tu ne m'as pas braqué ton pistolet dans les côtes pour m'obliger à te suivre. Je me suis proposé pour t'aider à obtenir l'exhumation et tout a découlé de là. Ce n'est absolument pas ta faute. Ote-toi ça de la tête, je t'en supplie.

— Tout de même... tu es obligé de fuir pour sauver ta peau à cause de moi.

— Ecoute, tu ne pouvais pas deviner ce qui se passerait à la suite de ma conversation avec Kennebeck.

— Discute tout ton soûl, tu ne m'empêcheras pas de me faire un mauvais sang fou de t'avoir flanqué dans ce guêpier.

— Si ce n'avait pas été moi, ç'aurait été un autre avocat. Il n'aurait sans doute pas su s'en tirer aussi bien que moi avec Vince et à l'heure qu'il est vous seriez morts tous les deux. Si tu regardes la situation sous cet angle-là, ça a plutôt bien tourné.

— Tu sais ce que j'ai envie de te dire.

— Non, mais j'espère que c'est quelque chose de gentil.

— Tu es un type sensationnel.

— Quelle erreur de jugement!

— Je n'ai jamais vu quelqu'un d'aussi courageux.

— On dit que ce sont les imbéciles qui le sont parce qu'ils manquent d'imagination.

— Pas seulement courageux mais astucieux en diable.

— Ça, tu peux le dire.

— Dur à cuire.

— Pourtant je pleure quand je vois un film triste. Tu me connais mal, au fond.

— Tu es un vrai cordon-bleu.

— Cette fois tu as tapé dans le mille. En toute modestie, je me reconnais ce talent.

Sur ce le Cessna rencontra un trou d'air et perdit d'un coup quatre-vingt-dix mètres d'altitude. Dès qu'il eut repris son altitude de croisière, Tina ajouta :

— Cordon-bleu mais piètre pilote.

— Disons que c'est une turbulence... Si Dieu se passe de petites fantaisies, il ne faut pas t'en prendre à moi. Plains-toi à qui de droit.

— Dans combien de temps va-t-on atterrir à Reno ?

— D'ici une heure vingt.

George Alexander raccrocha. Il était toujours carré dans le fauteuil de Kennebeck.

— Stryker et la femme se sont envolés de l'aéroport international McCarran, il y a plus de deux heures, à destination de Flagstaff.

— En Arizona ? demanda le juge, cessant de faire les cent pas.

— C'est le seul Flagstaff à ma connaissance mais du diable si je sais ce qu'ils vont faire en Arizona.

— Ils n'y vont sûrement pas, il a donné un plan de vol bidon pour vous lancer sur une fausse piste, déclara Kennebeck, secrètement fier de l'astuce de son ex-élève.

— Si c'est bien là qu'ils allaient, ils ont déjà dû atterrir. Je vais appeler le responsable de nuit en me faisant passer pour un agent du FBI, on verra ce qu'il va me dire.

Le Réseau, n'ayant pas d'existence officielle, n'avait aucune autorité pour se faire livrer des informations, il devait donc régulièrement se faire passer pour le FBI et ses agents avaient des papiers forgés au nom de ce service.

Pendant qu'Alexander essayait d'obtenir des informations, Kennebeck passait en revue ses bateaux mais sans en retirer la sérénité escomptée.

— Bon, eh bien, Stryker n'est pas sur l'aéroport de

Flagstaff et on ne l'a pas encore identifié dans l'espace aérien.

— C'est bien ce que je pensais, lança le juge, il a voulu brouiller les pistes.

— A moins qu'il ne se soit écrasé entre ici et là-bas, suggéra Alexander avec un secret espoir.

— Je n'en crois rien mais où ce foutu animal a-t-il bien pu se poser ?

— Dans la direction opposée probablement, dans le sud de la Californie, quelque part par là.

— Los Angeles ?

— Santa Barbara, Burbank, Long Beach, Ontario, Orange County, il y a le choix, même pour un petit avion comme le Cessna qui ne peut parcourir de longues distances.

Ils réfléchirent tous les deux en silence que l'éventuelle destination des deux passagers clandestins et finalement c'est le juge qui s'écria :

— J'ai trouvé, ils sont allés à Reno.

— Tiens, tiens, je croyais que vous étiez si sûr qu'ils n'avaient jamais entendu parler des laboratoires de la Sierra, vous avez changé d'avis ?

— Absolument pas ! Je pense toujours que vous auriez pu éviter de faire tuer des gens. Je ne crois pas qu'ils soient allés dans la montagne. Ils ne savent pas où est le centre de recherches et ils ne connaissent rien de plus du Programme Pandora que ce qu'ils ont pu glaner sur la liste de questions qu'avait Vince Immelman.

— Alors pourquoi Reno ?

Kennebeck recommença à arpenter la pièce tout en expliquant :

— Voilà : maintenant que nous avons tenté de les descendre, ils *savent* que la version de l'accident de la Sierra a été inventée de toutes pièces. Ils imaginent que le corps du petit présente quelque chose de bizarre que nous ne voulons pas leur laisser voir, donc ils sont *doublement* anxieux ; s'ils pouvaient, ils l'exhumeraient illégalement mais ils ne peuvent approcher du cimetière, sachant fort bien que nous le faisons surveiller. Aussi, ne pouvant ouvrir la tombe pour constater ce que nous avons fait à Danny Evans, que vont-ils faire, je vous le demande ? Ils vont choisir la seconde solution qui s'offre à eux : parler à celui qui est censé être le dernier à l'avoir vu avant que le cercueil ne soit scellé, et lui demander de leur décrire le corps de l'enfant dans les moindres détails.

— C'est Richard Pannafin qui est coroner à Reno, c'est lui qui a délivré le constat de décès.

— Non, ce n'est pas lui qu'ils iront voir, ils doivent penser qu'il a partie liée avec les auteurs de la falsification.

— Ce qu'il a été son corps défendant.

— Ils iront donc trouver le type des Pompes funèbres qui a préparé le corps pour les obsèques.

— Bellicosti.

— Bellicosti ?

— Oui, Luciano Bellicosti. Mais ce n'est pas évident. Rien ne dit qu'ils ne sont pas cachés quelque part en train de panser leurs blessures. Mais si vous voyez juste, alors ils sont en train de passer à l'offensive.

— Ce n'est pas pour rien que Stryker a été formé dans les services secrets de l'Armée. Je me tue à vous dire qu'il ne sera pas un objectif facile à atteindre. S'il a la moindre chance de son côté, il ne fera qu'une bouchée du Réseau, j'en suis convaincu. La femme elle non plus n'est pas une mauviette, elle n'est pas fille à fuir les difficultés ni à se cacher. Il faut que nous prenions bien plus de précautions avec eux qu'avec le gibier habituel. Ce Bellicosti, saura-t-il se taire ?

— Je ne sais pas, dit Alexander avec réticence. Nous avons prise sur lui, c'est un immigrant italien qui a vécu aux Etats-Unis huit ou neuf ans avant de se décider à demander la nationalité américaine ; il n'avait pas encore obtenu ses papiers de naturalisation quand nous avons eu besoin d'avoir un type des Pompes funèbres dans notre manche. Nous avons gelé sa demande au Bureau des Immigrations et nous l'avons menacé d'expulsion s'il ne faisait pas ce que nous lui demandions. Il n'a pas aimé ces procédés mais la citoyenneté américaine était un bon appât... Je ne sais pas si on peut se fier à lui bien longtemps encore.

— C'est diablement important pour nous, je crains que cet Italien n'en sache un peu trop.

— Exact, il faudra songer à l'éliminer. Et le coroner aussi.

Alexander tendit la main vers le téléphone.

— Attendez, pour décider, de savoir si vraiment ils ont l'intention, Stryker et elle, d'aller jusqu'à Reno. Vous n'en serez sûr que lorsqu'ils auront atterri.

Alexander hésita, la main sur le téléphone.

— Si j'attends, dit-il, je leur donne une longueur d'avance sur moi. Tiens... j'ai une idée. Il y a peut-être moyen de savoir s'il a vraiment l'intention d'aller là-bas. Il aura besoin d'une auto et il a dû en retenir une à l'avance. Je vais téléphoner au syndicat d'initiative pour savoir quelles sont les agences de location de voitures de Reno assurant un service de nuit. Il ne doit pas y en avoir beaucoup, ce qui nous facilitera la besogne.

— Oui, c'est une idée, convint Kennebeck sans enthousiasme.

Dix minutes plus tard, on leur communiqua les informations suivantes : Elliot Stryker avait réservé une voiture à l'agence Avis sur l'aéroport de Reno pour un peu avant minuit.

— Bizarre, bizarre, grommela Kennebeck, ça m'étonne d'un type qui s'est montré aussi malin jusqu'à maintenant.

— Il doit penser que nous sommes axés sur l'Arizona.

— N'empêche, dit le juge, la mine désappointée, il aurait pu imaginer une deuxième fausse piste.

— Vous voyez que je ne me trompais pas tellement sur son compte, il n'est plus aussi fort qu'autrefois à ce jeu.

— Ne chantons pas victoire trop tôt, nous ne l'avons pas encore attrapé.

— Ça ne saurait tarder, dit Alexander qui avait repris sa belle assurance, nos agents à Reno ont intérêt à se remuer mais j'ai confiance, ils réussiront... Je ne crois pas judicieux de les arrêter dans un endroit public comme un aéroport et il ne faut pas non plus les faire suivre tout de suite. Stryker sera sur ses gardes et trouverait le moyen de nous filer encore entre les doigts.

— Il vaudrait mieux coller un micro sur la voiture qu'ils doivent prendre. On serait au courant de ce qu'ils disent et font, sans risquer de les alerter.

— Bonne idée, mais on ne dispose que d'une heure à peine ; de toute façon même si on n'a pas le temps d'installer un micro, du moins nous devinons ce qu'ils s'empresseront de faire. Il faut éliminer Bellicosti et les piéger aux Pompes funèbres.

Alexander prit le téléphone pour donner les instructions au siège du Réseau à Reno.

25

A Reno, qui se vante d'être « la plus grande petite ville du monde », la température avoisinait les 6 degrés au-dessous de zéro vers minuit. Au-dessus des éclairages du parking de l'aéroport, le ciel nocturne était d'un noir absolu, sans lune ni étoiles. Des flocons de neige dansaient au gré d'un vent tantôt léger tantôt violent. Elliot se félicitait d'avoir pensé à acheter des manteaux chauds avant de quitter Las Vegas mais ils avaient tous deux les mains gelées car ils n'avaient pas prévu de gants.

Il casa leur unique bagage dans la Chevrolet de location qu'Avis leur avait réservée. La fumée du pot d'échappement montait en volutes autour de ses jambes. Il claqua le couvercle du coffre et jeta un coup d'œil sur les autres voitures recouvertes d'une fine couche de neige.

Elle étaient vides, et d'ailleurs il n'avait pas l'impression d'être surveillé. Il était possible que le faux plan de vol eût dérouté leurs poursuivants. Il grimpa dans l'auto, Tina essaya de brancher le chauffage.

— Je suis littéralement frigorifiée, s'écria-t-elle.

— Ça va aller mieux, je sens déjà un peu d'air chaud, dit-il en avançant la main vers les orifices du chauffage.

Il ouvrit son manteau et dégagea le pistolet qui était resté enfoncé dans sa ceinture depuis que l'avion s'était posé sur la piste. Il le plaça entre Tina et lui, le canon tourné en direction du tableau de bord.

— Tu crois vraiment qu'on peut aller voir Bellicosti à une heure pareille? demanda Tina.

— Evidemment. Il n'est pas si tard que ça.

Dans une cabine téléphonique de l'aéroport, Tina avait cherché l'adresse des Pompes funèbres Bellicosti et l'employé de chez Avis leur avait marqué le chemin à suivre sur la carte de la ville fournie avec la voiture. Elliot alluma le plafonnier et l'étudia avant de la passer à Tina.

— Je crois que je n'aurai aucun mal à me diriger mais, si jamais je m'embrouille, je te charge d'être le navigateur de l'équipe.

— A vos ordres, commandant.

D'un geste vif Elliot éteint la lumière et s'apprête à démarrer. Brusquement le plafonnier se rallume tout seul. Elliot l'éteint, il se rallume.

— C'est reparti, s'exclame Tina.

Puis c'est le tour de la radio, l'indicateur de stations se met à balayer l'écran de gauche à droite, de droite à gauche, le bouton du tuner tourne de lui-même, des bribes tonitruantes de musique, de publicités, de voix des discs-jockeys se succèdent à toute allure.

— C'est Danny qui nous contacte, murmure Tina.

Les essuie-glaces se lancent dans un ballet accéléré dont les battements s'ajoutent au chaos musical de la radio, les phares s'allument et s'éteignent à un rythme si effréné qu'ils créent un effet stroboscopique : les flocons de neige semblent tomber par brusques saccades. Dans la voiture il fait de plus en plus froid ; Elliot s'assure que le chauffage marche toujours mais cela n'empêche pas la température de baisser de minute en minute. La boîte à gants s'ouvre. Le cendrier glisse hors de sa niche. Tina éclate de rire. Visiblement cette série de phénomènes la met en joie. Elliot est un peu surpris au premier abord mais il se rend compte lui-même que cette fois il ne se sent pas menacé par ces nouvelles manifestations du poltergeist. Il a l'impression qu'il s'agit d'un fantôme enfantin qui exprime sa joie, son excitation de mille manières inattendues et qui leur envoie des ondes d'affection et de tendresse. C'est la première fois que cela lui arrive. Il espère bien que jamais il n'aura à expliquer ce qui se passe. Il en serait incapable, mais le plaisir qu'il éprouve est bien réel. Tina et lui sont envahis par ces vagues d'amour qui, malgré le froid sibérien régnant dans la Chevrolet, les inondent de chaleur.

— Danny chéri, nous arrivons. Tu m'entends, mon trésor?... Tu sais que nous venons te chercher.

Comme par miracle la radio se tait, la lumière s'éteint, les essuie-glaces s'immobilisent, les phares clignotent puis leur lumière se stabilise. Tout est calme et silencieux. Les flocons de neige glissent doucement sur le pare-brise, l'air se réchauffe.

— Pourquoi fait-il froid chaque fois qu'il se sert de... ses facultés psychiques? demande Elliot.

— Ma foi, je n'en sais trop rien; peut-être que pour mettre les objets en mouvement à distance il convertit l'énergie de la chaleur en une forme d'énergie différente; il y a peut-être une autre explication, nous ne le saurons jamais et probablement Danny ne le comprend-il pas lui non plus. Quelle importance? Ce qui compte c'est de savoir que mon Danny est *vivant,* il n'y a plus aucun doute et je vois que toi aussi tu commences à le croire, sans ça tu ne m'aurais pas posé cette question.

— C'est vrai, dit Elliot, le premier étonné de sa brusque conversion. Je crois qu'il y a de sacrées chances que tu aies raison.

— J'en suis convaincue.

— Quelque chose d'extraordinaire est arrivé à cette expédition scoute et ton fils a dû subir une drôle d'épreuve.

— Mais il n'est pas mort.

Elliot vit des larmes de bonheur dans les yeux de Tina.

— Attention, fit-il soucieux, ne t'emballe pas trop vite, je t'en prie, nous avons un bon bout de chemin à faire. Nous ne savons même pas où se trouve Danny ni dans quel état il est. Avant de pouvoir le découvrir et le ramener, nous avons pas mal d'obstacles à franchir. Nous pouvons aussi fort bien nous faire descendre.

Il mit la voiture en route et ils quittèrent l'aéroport. Apparemment, personne ne les avait pris en chasse.

26

La salle, enfouie au plus profond du complexe secret de la Sierra, trois étages au-dessous du niveau du sol, avait une douzaine de mètres de long, six de large. Le plafond était bas, revêtu d'un matériau insonorisé, couleur crème, d'une texture a la fois spongieuse et granuleuse. On aurait dit qu'il était incrusté de petits cailloux et que l'on se trouvait dans une grotte en pleine nature. Des tubes fluorescents dispensaient une lumière froide sur les rangées d'ordinateurs et de tables chargées de journaux, de cartes, de fichiers, d'instruments scientifiques ; deux gobelets pleins de café étaient posés sur une pile de papiers.

Le mur ouest (l'un des petits côtés du rectangle) face à l'entrée était creusé en son milieu d'une fenêtre de quatre-vingt-dix centimètres de haut sur un mètre quatre-vingts de large donnant sur une pièce adjacente moitié moins grande que la première. Cette baie était analogue à un sandwich car elle comportait deux vitres incassables, de deux centimètres et demi, séparées par un espace de même épaisseur rempli d'un gaz inerte. Ces deux vitres d'une solidité à toute épreuve étaient encastrées dans des châssis métalliques et garnies de joints en caoutchouc parfaitement étanches. La fenêtre pouvait résister à n'importe quel choc, qu'il s'agît d'un coup de feu ou d'un tremblement de terre. Elle était virtuellement inviolable.

Comme il fallait absolument que les hommes travaillant dans la grande salle aient à tout instant une vision claire de ce qui se passait dans la pièce voisine, la baie recevait, de chaque côté, des courants d'air chaud et sec, issus de divers orifices percés dans le plafond et destinés à prévenir toute buée risquant de ternir les vitres. Mais, actuellement, malgré ces dispositifs sophistiqués, les vitres étaient entièrement givrées.

Deux hommes en blouse blanche, le docteur Carlton Dombey, chéveux frisés et moustache hérissée, et le docteur Aaron Zachariah, plus jeune, cheveux châtain clair, visage glabre, se trouvaient dans la grande salle. Le premier essayait de scruter la petite pièce par un minuscule espace dégivré de la baie ; le second, penché sur un des ordinateurs, lisait les informations qui passaient sur l'écran.

— La température a chuté de trente-trois degrés en une minute et demie, dit Zachariah d'un air soucieux. C'est mauvais pour le gosse.

— Oh ! les autres fois ça n'a pas eu l'air de l'incommoder.

— Je sais, mais tout de même...

— Jette un coup d'œil à ses indices.

Zachariah s'approcha d'autres écrans qui donnaient en permanence le rythme cardiaque, la tension artérielle, la température et l'activité cérébrale de Danny Evans.

— Rythme cardiaque normal, peut-être même un peu plus lent, bonne tension, température inchangée, évidemment il y a des altérations dans l'électro-encéphalogramme.

— Tu sais bien que ça arrive toujours pendant ces brusques coups de froid, il y a des ondes cérébrales anormales mais toutes les autres données sont satisfaisantes, non ?

— N'empêche que si ce froid sibérien persiste, il faudra prendre des mesures, le transférer dans une autre pièce.

— Il n'y en a pas de libre. Toutes lès autres sont pleines d'animaux sur lesquels des expériences sont en cours.

— Tant pis, il faudra déménager les animaux. Le gosse est plus important. Il nous fournit plus d'informations intéressantes.

— Ne t'en fais pas, le froid ne va pas durer, dit Dombey en jetant un coup d'œil dans la petite chambre voisine où l'enfant reposait immobile sur un lit d'hôpital sous un drap blanc et une couverture jaune, relié par de multiples fils aux appareils de monitoring. Tu te rappelles, la dernière fois ça n'a pas duré : la température baisse brusquement, pendant deux à trois minutes, jamais plus de cinq, et revient à la normale.

— Mais enfin, grommela Zachariah, qu'est-ce que fichent tous ces ingénieurs ? Ils devraient empêcher ça.

— A les entendre leur système fonctionne à merveille. Ils n'ont détecté aucune anomalie.

— Tu parles ! s'écria Zachariah en se détournant de l'écran et en allant se planter devant la baie à la recherche d'un bout de vitre transparent. Rappelle-toi : au début, il y a un mois, ça n'était pas terrible, juste quelques degrés de différence, une fois par nuit, jamais dans la journée, jamais au risque de nuire à sa santé mais, ces derniers jours, ça s'est détraqué de plus en plus avec des chutes de température démentielles. Jamais ils ne me feront avaler que tout marche à la perfection. Ça foire et puis c'est tout !

— On m'a dit qu'ils vont faire venir l'équipe qui a mis au point le système. Ces gars-là verront tout de suite ce qui cloche. De toute façon pourquoi t'excites-tu tant que ça ? Oui ou non, avons-nous pour tâche de tester le gosse jusqu'à ce que mort s'ensuive ? Alors pourquoi toute cette agitation à propos de sa santé ?

— Enfin, ton raisonnement est parfaitement débile. Tu sais fort bien que nous voulons être sûrs et certains que ce sont les piqûres qui le font mourir. S'il y a d'autres facteurs qui entrent en ligne de compte pour le démolir, nous n'aurons jamais une parfaite certitude, ce sera une expérience douteuse.

— Douteuse, tu ne crois pas si bien dire, dit Dombey avec un rire amer. C'est vraiment depuis le début une sale histoire.

— Je ne l'envisage pas d'un point de vue moral, déclara Zachariah en le regardant droit dans les yeux.

— Moi si !

— Je me place sur un plan clinique.

— Je n'ai aucune envie d'écouter ce que tu penses, j'ai trop mal à la tête pour m'intéresser à tes points de vue.

— J'essaie simplement de faire mon travail consciencieusement, dit Zachariah d'un air maussade. Ce n'est pas de ma faute si on nous confie une mission peu reluisante. Je n'ai pas *grand-chose* à dire ici sur le programme de recherches.

— Tu n'as même absolument *rien* à dire, riposta Dombey, et moi non plus. Nous sommes au bas de l'échelle, de pauvres mecs qui passent la nuit à boulonner et à faire du baby-sitting.

— Si j'avais la responsabilité du programme de recherches, je crois que je ferais exactement la même chose que le docteur Tagamuchi. Il n'a pas le choix. Il était obligé de poursuivre cet objectif à partir du moment où on a découvert que ces salauds de Russes y étaient accrochés à fond. Rappelle-toi : ce sont les Russes qui ont eu l'initiative de ce projet qui te déplaît tant. Nous cherchons à les rattraper. S'il faut que tu rejettes la responsabilité sur quelqu'un d'autre, parce que tu te sens coupable, il faut t'en prendre à eux, pas à moi.

— Je sais, je sais, dit Dombey avec lassitude en fourrageant dans sa tignasse frisée. J'ai une frousse bleue de ces types. S'il y a un seul gouvernement sur terre fichu d'utiliser un pareil procédé, c'est celui de l'Union soviétique. Evidemment nous devons essayer de maintenir l'équilibre de forces mais tout de même... Je ne peux pas m'empêcher de me poser des questions : en nous efforçant avec tant de zèle et d'application de rester à leur niveau, ne sommes-nous pas en train d'acquérir cet arbitraire que nous leur reprochons à juste titre ? Ne devenons-nous pas à notre tour un Etat totalitaire ?

— Peut-être bien...

— Je le crains, vraiment.

— Avons-nous le choix ?

— Sans doute pas.

— Regarde…

— Quoi?

— La vitre s'éclaircit, il doit faire déjà plus chaud là-dedans.

Les deux savants se tournèrent vers la baie et plongèrent leur regard dans la chambre d'isolement. L'enfant au petit visage émacié tourna la tête de leur côté et les fixa entre les barreaux de son lit.

— Ce regard! lança Zachariah.

— La façon dont il vous dévisage… Il me flanque la trouille. Il y a quelque chose dans ses yeux qui vous hante, tu ne trouves pas?

— C'est ton sentiment de culpabilité qui te tracasse.

— Non, il y a autre chose, ses yeux sont… bizarres, étranges. Ce ne sont plus les mêmes que lorsqu'il est arrivé il y a un an,

— La souffrance. Beaucoup de souffrance et de solitude…

— Plus que ça. Ils ont une expression indéfinissable, je ne sais pas comment l'exprimer. Il n'y a peut-être pas de mot pour ça.

Et il retourna vers l'ordinateur auprès duquel il se sentait en sécurité.

Quatrième Partie

Vendredi 2 janvier

27

Les rues de Reno étaient en majeure partie dégagées et sèches malgré une récente et importante chute de neige ; il restait çà et là de petits îlots de glace noirâtre, perfides pour d'insouciants motocyclistes. Elliot, lui, s'en méfiait et conduisait avec prudence.

— On y est presque, annonça Tina.

En effet, quatre cents mètres plus loin sur la gauche, apparut le bâtiment où se trouvaient à la fois le domicile de Luciano Bellicosti et son établissement de Pompes funèbres. Une enseigne bordée de noir annonçait en termes emphatiques la nature des services offerts : « Directeur du Salon des Funérailles, Conseiller des Familles en Deuil ». La maison était immense, de style pseudo-colonial, perchée au sommet d'une colline ; par-derrière s'étendait un jardin d'un hectare et, suprême commodité, elle jouxtait le cimetière. La longue allée qui menait à la porte d'entrée dessinait une gracieuse courbe, tel un ruban de crêpe, ceignant une pelouse montante recouverte d'un linceul immaculé. Elle était jalonnée de piliers en pierre et de lampadaires diffusant une lumière douce. Plusieurs fenêtres du rez-de-chaussée étaient éclairées.

Elliot, sur le point de franchir le portail, se ravisa et continua à rouler.

— C'est là, cria Tina, où t'en vas-tu comme ça ?

— Je sais parfaitement que c'est là.

— Pourquoi continues-tu alors ?

— La discrétion est la reine des qualités. Personne ne te l'a enseigné dans ton enfance?

— Non, mais je suis ravie que tu complètes mon éducation.

— Tu comprends, si nous nous précipitions comme des fous, en exigeant des réponses immédiates de ce Bellicosti, ça serait certes gratifiant, courageux, etc. Et absolument stupide.

— Mais la bande de Kennebeck ne s'attend pas à ce que nous venions ici. Ils nous croient en Arizona.

— Ma petite fille, il ne faut jamais sous-estimer l'ennemi. Tu vois quelle grosse erreur ils ont faite en nous sous-estimant toi et moi. Alors méfions-nous et ne nous jetons pas bêtement dans leurs griffes.

Passé le cimetière, Elliot tourna à gauche dans une rue résidentielle, se gara, coupa le moteur, éteignit ses phares.

— Et maintenant? demanda Tina.

— Je vais retourner à pied jusqu'à la maison en coupant par le cimetière. Je ferai le tour du jardin et j'entrerai par derrière.

— *Nous* entrerons par derrière, rectifia Tina.

— Non.

— Si.

— Tu m'attendras ici.

— Pas question.

Son visage était exquis à la lumière du lampadaire. D'une beauté à vous couper le souffle. En d'autres circonstances, il l'aurait prise dans ses bras. Mais il pouvait constater aussi son expression déterminée et son regard résolu. Inutile d'essayer de la ménager : jamais elle ne permettrait qu'il la traitât comme quelque précieux et fragile bibelot.

Bien qu'il se sût vaincu d'avance, il argumenta :

— Sois raisonnable, Tina. S'il y a des complications tu risques d'être en trop.

— Tu ne parles pas sérieusement, Elliot. Tu trouves que je suis le genre de femme qui ne sait pas se débrouiller?

— Tu as vu l'épaisseur de neige? Tu n'as même pas de grosses chaussures.

— Toi non plus, je te ferai remarquer.

— Il est tout à fait possible qu'ils soient là à nous guetter et qu'ils nous piègent au salon funéraire.

— A ce moment-là je pourrai t'aider. Et si le champ est libre, je tiens à assister à la conversation avec Bellicosti.

— Bon sang! Nous perdons un temps précieux à discutailler.

— Ravie de t'avoir convaincu, dit-elle, ouvrant la portière et sautant vivement hors de la voiture.

A la minute même, il eut la certitude qu'il l'aimait sans l'ombre d'un doute.

Il enfouit le pistolet équipé du silencieux dans la poche de son pardessus et sortit à son tour de la Chevrolet dont il ne ferma pas à clé les portières. On ne sait jamais, ils pouvaient être contraints à s'y engouffrer sans perdre une seconde.

Dans le cimetière, la neige lui montait jusqu'à mi-mollet, trempant son pantalon, ses chaussettes, fondant dans ses chaussures. Tina avec ses tennis en toile n'était pas non plus à la fête, mais elle le suivit sans broncher.

Un vent aigre et humide s'était levé. Il soufflait plus fort qu'au moment de l'atterrissage et balayait le cimetière, s'engouffrant entre les tombes et les monuments funéraires. Les maigres flocons qui voltigeaient seraient certainement suivis sous peu d'une forte chute de neige. Un muret de pierres et une haute haie de sapinettes séparaient le cimetière de la propriété de Bellicosti. Ils grimpèrent au sommet du muret et restèrent à l'abri des arbres une minute, le temps pour Elliot d'étudier comment accéder à l'arrière de la maison.

Point n'était besoin d'intimer silence à Tina. Elle attendait sans souffler mot, les bras croisés, les mains glissées sous les aisselles pour avoir moins froid. Elliot était inquiet de lui voir courir de tels risques, mais, en même temps, sa présence le réconfortait. Il y avait une centaine de mètres à parcourir pour atteindre la maison flanquée d'un garage — pouvant contenir trois voitures — et d'un petit porche. Les quelques buissons à feuilles persistantes n'étaient pas assez hauts pour que quelqu'un pût se tapir derrière. Il y avait beaucoup de fenêtres dont chacune pouvait receler une sentinelle aux aguets dans le noir. Elliot les observa avec la plus grande attention afin de dépister le moindre mouvement derrière les carreaux. Rien de suspect. Il était sans doute trop tôt pour qu'ils aient pu tendre un piège. Et, si les tueurs étaient déjà en place, ils devaient s'attendre à ce que leurs victimes arrivent normalement, en toute confiance, par la porte de devant...

« De toute façon, se dit Elliot, nous n'allons pas nous éterniser sur ce mur. » Ils sortirent tous deux de leur abri végétal, l'un derrière l'autre. Un vent coupant leur décocha au visage de petits cristaux glacés. Avec leurs vêtements foncés sur la neige, ils étaient sacrément repérables, le point de mire idéal pour un tireur posté à une fenêtre. Elliot avait l'impression aussi que la neige crissant sous leurs pieds allait alerter les tueurs d'une minute à l'autre. Mais, en fait, ils ne faisaient aucun bruit. Il se rendit compte que sa nervosité était difficile à contrôler.

Ils atteignirent la maison sans encombre. Une seconde de pause, pendant laquelle ils se pressèrent furtivement épaule contre épaule pour se donner courage. Elliot saisit le pistolet de la main droite. De la gauche, engourdie par le froid, il enleva tant bien que mal les deux crans de sûreté. Il sentait ses mains si raidies qu'il se demanda comment il pourrait s'en servir le cas échéant. Ils contournèrent à pas de loup la maison en direction de la façade. Elliot fit halte devant la première fenêtre éclairée du rez-de-chaussée, arrêta Tina d'un geste, se pencha avec précaution et jeta un œil par une fente du store vénitien. Il faillit hurler. Là, devant lui, un cadavre, un homme nu dans une baignoire, un poignet lacéré, de l'eau rougie de sang. Il vit le regard fixe du mort dans un visage terreux... C'était Luciano Bellicosti, il en était sûr. Il savait aussi que le pauvre diable ne s'était pas suicidé. Sa bouche béante aux lèvres bleuies semblait s'efforcer d'opposer des dénégations à l'accusation de suicide. Elliot n'avait qu'une envie : entraîner vivement Tina dans l'auto mais elle avait deviné qu'il avait vu quelque chose d'important et elle attendait ce qu'il allait lui dire. Sachant qu'elle voudrait voir de ses yeux le mort, il la poussa doucement devant lui et sentit son corps se raidir. Maintenant ils n'avaient plus qu'un désir : filer le plus vite possible. A peine s'étaient-ils écartés de quelques pas de la fenêtre qu'Elliot vit la neige bouger à six mètres devant lui, non pas un tourbillon de flocons poussés par le vent mais un gros monticule blanc qui se soulevait. Instinctivement il braqua son pistolet et tira quatre fois. Grâce au silencieux, on n'entendit que le bruit du vent. Il courut, en se courbant en deux pour donner le moins de prise possible à l'ennemi éventuel, vers ce qu'il avait vu bouger. Un homme vêtu d'une combinaison blanche imperméable comme en portent les skieurs gisait sur la neige, un trou dans la poitrine et une partie de la gorge emportée. Il avait dû les attendre, allongé sur le sol. Il avait à présent le même regard fixe que Bellicosti. Un tueur dans la maison pour veiller l'entrepreneur de Pompes funèbres, et même probablement plus d'un, un mis à mal dehors. Mais combien d'autres et postés où ?

Elliot essaya de percer les ténèbres. Son cœur battait la chamade. Il s'attendait à voir se lever sur la pelouse enneigée une armée de formes blanches, les assassins qui avaient pour mission de les supprimer sans autre forme de procès. Pourtant, rien ne bougeait. Il se redressa, stupéfait d'avoir pu tirer si vite et si efficacement, et saisi d'une sorte de satisfaction animale dont il fut le premier étonné car il s'était cru un être civilisé. Presque en même temps, il sentit en lui une vive répulsion. Sa gorge se serra. Il avait un goût amer dans la bouche et il tourna le dos à sa victime. Avec soulagement, son regard enveloppa la jolie silhouette de Tina.

— Ils savent donc que nous sommes à Reno, chuchota-t-elle.

— Oui.

— Et ils se doutaient que nous allions venir chez Bellicosti.

— Mais ils pensaient que nous entrerions par la porte de devant.

— Pourquoi est-ce qu'ils n'ont pas...

Il ne lui laissa pas le temps de finir et l'entraîna par le même chemin qu'à l'aller à une allure record. A chaque pas, il s'attendait à entendre un coup de feu, un cri, une galopade éperdue à leur poursuite. Il aida sa compagne à franchir le muret, il grimpa à son tour avec l'impression que quelqu'un s'accrochait à son pardessus par-derrière. Il en eut le souffle presque coupé, se dégagea et, dès qu'il eut sauté dans le cimetière, il regarda du côté de la haie de sapinettes mais ne vit personne. De toute évidence, les types en faction dans la maison ne savaient pas encore que leur complice avait été tué et ils pensaient que leur proie allait entrer innocemment.

Tina et Elliot coururent entre les tombes, soulevant des nuages de neige poudreuse. Leur haleine se solidifiait dès qu'elle se mêlait à l'air libre. Au milieu du cimetière, quand Elliot fut sûr que personne ne courait après eux, il s'arrêta, s'appuya contre une stèle funéraire. Quoique essoufflé, il essayait de ne pas avaler trop d'air glacé. L'image du cadavre à la gorge à moitié emportée repassa devant ses yeux. Il s'écarta de Tina et vomit. *Il avait tué un homme.* Le fait que ce fût un cas de légitime défense ne le consolait pas.

Ses nausées calmées, il s'essuya les lèvres avec une poignée de neige, en avala un peu et ses dents lui firent mal.

— Ça va mieux? demanda Tina d'une voix pleine de sollicitude.

— Je l'ai tué.

— Si tu n'avais pas tiré, c'est lui qui nous descendait.

— Je sais, mais ça me rend malade.

— Pourtant... quand tu étais dans l'armée...

— Bien sûr, ce n'est pas la première fois, mais j'étais soldat en Asie du Sud-Est, en pleine guerre. J'en ai abattu au moins une demi-douzaine avant celui-ci, mais les circonstances étaient différentes et ça se passait il y a si longtemps. En temps de guerre c'est légitime, à présent ça s'apparente à un meurtre.

Il secoua la tête, se rinça à nouveau la bouche avec de la neige qu'il recracha. « Ne t'inquiète pas, ça va aller. » Il remit le pistolet dans sa poche et ajouta:

— C'est un sacré choc mais je peux le supporter. Je ne vais pas m'effondrer pour autant.

— Je n'ai pas peur de ça, idiot. Je me trompe peut-être, mais ça ne me paraît pas ton style.

Ils s'étreignirent longuement.

— S'ils savaient que nous venions à Reno, pourquoi ne nous ont-ils pas filés depuis l'aéroport ? Ils auraient vu que nous allions passer par-derrière.

— Aucune idée, dit Elliot, toujours sous le choc. Ils ont dû penser que je risquais de m'en apercevoir s'ils nous filaient et que ça me dissuaderait de venir. Ils étaient si sûrs que nous allions débarquer chez Bellicosti qu'ils ont préféré nous y attendre tout simplement.

— Je gèle, nous ferions mieux de revenir jusqu'à la voiture.

— Tu as raison. Et il serait plus prudent de s'éloigner vite fait avant qu'ils découvrent le cadavre dans la neige.

Ils suivirent leurs traces et regagnèrent la paisible rue résidentielle. La Chevrolet de location les y attendait sous le lampadaire, Elliot ouvrit la portière pour que Tina s'installât et il fit le tour de l'auto en cherchant ses clés dans sa poche. Au moment où il ouvrit sa portière, il surprit un bruit insolite. Il leva les yeux, sûr de ce qu'il allait voir. Une limousine Ford blanche déboucha en effet lentement du coin de la rue. Elle s'arrêta brusquement. Deux gaillards d'aspect redoutable en bondirent, chacun par une portière.

— Bon Dieu ! jura Elliot, sachant à qui il avait affaire.

Il sauta au volant, claqua la portière et démarra.

— Nous étions donc bien suivis, murmura Tina.

— Non, je sais, ils nous ont collé un micro et ils ont eu comme ça toutes les indications voulues.

Aucun coup de feu ne résonna, et pourtant une balle vint fracasser la vitre arrière et s'enfonça dans le dossier du siège avant. Il y avait de multiples débris de verre Sécurit un peu partout dans l'auto.

— Baisse-toi, hurla Elliot.

Un bref coup d'œil vers l'arrière lui permit de voir les deux hommes accourir, mais la neige rendait leur pas moins assuré. Elliot démarra, le pied sur l'accélérateur.

Les pneus crissèrent, deux balles coup sur coup ricochèrent sur la voiture et filèrent en sifflant lugubrement. Elliot était presque couché sur le volant. Il attendait la balle qui traverserait l'arrière. Au carrefour, sans tenir compte du stop, il vira brusquement sur la gauche presque sans freiner, malmenant la suspension de la Chevrolet. Tina releva la tête, lança un regard vers la rue déserte derrière eux.

— Un micro, tu crois vraiment?

— Ouais, ouais.

— Il faudra abandonner l'auto quelque part alors?

— Pas avant d'avoir semé nos gars. Ils sont trop près pour que nous lâchions la voiture. Ils nous rattraperaient en moins de deux, si nous continuions à pied.

— Comment faire?

Nouveau carrefour. Cette fois Elliot lança l'auto à fond de train vers la droite en expliquant:

— Au prochain coin de rue, je sors et tu prends le volant en vitesse.

— Où iras-tu?

— Je me cacherai derrière les buissons et je les guetterai. Toi, tu descends lentement la rue. Laisse-leur la possibilité de t'apercevoir quand ils déboucheront au croisement. Ils seront si occupés à te viser qu'ils ne me verront pas et je tirerai dans leurs pneus, je pense en crever au moins un.

— Je n'aime pas l'idée de nous séparer.

— Comment faire autrement?

— Et s'ils t'attrapent?

— Exclu.

— Je me retrouverai toute seule.

— Ils ne m'auront pas. Ils ne s'attendent pas à un piège, mais il faudra que tu sois prête à te glisser immédiatement au volant: si nous nous arrêtons plus d'une ou deux secondes ça s'entendra sur leur récepteur et ça leur mettra la puce à l'oreille.

De nouveau il tourna vivement à droite et s'arrêta en plein milieu de la nouvelle rue.

— Non, Elliot!

— Pas le choix, fit-il en descendant presque à quatre pattes de la voiture.

— Mais je...

— Vite !

Il courut se blottir derrière les massifs qui bordaient la pelouse d'une maison basse en briques, style ranch. Il était juste au-delà de la zone éclairée par un réverbère. Il tira son pistolet de sa poche pendant que Tina s'éloignait. Tandis que le bruit du moteur de la Chevrolet diminuait, il entendit une autre auto qui approchait à toute vitesse. C'était la limousine blanche, surgissant au carrefour. Elliot se dressa, tenant l'arme à deux mains, et tira trois fois : les deux premières balles éraflèrent la carrosserie, mais la troisième creva le pneu avant droit. La Ford avait pris le tournant trop vite. L'éclatement du pneu fit perdre le contrôle au chauffeur. L'auto fit un tête-à-queue, bondit sur le trottoir, aplatit au passage une haie, pulvérisa une baignoire à oiseaux en plâtre et atterrit au milieu du gazon couvert de neige.

Elliot galopa en direction de la Chevrolet qui était arrêtée cent mètres plus loin. Il lui semblait avoir des kilomètres à parcourir, son cœur battait à tout rompre et il avait l'impression que chacune de ses foulées résonnait dans la nuit comme un battement de tambour. Il bondit sur son siège et cria un « Vas-y ! » haletant à Tina qui appuya à fond sur l'accélérateur. La voiture tressaillit et répondit avec toute la puissance de son moteur. A une centaine de mètres il lui enjoignit de tourner à droite. Après deux tournants et trois pâtés de maisons, il dit :

— Gare-toi le long du trottoir, je veux voir où ils ont fichu ce micro.

— Ils ne peuvent plus nous suivre à présent.

— N'empêche qu'ils ont encore leur récepteur. Ils peuvent être renseignés sur notre destination et je ne veux pas qu'ils la connaissent.

Elle stoppa, et il descendit inspecter les faces internes des ailes, l'intérieur des sculptures, des pneus, partout où un petit micro pouvait s'adapter aisément et vite : rien. Rien non plus derrière le pare-chocs avant. Il découvrit finalement le micro fixé magnétiquement au pare-chocs arrière, l'arracha et l'envoya voltiger au loin.

De retour dans la voiture, les portières fermées à clé,

le moteur ronronnant, le chauffage poussé au maximum, ils furent incapables d'émettre un son. Ils tentèrent de se réchauffer mais restaient sous le choc, frissonnants.

Ce fut Tina qui, la première, parvint à briser le silence.

— Eh bien, ils ne perdent pas de temps, ces salauds-là !

— Nous avons toujours une longueur d'avance, assura Elliot d'une voix encore légèrement chevrotante.

— Disons, une demi-longueur.

— Tu as raison.

— Bellicosti était censé nous fournir les informations dont nous avions besoin pour intéresser un reporter.

— Pour le moment, c'est cuit.

— De quel côté nous tourner pour obtenir ses tuyaux ?

— On verra.

— Mais comment préparer notre dossier ? insista-t-elle.

— Attends qu'on ait eu le temps d'y réfléchir en paix.

— Ça ne me dit pas ce qu'on va faire à présent.

— Ne pas se décourager, Tina.

— Je ne me décourage pas. Je veux savoir ce qu'on va faire, c'est tout.

— De toute façon, pour le moment, nous sommes incapables de mettre quoi que ce soit sur pied. Nous sommes absolument lessivés. Nous vivons sur les nerfs depuis des heures. Ce ne sont pas les conditions idéales pour prendre des décisions pondérées. Il faut attendre, se cacher, prendre du repos. Demain matin nous aurons les idées plus claires et la réponse viendra d'elle-même.

— Tu crois que tu pourras dormir ?

— Bien sûr que oui. J'en ai même sacrément besoin. Tu te rends compte : j'ai dû sauver ma peau quand ils m'ont attaqué chez moi, il s'en est fallu de peu qu'ils ne me descendent. Ensuite, ta maison a explosé. Là encore nous en avons réchappé de justesse. Après, on nous a pourchassés dans tout Vegas. Deux sbires dans une camionnette noire, si tu te rappelles. Ensuite voyage en avion, accueil chaleureux chez ce pauvre Bellicosti. Je descends un type et re-course-poursuite. Cette fois, pour changer, les tueurs étaient au volant d'une limousine blanche. Ouf... Ne me dis pas que tu te sens fraîche comme un gardon, je ne te croirais pas.

— J'avoue que je suis épuisée. Satisfait ?

— Oui, je sais que tu es une femme costaude mais, si tu étais en pleine forme après ce que nous avons subi, je ne me sentirais plus du tout à la hauteur.

— Maintenant que tu es rassuré de savoir que nous nous sentons aussi mal en point l'un que l'autre, peux-tu me dire où nous allons nous réfugier ?

— Voilà mon idée : au lieu de fouiner à la recherche d'un motel dans un endroit écarté, nous allons carrément prendre une chambre dans le meilleur hôtel de la ville.

— Au Harrah ?

— Précisément : ils ne s'attendront pas à un geste aussi casse-cou. Ils nous chercheront partout ailleurs.

— C'est tout de même risqué.

— As-tu une meilleure idée ?

— Non.

— Dis-toi bien qu'au point où nous en sommes *tout* est risqué.

— Soit ! Allons-y.

Tina resta au volant. Ils gagnèrent le centre-ville et abandonnèrent la Chevrolet dans un parking public, à quatre pâtés de maisons du Harrah.

— Cela m'ennuie qu'on soit obligé de laisser l'auto, dit Tina.

— C'est plus prudent. Ils vont la chercher.

Ils passèrent par des rues brillamment éclairées au néon, devant des casinos d'où sortaient des bouffées de musique, des rires, le bruit des machines à sous ; pourtant il était 1 h 45 du matin et le vent soufflait toujours avec rage. Bien que Reno ne connaisse pas une vie nocturne aussi déchaînée que Vegas et que beaucoup de touristes eussent déjà regagné leurs chambres, au Harrah le casino était encore relativement animé. Un jeune matelot était en pleine partie de craps et une bande de joueurs excités le poussaient à jeter un huit pour finir en beauté.

Elliot et Tina prirent l'escalator jusqu'à la réception. Dans la quasi-totalité des grands hôtels du Nevada, le hall d'entrée est adjacent au casino ou en fait partie, si bien que les clients, dès leur arrivée ou à la toute dernière minute de leur séjour, sont incités à aller jouer. Mais le Harrah avait beaucoup plus de classe, la réception, notamment, était située au premier étage dans un cul-de-sac[1] paisible, loin du tohu-bohu.

C'était un week-end férié. Officiellement toutes les chambres étaient retenues, mais Elliot savait qu'il y avait toujours moyen de s'arranger. Pour satisfaire le directeur du casino, on réserve habituellement quelques chambres au cas où des clients fidèles viendraient à l'improviste munis d'un portefeuille bien garni et sans aucune réservation en poche. En outre il y a toujours des gens qui se décommandent à la dernière minute et d'autres qu'on ne verra jamais arriver. Un billet de vingt dollars bien plié, remis discrètement dans la main du réceptionniste, lui fait à coup sûr découvrir une chambre libre, et même deux.

C'est ainsi qu'Elliot fut informé que « par une chance exceptionnelle » on pouvait lui proposer une chambre pour deux nuits. Il remplit la fiche sous le nom de Clifford Montgomery, légère déformation du nom de son acteur de cinéma favori, donna une adresse fantaisiste à Seattle. Quand on demanda à voir une pièce d'identité ou sa carte de crédit, il dit avoir été victime d'un pickpocket à l'aéroport et dut de ce fait payer à l'avance les deux nuits. Il régla avec une liasse de billets, qu'il avait enfouie dans sa poche... puisque son portefeuille lui avait été « dérobé ». On les introduisit dans une chambre spacieuse et joliment décorée, au neuvième étage.

Dès que le chasseur fut parti, Elliot ferma à clé la porte, tourna la verrou de sûreté et mit la chaîne. Pour plus de précautions, il poussa une lourde chaise de bureau contre la porte, sous le loquet.

— On se croirait en prison, fit remarquer Tina.

— A une grosse différence près : c'est nous, les inno-

1. En français dans le texte.

centes victimes, qui sommes enfermés, et les tueurs sont lâchés en liberté aux alentours.

Quelques instants plus tard, pelotonnés l'un contre l'autre dans le vaste lit, ils ne pensaient pas à faire l'amour mais cherchaient chacun chaleur et tendresse près de l'autre. Ils jouissaient de se savoir en vie après tous les dangers courus, de se sentir protégés, chéris et éprouvaient un besoin animal d'affection, réaction normale après tant d'épreuves. Pourchassés par des êtres qui n'avaient aucun respect de la vie d'autrui, ils reprenaient conscience ensemble qu'ils valaient plus qu'un peu de chair et d'os.

De la tendresse naquit le désir. D'abord couchés l'un près de l'autre, face à face, s'embrassant doucement, se murmurant de petits mots gentils, les seins de Tina pressés contre la poitrine robuste d'Elliot. Puis, comme en rêve, il se retrouva allongé sur elle et elle l'encouragea de caresses brûlantes, l'enserrant de ses bras et de ses jambes qui avaient la douceur de la soie, étreinte d'une intensité inconnue jusque-là mais brève.

Quand ce fut fini, elle ne le laissa pas s'écarter et le maintint plaqué sur elle de toutes ses forces, comme si elle voulait qu'ils ne fassent qu'un. Finalement ils restèrent étendus côte à côte, la main dans la main. Leurs souffles s'apaisèrent et ils fixèrent le plafond en silence.

— Tu sais, tu avais raison, déclara tout à coup Elliot.

— A propos de quoi ?

— De ce que tu m'as dit la nuit dernière à Vegas.

— Rafraîchis-moi la mémoire : je n'ai pas les idées très claires.

— Tu m'as dit qu'au fond j'aimais cette chasse à l'homme.

— Je crois que c'est vrai, peut-être inconsciemment.

— Je m'en rends compte maintenant. Sur le moment, je ne voulais pas le croire.

— Pourtant je ne le disais pas d'une façon malveillante.

— Je sais, mais c'est plutôt parce que pendant treize ans j'ai mené une vie très banale, travail professionnel, etc. J'étais persuadé que je n'avais plus besoin ou envie de cette espèce d'existence aventureuse, toujours sur le qui-vive, qui me plaisait tant quand j'étais jeune.

— Mais je ne pense pas que ce soit un *besoin* ou une *envie* du danger que tu ressentes. Simplement, pour la première fois depuis l'époque des Services secrets, tu es de nouveau plongé dans ce genre de vie. Quelque chose en toi répond au défi, comme un vieil athlète qui se retrouve sur le terrain et qui teste ses réflexes, ses muscles, tout fier de constater qu'il n'a rien perdu de ses facultés.

— Il n'y a pas que ça. Quand j'ai... abattu ce type, j'ai ressenti tout au fond de moi-même une sorte d'excitation, et ça m'a dégoûté.

— Ne te juge pas si sévèrement.

— Je me demande même si c'était tellement enfoui... en tout cas c'est remonté très vite à la surface.

— Tu ne vas pas me soutenir que tu as pris plaisir à tuer ? A moins que les vomissements soient ta façon à toi d'exprimer ton contentement.

— Tu n'y es pas, Tina. J'ai vomi justement parce que j'ai pris conscience tout à coup que j'étais heureux d'avoir pu abattre un homme avec autant de rapidité et d'efficacité. Je me suis vu comme une espèce de sauvage. J'ai eu affreusement honte de voir ce qui pouvait se cacher derrière le masque d'un homme dit civilisé.

— A ta place je serais rudement fière d'avoir descendu ce salaud, dit Tina en lui serrant tendrement la main.

— Vraiment ?

— Ecoute, si je pouvais mettre la main sur ces brutes qui font tout leur possible pour m'empêcher de retrouver Danny, je n'aurais pas le moindre scrupule à les liquider et même j'en éprouverais un certain plaisir. Je suis une mère lionne à qui on a pris son petit. C'est sans doute une réaction naturelle chez une mère. Son devoir.

— Alors nous avons tous des réactions semblables à celles des bêtes ?

— Pourquoi pas ?

— Tu ne dis pas ça pour me consoler ?

— Absolument pas.

— Je ne suis pas le seul à ressentir cette espèce de férocité ?

— Je te dis que nous sommes tous dans le même sac.

— Ça ne rend pas la chose plus acceptable.

— Nous sommes faits comme ça, que veux-tu. Dieu nous a fabriqués ainsi, ne soyons pas plus royalistes que le roi.

— Admettons…

— Bien sûr il y a des nuances. Si un homme tue pour le plaisir ou pour un idéal comme celui de ces fous de terroristes, ça, c'est de la barbarie ou de la folie. Mais ce que tu as fait c'est tout différent. L'instinct de conservation est un des plus puissants que Dieu nous ait donnés. Nous sommes faits pour survivre, même si, pour cela, il faut tuer. Rappelle-toi la Bible, « il y a un temps pour naître et un temps pour mourir, un temps pour tuer et un temps pour guérir… »

Un silence, puis Elliot murmura :

— Merci.

— De quoi, grand Dieu !

— Tu as su m'écouter.

— J'ai des oreilles pour ça, figure-toi.

— Et tu dis toujours des choses sensées.

— On m'a donné une voix pour ça.

— Et ça, c'est pour quoi ? dit-il en lui touchant les seins.

— Pour qui, tu veux dire ! Pour toi, bien sûr.

— Et ça ?

— Pour toi aussi.

— Tu es très généreuse.

— Tu apprécies mes cadeaux ?

— Je les aime.

— Alors, monsieur, donnez-m'en la preuve.

— Je ne crois pas que je serai à la hauteur.

— Ce n'est pas ce que je sens…

Cette fois ils firent l'amour plus lentement, plus tendrement qu'avant. Quand Tina eut atteint l'orgasme, Elliot sentit les vibrations de plaisir monter dans le corps de sa compagne comme une lente, lente marée. Elle ondulait doucement comme une plante aquatique sous l'influence de mystérieux courants. Quand ce fut fini Elliot se laissa aller encore et encore jusqu'à ce qu'il se sentît plaisamment vidé, épuisé. Quelques minutes se passèrent. Tina s'était endormie et lui aussi plongea dans un sommeil profond, oubliant pour un temps toute angoisse.

28

Kurt Hensen, le bras droit de George Alexander, somnola pendant tout le trajet de Las Vegas à Reno bien que le vol ne fût pas de tout repos. Le jet à dix places dans lequel ils étaient installés appartenait au Réseau. C'était un petit appareil qui tanguait sous les rafales de vent soufflant à haute altitude dans le couloir aérien qui lui avait été assigné. Hensen, un gaillard solide aux cheveux de lin et aux yeux cruels, avait peur en avion. Il ne pouvait y monter qu'après avoir avalé deux pilules calmantes. Comme à son habitude, à peine l'appareil avait-il décollé qu'il s'endormit, la tête renversée sur le dossier de son siège.

George Alexander était son seul compagnon de vol. La réquisition de ce jet avait été l'exploit dont il était le plus fier depuis qu'il était chef du Service du Nevada. Bien qu'il passât le plus clair de son temps dans la région de Las Vegas — son bureau se trouvait dans la ville —, il était appelé parfois d'une façon urgente en certains lieux éloignés, tels que Reno, Elko et même hors du Nevada, au Texas, en Californie, en Arizona, au Nouveau-Mexique, dans l'Utah, etc. La première année il avait emprunté les lignes commerciales ou loué les services d'un pilote de toute confiance aux commandes du bimoteur ordinaire que son prédécesseur avait obtenu du gestionnaire financier du Réseau. Mais il jugeait qu'un Alexander ne pouvait continuer à se déplacer d'une façon aussi primitive, qu'un directeur qui l'y contraindrait serait un homme à courte vue. Son temps était trop précieux pour son pays, son travail requérait des prises de décisions immédiates basées sur un examen minutieux des données sur le terrain, ce qui nécessitait de lointains déplacements. Il avait fallu beaucoup de temps et de force de persuasion pour qu'enfin le directeur se laissât faire. Alexander avait enfin obtenu ce petit jet, plus deux pilotes chevronnés — anciens militaires — à plein temps dont le salaire était financé par le Service du Nevada.

Parfois le Réseau était franchement pingre et ne lâchait les dollars qu'au compte-gouttes. George Lincoln Stanhope Alexander, qui avait hérité une fortune colossale des deux côtés, des Alexander de Pennsylvanie aussi bien que des Stanhope du Delaware, n'avait pas de mots assez forts pour condamner les économies qui frisent l'avarice. A vrai dire, le Réseau était bien obligé de tenir compte du moindre dollar car, son existence devant rester secrète, les fonds dont il vivait étaient soustraits à d'autres services gouvernementaux. Par exemple, les trois milliards de dollars qui constituaient la plus grosse part de son budget annuel venaient du Health and Welfare Departement[1]. Un agent nommé Jacklin travaillait pour eux au sein des cadres les plus élevés des services de Santé. C'était lui qui concevait de nouveaux programmes d'aide aux chômeurs, qui convainquait le secrétaire d'Etat concerné de leur nécessité, qui les défendait devant le Congrès et qui imaginait une couverture crédible aux yeux des bureaucrates pour masquer le fait que c'était des programmes-bidons. Quand les fonds fédéraux affluaient pour financer ces opérations, ils étaient immédiatement déviés en direction du Réseau. Extorquer trois milliards de dollars à la Santé était la manipulation la moins risquée de toutes celles qui constituaient les assises financières du Réseau car le budget dont jouit la Santé est si gigantesque et les responsables si prodigues des deniers publics — eux-mêmes en conviennent — que la somme ainsi soustraite semblait une pacotille. Quand Joseph Califano était le responsable

1. Equivaut à un ministère de la Santé et de la Prévoyance sociale.

en chef de ce Département, il avait chiffré le gâchis à dix milliards par an et d'autres estimaient que cela pouvait atteindre un chiffre trois fois supérieur.

Le Departement of Defense, moins plein aux as pourtant, mais pas trop regardant non plus, fournissait au moins un autre milliard par an. D'autres sommes moins astronomiques — entre cent millions et un demi-milliard — provenaient annuellement du Department of Energy, du Department of Education et d'autres services gouvernementaux.

Si la constitution de son budget réclamait certains efforts d'imagination, le Réseau, néanmoins, disposait de fonds assez considérables. Aux yeux d'Alexander, allouer un petit jet absolument vital pour l'ensemble de l'organisation n'était pas une extravagance et le travail accompli depuis l'an passé devait convaincre le directeur, à Washington, que c'était de l'argent bien employé.

Alexander était fier de l'importance de son poste mais il se sentait frustré de ce que si peu de gens en fussent conscients. Il y avait des moments où il ne pouvait s'empêcher d'envier son père et ses oncles qui avaient servi le pays au vu et su de tous et dont on pouvait célébrer publiquement l'esprit de corps et le désintéressement. La Défense, les Affaires Etrangères, la diplomatie... Quand on y occupe les premières places on est forcément admiré et respecté. George, lui, ne remplissait des fonctions d'autorité et de responsabilité que depuis six ans seulement. De vingt à trente-six ans, il avait travaillé pour le gouvernement dans diverses missions de renseignement sous couvert de diplomatie, jamais indignes de sa lignée mais à des postes mineurs, en Asie et en Amérique du Sud. En tout cas jamais le *New York Times* n'en avait fait état.

Six ans plutôt, à la suite de l'émasculation du FBI et de la CIA provoquée par les incessantes attaques des médias et des ailes droite et gauche du Congrès, le Réseau avait été constitué et le Président avait confié à George la tâche de développer la branche clandestine « Amérique du Sud ». Responsabilités passionnantes ! George, à la tête d'un budget de dix millions de dollars, contrôlait des centaines d'agents dans une douzaine de pays. Au bout de trois ans, le Président se déclara enchanté des services rendus en Amérique du Sud et demanda à George de prendre en charge le Service du Nevada — un des six postes les plus importants dans la hiérarchie du Réseau — qui se trouvait en fâcheuse posture. George, aux dires du Président, avait toutes les raisons d'espérer sa nomination à la tête de la Western Division avec la perspective de grimper les échelons jusqu'au sommet, jusqu'à la responsabilité entière des Services secrets à l'intérieur et à l'extérieur. C'est-à-dire qu'il serait le personnage le plus puissant des Etats-Unis, supérieur aux secrétaires d'Etat des Affaires étrangères ou de la Défense. Pour cela il suffisait qu'il s'acquittât de cette nouvelle tâche aussi brillamment que de la première.

Mais il ne pouvait se vanter devant quiconque de ses succès ; les honneurs, la notoriété, le prestige, dont tant de membres de sa famille avaient joui, il en était privé puisque l'organisation pour laquelle il travaillait devait à tout prix demeurer secrète, si elle voulait être efficace. La moitié des gens qu'elle employait ignoraient jusqu'à son existence. Certains pensaient agir pour le FBI, d'autres pour la CIA et beaucoup croyaient appartenir à l'une ou l'autre des branches du Trésor et des Services secrets. Aucun d'entre eux ne pouvait, de ce fait, dévoiler l'existence du Réseau. Seuls les chefs de bureau, leurs adjoints immédiats, les chefs de stations des villes les plus importantes et les officiers plus âgés — ayant de l'expérience sur le terrain et une loyauté éprouvée — connaissaient la vraie nature de leurs employeurs et de leurs activités. Il était bien évident que, si jamais les médias en étaient venus à apprendre l'existence du Réseau, les reporters seraient accourus de tous côtés à la recherche d'informations croustillantes et quand ils auraient eu la preuve qu'une telle organisation. sévissait aux Etats-Unis, le Réseau aurait volé en éclats.

« Quelle ironie du sort ! songea Alexander. Dire que ce sont les réactions excessives des médias et de certains membres du Congrès, devant de très réelles infractions du FBI et de la CIA, et leur acharnement à briser les reins de services secrets pourtant bien nécessaires, qui ont abouti — bien malgré eux — à la création de ce qu'ils redoutent le plus, à savoir la première police secrète que connaissent les Etats-Unis en deux cents ans d'existence. »

Assis dans la cabine faiblement éclairée du jet, et regardant la course effrénée des nuages chassés par le vent, il se demanda ce que penseraient son père et ses oncles s'ils apprenaient que son engagement au service de sa patrie exigeait souvent de lui qu'il donnât l'ordre de supprimer tel ou tel. Et même il y avait pire : à trois reprises, en Amérique du Sud, il lui avait fallu presser lui-même sur la détente. Il en avait éprouvé un tel plaisir, une telle excitation, qu'il avait, par choix délibéré, abattu de ses propres mains une demi-douzaine d'individus par la suite. Que diraient les fameux hommes d'Etat de la famille s'ils savaient que lui, George, avait du sang sur les mains ? Qu'il ait eu parfois à donner l'ordre de tuer, ils le comprendraient. Les Alexander étaient des idéalistes quand ils discutaient de la façon dont il faudrait administrer les affaires publiques mais ils étaient diablement pragmatistes quand il s'agissait de se colleter avec la réalité. Ils savaient que dans le monde de la sécurité militaire, à l'intérieur du pays, et de l'espionnage, à l'extérieur, ne régnaient pas les mêmes principes que dans un jardin d'enfants. « Après tout, conclut George, ils me jugeraient peut-être avec indulgence : je n'ai jamais descendu un citoyen ordinaire ou un homme de valeur. » Ses victimes avaient toujours été des espions, des traîtres. Plusieurs étaient eux-mêmes des tueurs... de la racaille. Il murmura : « Oui, je n'ai tué que de la racaille. » Bien sûr c'était une besogne peu ragoûtante mais qui demandait de l'héroïsme et une certaine dignité, du moins c'est ce qu'il se disait. Il se prenait volontiers pour un héros et il se persuadait finalement que son père et ses oncles lui auraient donné leur bénédiction s'il avait eu le droit de les mettre au courant.

Le jet plongea dans un trou d'air, rebondit, s'agita.

Kurt Hensen ronflait paisiblement. Quand les cahots s'apaisèrent, Alexander contempla par le hublot le ciel laiteux, éclairé par la lune, les nuages aux rondeurs féminines ; par association d'idées il pensa tout à coup à cette femme, Christina Evans, bien jolie en vérité. Le dossier qui la concernait était posé sur le siège à côté de lui. Il l'ouvrit et regarda sa photo : vraiment ravissante, cette fille ! Il décida qu'il la descendrait de ses propres mains, le moment venu, et cette pensée lui donna instantanément une érection.

Tuer le faisait jouir, il n'y avait pas à sortir de là et peu importait ce que les gens pouvaient en penser. Toute sa vie, pour des raisons obscures qu'il n'avait jamais vraiment cherché à élucider, il avait été fasciné par la mort, intrigué par sa nature, ses aspects, passionné par sa signification. Il se considérait comme un messager de mort, un exécuteur des hautes œuvres, envoyé par Dieu. Tuer était pour lui plus excitant que de faire l'amour. Il savait que ce goût de la violence n'aurait pas été toléré longtemps s'il avait travaillé au sein du FBI ou d'un service secret ayant existence légale mais, à sa place dans le Réseau, il lui laissait libre cours.

Il ferma les yeux et pensa à Christina Evans.

29

Dans son rêve Danny se trouve à l'extrémité d'un long tunnel, enchaîné au centre d'une petite caverne bien éclairée, mais pour le rejoindre il faut longer un couloir obscur qu'elle devine plein d'embûches. Il l'appelle à cor et à cri, la suppliant de le sauver de là avant que le toit de sa prison ne tombe sur lui et ne l'enterre vivant. Elle se met en marche dans le tunnel, bien décidée à l'arracher à ce danger mortel, quand soudain quelque chose sort d'une fissure étroite du mur et en même temps un rayon rougeoyant lui permet d'apercevoir le visage grimaçant de la Mort qui semble émerger des entrailles de l'enfer. Elle reconnaît les yeux de braise dans les profondes orbites, la peau collée aux os, la grappe de gros vers accrochée à la joue. Elle hurle puis s'aperçoit que la fente n'est pas assez large pour laisser passer entièrement la Mort ; elle peut juste sortir un bras et il s'en faut de quelques centimètres qu'elle ne puisse la toucher de ses longs doigts décharnés.

Danny l'appelle obstinément et elle continue à marcher vers lui. A maintes reprises, par d'autres fissures dans le mur, la Mort lui lance son regard de feu ainsi que des injures et des menaces mais chaque fois l'étroitesse de l'ouverture l'empêche de bondir à sa poursuite. Elle atteint enfin Danny et, quand elle le touche, les chaînes se détachent comme par magie, lui libérant bras et jambes.

— J'ai eu si peur, parvient-elle à articuler.

— J'ai réduit les trous pour qu'elle ne puisse s'agripper à toi, répond l'enfant.

A huit heures trente, le vendredi matin, Tina s'éveilla, le sourire aux lèvres, très excitée. Elle secoua son compagnon. Elliot cligna des yeux et se redressa sur son séant, encore hébété de sommeil.

— Qu'est-ce qui se passe? demanda-t-il, inquiet.

— Danny m'a envoyé un autre rêve.

— A voir ta mine joyeuse, ce n'était pas un nouveau cauchemar.

— Pas du tout, il veut que nous allions le sortir de l'endroit où on le retient prisonnier.

— Nous aurions toute chance de nous faire descendre avant même de le rejoindre. Nous ne pouvons charger comme un escadron de cavalerie. Il faut que nous nous servions de la presse et des tribunaux pour le faire. Tu nous vois tous les deux seuls contre toute l'organisation qui est derrière Kennebeck, sans compter l'équipe du Centre de recherches secrètes de l'armée?

— Mais Danny va nous faciliter les choses, dit Tina pleine de confiance, nous ne courrons aucun danger avec son aide. Il va mettre ses pouvoirs psychiques à notre service.

— Ce n'est pas réalisable.

— Tu as dit que finalement tu y croyais.

— Oui, dit Elliot, bâillant et s'étirant. J'y crois, mais je ne vois pas comment il peut nous aider, nous protéger.

— Moi non plus, je ne le vois pas mais il me l'a fait comprendre par ce rêve. C'était un message, j'en suis persuadée.

Sur ce, elle le lui raconta en détail et il dut admettre que son interprétation était plausible.

— En admettant que Danny nous aide une fois dans la place, il reste que nous ignorons totalement où il se trouve, objecta-t-il néanmoins.

— Le Centre de recherches auquel nous avons pensé...

— ... peut être n'importe où, dit Elliot en lui coupant la parole. Il n'existe peut-être même que dans notre imagination et nous ne sommes pas sûrs, à supposer qu'il existe, que Danny y soit encore.

— Il existe et Danny y est, déclara Tina d'un ton assuré qui masquait les doutes qui la rongeaient.

Pourtant elle sentait Danny à portée de main, presque comme si elle le tenait déjà dans ses bras et elle n'aurait pu supporter qu'on lui dise qu'il était toujours hors d'atteinte.

— O.K., fit Elliot en se frottant les yeux. Admettons que notre théorie du Centre de recherches corresponde à la réalité... Et après? Nous n'en sommes pas plus avancés. Il peut être installé n'importe où au fin fond de la montagne.

— Non, répondit-elle sans se démonter. Il ne peut pas être à plus de quelques kilomètres de l'endroit où Jaborski voulait emmener sa troupe.

— D'accord, tu as sans doute raison. Mais le terrain doit être sacrément mauvais, l'accès très difficile. Comment pourrions-nous explorer à fond tous les coins et recoins? C'est comme si on cherchait une aiguille dans une botte de foin.

— Danny nous guidera, dit Tina, forte d'une confiance inébranlable.

— Tu crois qu'il va nous indiquer où c'est?

— Il va essayer, je le sens d'après mon rêve.

— Par quel moyen?

— Ça, je n'en sais rien. Mais je sens que nous arriverons à trouver un moyen de concentrer son énergie, de la canaliser.

— Mais encore?

Tina fixa les draps chiffonnés, cherchant une inspiration dans leurs plis comme une gitane devant le marc de café. Soudain elle s'écria:

— Sommes-nous bêtes! Il faut étudier les cartes.

— Des cartes?

— Il y a sûrement des cartes de la haute montagne. Les campeurs et autres amoureux de la nature en ont sûrement besoin. Pas des cartes détaillées mais des cartes qui indiquent les collines, les vallées, le cours des rivières et des torrents, les sentiers, les pistes forestières, tu vois, ce genre-là. Je suis sûre que Jaborski ne se serait pas aventuré sans ça. Je me souviens maintenant, il en avait. Je les ai vues à la réunion de parents quand il nous expliquait que nos enfants ne couraient aucun danger.

— Je pense que nous devrions en trouver dans n'importe quel bon magasin de sports à Reno, du moins celles qui concernent les régions de la Sierra proches d'ici.

— Si nous pouvions nous en procurer une et l'étaler… je crois que Danny parviendrait à nous faire savoir l'endroit précis où il se trouve, assura Tina.

— Comment ?

— Je ne peux pas encore te le dire, dit-elle en se levant d'un bond et rejetant les couvertures. Achetons les cartes, nous nous soucierons du reste ensuite. Viens, prenons notre douche en vitesse et habillons-nous. Les magasins ouvrent d'ici une heure environ.

En apprenant l'échec du guet-apens chez Bellicosti, George Alexander n'avait pu se coucher ce vendredi matin que vers cinq heures trente. Il était tellement furieux contre ses subordonnés qui avaient laissé échapper Stryker et sa compagne qu'il n'arriva pas à fermer l'œil. Il s'assoupit finalement aux alentours de sept heures et se leva à dix, abruti et éreinté. Ce ne fut pas la sonnerie de son réveil qui le tira brutalement du sommeil mais un coup de téléphone de Washington : son directeur en personne qui, dans un langage codé, ne lui mâcha pas ses mots. Il était follement en colère et, en entendant ses reproches et ses exigences, Alexander réalisa que son avenir dans le Réseau était en jeu. S'il ne parvenait pas à mettre la main sur les fugitifs, son rêve d'occuper d'ici quelques années le fauteuil directorial tomberait à l'eau.

Dès que le directeur eut raccroché, il appela le bureau, craignant par-dessus tout qu'on l'avertît qu'*ils* étaient encore en liberté… Ce fut exactement ce qu'on lui dit et il ordonna que, toutes affaires cessantes, on organisât la chasse à l'homme avec l'ensemble des forces disponibles.

— Je veux qu'on les pince avant la fin de la journée, cria-t-il. Ce salopard a abattu un des nôtres. Il ne s'en tirera pas comme ça. Je veux qu'il soit liquidé.

« Et je veux que cette garce aussi y passe, ajouta-t-il in petto. Je veux qu'elle meure, et je l'aurai. »

30

Il y avait deux bons magasins de sport et deux armureries à une faible distance de l'hôtel. Le premier magasin de sport ne vendait pas de cartes, au second le stock était épuisé. Finalement ce fut dans une des armureries qu'ils finirent par dénicher ce qu'ils voulaient : douze cartes des régions sauvages de la Sierra à l'usage des campeurs et des chasseurs ; le tout présenté dans un étui de plastique, pour un peu moins de cent dollars.

De retour à l'hôtel, ils en étalèrent une sur le lit et Elliot sceptique demanda :

— Et maintenant ?

Tina réfléchit un instant, puis alla chercher dans le tiroir de la table à écrire un bic et un sous-main avec du papier à lettres au nom de l'hôtel ; elle revint s'asseoir devant la carte.

— Les gens qui s'adonnent à l'occultisme utilisent ce qu'il appellent l'écriture automatique. En as-tu entendu parler ?

— Bien sûr. C'est un esprit qui est censé guider un humain pour lui transmettre un message de l'Au-Delà. Pour moi ça m'a toujours paru le comble de l'absurdité.

— Tant pis pour ton opinion. Je vais essayer quelque chose comme ça, excepté que ce ne sera pas un esprit qui me dictera ses instructions mais Danny. Du moins, je l'espère.

— Ne faut-il pas se mettre en transe comme un médium dans les séances de spiritisme?

— Je ne sais pas. Je vais essayer de me vider l'esprit du mieux que je pourrai, de me faire aussi réceptive que possible. Je tiendrai ma plume prête à écrire et à la grâce de Dieu! Danny nous indiquera peut-être la route.

Elliot approcha une chaise du lit et s'installa en décrétant:

— A mon avis ça ne marchera pas, mais tentons notre chance. Je ne bouge plus.

Tina fixa la carte en essayant de ne penser à rien, de poser simplement les yeux sur les taches vertes, roses, bleues et jaunes qui correspondaient aux diverses catégories de terrains puis elle regarda dans le vague.

Une minute passa, deux, trois.

Elle ferma les yeux. Une minute, deux. Elle retourna la carte: rien.

— Donne-m'en une autre, s'il te plaît.

Elliot en retira une autre de l'étui et rangea la première.

Une demi-heure après, ayant déjà essayé sans succès cinq cartes, elle sentit dans sa main une mystérieuse pulsion et se raidit, stupéfaite. Puis la sensation se dissipa.

— Qu'y a-t-il? demanda Elliot.

— Danny... Il a essayé.

— Tu en es sûre?

— Absolument certaine. Mais, sans le vouloir, je me suis raidie. Ça me faisait un si drôle d'effet... et je pense que ça a suffi pour le faire cesser. Mais au moins nous sommes sûrs que c'est la bonne carte: je vais recommencer.

Elle remet la pointe du bic sur la carte et garde les yeux ouverts sans fixer son regard. La pièce commence à se refroidir. Elle tente de ne pas se laisser distraire, de faire le vide dans sa tête. Sa main droite, qui tient le bic, se refroidit plus vite. Elle sent la pulsion. Ses doigts sont gelés et commencent même à la faire souffrir, puis, soudain, sa main se met à décrire une série de cercles sur la carte et le crayon trace des gribouillages sans significa-tion. Au bout d'une demi-minute elle ne sent plus rien. La carte vole comme si quelqu'un, plein de colère et de découragement, l'avait rejetée. Elliot se lève d'un bond pour la rattraper mais elle s'envole à nouveau jusqu'à l'autre bout de la pièce avec un bruit de battement d'ailes, pour finalement tomber aux pieds de l'avocat, comme un oiseau mort.

— Seigneur, murmura-t-il. La prochaine fois que je lirai dans un magazine l'histoire d'un type qui dit avoir été emporté par une soucoupe volante pour faire le tour de l'univers, je me garderai bien de me moquer de lui. Si je vois encore voltiger autour de moi des objets inani-més, je te garantis que je me mettrai à gober *n'importe quoi,* même les choses les plus bizarres.

Tina se leva du lit, massa sa main gelée pour faire circuler le sang, et dit tristement :

— Je crois que j'oppose inconsciemment trop de ré-sistance. Il faut dire que c'est une impression si étrange. Je n'arrive pas à me laisser totalement faire. Je crois que tu avais raison quand tu m'as parlé de transe.

— Sapristi, pour ce genre de pratique je ne peux pas t'aider. Je suis bon cuisinier, mais je n'ai aucun don d'hypnotiseur.

— Ah ! mais j'y pense, il faut absolument qu'on me mette en état d'hypnose, c'est la seule condition pour que ça marche.

— D'accord, mais un hypnotiseur, ça ne se trouve pas à tous les coins de rue, j'imagine.

— Evidemment, mais je pense à quelqu'un, à Billy Sandstone.

— Qui ça ?

— Un hypnotiseur qui habite justement ici, à Reno. Il fait un numéro de music hall, le « Grand Standstone », fantastique, j'avais même pensé à lui donner une place dans *Magyck !* mais il était retenu par un contrat d'exclu-sivité avec une chaîne d'hôtels, Reno-Tahoe. Si nous pouvons lui mettre la main dessus, il le fera pour moi, j'en suis certaine et, comme ça, je n'opposerai plus de résistance à l'écriture automatique.

— As-tu son numéro de téléphone ?

— Non, et il n'est probablement pas dans l'annuaire mais j'ai le numéro de son agent. Je le joindrai par son intermédiaire.

Elle se rua sur le téléphone.

31

Billy Sandstone était un homme d'une trentaine d'années, de taille moyenne et dont le mot d'ordre semblait être « Méticulosité ». Ses chaussures étaient soigneusement cirées et reluisaient comme des miroirs, le pli de son pantalon était impeccable. On aurait pu croire sa chemise de sport bleue amidonnée de frais, et sa petite moustache taillée de près paraissait peinte.

Dans la salle à manger régnait également une propreté remarquable : table, chaises, crédence, huche à pain brillaient d'un vif éclat. On se doutait en les regardant qu'il avait dû employer force encaustique et huile de coude. Au centre de la table, un bouquet de roses fraîches était disposé dans un vase de cristal taillé qui chatoyait sous les rayons du soleil. Les doubles rideaux tombaient en plis parfaitement symétriques. Un bataillon de ménagères particulièrement pointilleuses lancées à la poursuite du moindre grain de poussière serait rentré bredouille.

Les visiteurs déployèrent la carte sur la table et s'assirent.

— L'écriture automatique, ce n'est pas très sérieux, Christina, vous devez le savoir.

— Je sais, Billy, mais je veux tout de même que vous m'hypnotisiez.

— Vous êtes une femme pondérée, Tina. Ça ne vous ressemble pas, objecta Billy qui manifestement ne comprenait pas le sens de sa démarche.

— Ça ne fait rien.

— Si vous me disiez juste *pourquoi* vous me demandez ça, je serais mieux à même de vous aider.

— Billy, si je commence à vous l'expliquer, nous serons encore ici demain.

— Au minimum, ajouta Elliot.

— Et nous disposons de très peu de temps. Il s'agit d'une affaire très urgente, terriblement importante, ajouta Tina.

Ils n'avaient pas parlé de Danny et Sandstone ignorait tout de ce qui les amenait.

— J'ai parfaitement conscience que notre visite doit vous paraître absurde, lança Elliot. Vous devez me prendre pour un cinglé et vous pensez que j'ai dû avoir une sacrément mauvaise influence sur cette pauvre Tina.

— Je m'empresse de préciser qu'il n'y est pour rien, déclara Tina.

— C'est vrai : elle n'avait déjà plus toute sa tête quand nous nous sommes rencontrés.

Cet échange de plaisanteries détendit l'atmosphère. Sandstone semblait plus à l'aise, ce qu'escomptait Elliot. Des fous ou des gens simplement bizarres ne cherchent pas à amuser autrui.

— Oui, vraiment, Billy, nous n'avons pas perdu le nord. Il s'agit d'une question de *vie* ou de *mort*.

— Faites-nous confiance : nous vous expliquerons tout. Mais je vous en conjure, il faut absolument que j'entre en transe.

— Bon, dit Billy.

Il portait une chevalière et il la tourna de manière à ce que le chaton fût du côté de la paume, puis il leva la main.

— Gardez les yeux fixés sur ma bague et n'écoutez que ma voix, ordonna-t-il.

— Une seconde, s'il vous plaît, dit Tina.

Elle décapuchonna le feutre rouge qu'Elliot avait acheté au stand de journaux de l'hôtel avant de prendre un taxi pour aller chez Sandstone. C'était lui qui avait eu l'idée d'en prendre un rouge pour qu'on distinguât bien le nouveau tracé d'avec les gribouillages antérieurs. Elle posa la pointe sur la carte.

— Ça y est, j'y suis.

Elliot n'aurait pu dire à quel moment Tina avait glissé dans le sommeil hypnotique et il n'avait pas compris en quoi consistaient les préparatifs. Il vit la main de Sandstone passer et repasser lentement devant le visage de Tina et il l'entendit prononcer à plusieurs reprises son nom. Il parlait doucement, paisiblement, en suivant un certain rythme. Elliot lui-même était sensible à l'influence magnétique de cette voix. Il s'y arracha soudain au moment où il sentait qu'il allait y céder.

Tina regardait droit devant elle. Billy baissa la main, tourna sa bague à l'endroit et dit :

— Tina, vous dormez profondément.

— Oui.

— Vos yeux sont ouverts mais vous êtes plongée dans un sommeil profond, très profond.

— Oui.

— Vous resterez dans ce profond sommeil jusqu'à ce que je vous dise de vous réveiller. Vous me comprenez bien ?

— Oui.

— Vous allez rester détendue et réceptive.

— Oui.

— Vous allez rester totalement passive jusqu'à ce que vous sentiez le besoin de vous servir de votre feutre.

— D'accord.

— Quand vous sentirez le besoin de vous servir du feutre, vous ne résisterez pas. Vous écrirez en vous laissant guider.

— Oui.

— Vous ne vous laisserez pas distraire par les paroles qu'Elliot et moi pourrons échanger. Vous répondrez uniquement quand je m'adresserai personnellement à vous. Vous me suivez ?

— Oui.

Une minute passa, puis une autre.

Billy Sanstone ne lâcha pas des yeux Tina pendant un certain temps mais finalement il manifesta une certaine impatience et dit à Elliot :

— Je ne pense pas que cette écriture automatique...

Il est interrompu par le bruit de la carte qui s'agite, ondule, s'aplatit, à un rythme régulier comme un pouls qui bat. L'atmosphère commence à se refroidir, la carte s'immobilise, le silence se rétablit. Le regard de Tina se posé sur la carte et sa main se met en mouvement, mais sans brusquerie ni saccade incontrôlée comme la première fois. Le feutre trace soigneusement, d'une manière hésitante, une fine ligne rouge qui apparaît aux yeux d'Elliot comme un filet de sang. Sandstone se frictionne les bras pour lutter contre le froid qui devient de plus en plus intense. Il fronce le sourcil et se lève brusquement.

— Ne vous fatiguez pas à vérifier le climatiseur. Il ne s'est pas mis en marche et le chauffage fonctionne parfaitement.

— Mais…

— Le froid vient de… l'esprit, déclare Elliot qui se décide non sans réticence à employer la terminologie de l'occultisme tout en refusant de parler de Danny.

— L'esprit?

— Oui.

— Quel esprit?

— Ne m'en demandez pas tant!

— Vous parlez sérieusement?

— Bien sûr.

Sandstone le dévisage avec une expression qui signifie clairement : « *Vous êtes cinglé mais risquez-vous de devenir dangereux?* »

— Regardez, dit Elliot en lui montrant la carte.

Tandis que la main de Tina s'avance doucement, les coins de la carte se remettent à onduler et à s'aplatir comme tout à l'heure.

— Comment Christina s'y prend-elle? demande Sandstone.

— Elle n'y est pour rien.

— C'est l'esprit, d'après vous?

— C'est ça.

Le visage de Billy se crispa douloureusement comme si la crédulité de son interlocuteur lui faisait mal. Apparemment il voulait que sa vision du monde fût aussi nette et impeccable que sa demeure et sa mise personnelle. S'il lui fallait croire aux esprits, il devrait réviser toute sa conception de la vie et il n'aurait pas fini de se poser des problèmes.

Elliot compatissait car il aspirait du fond du cœur à retrouver son rythme de vie si bien réglé au bureau parmi ses dossiers classés suivant une méthode scrupuleuse, ou devant les tribunaux où la fantaisie n'est pas à l'ordre du jour. Tina laissa tomber son feutre et elle releva la tête.

— Vous avez fini?
— Oui.
— Vous en êtes bien sûre?
— Oui.

Au moyen de quelques phrases et d'un claquement de main, Billy la fit émerger de son sommeil hypnotique. Elle cligna les yeux, encore un peu dans les nuages, puis elle regarda le trait qu'elle avait tracé et s'écria en regardant Elliot:

— Seigneur, ça a marché! C'est merveilleux!
— Apparemment oui.

Elle pointa le feutre en direction du terminus de la ligne rouge:

— Voilà où il est. C'est là qu'ils l'ont enfermé.
— Ça ne va pas être facile, facile, de pénétrer dans une région pareille, en pleine montagne, remarqua Elliot.

— C'est tout à fait faisable. Il faut de bons vêtements chauds et imperméables, des bottes, des chaussures de montagne avec lesquelles nous pourrons marcher longtemps, peut-être des raquettes s'il y a beaucoup de neige. Tu sais t'en servir? Ce ne doit pas être sorcier.

— Attends, Tina, je ne suis pas tout à fait convaincu que ton rêve signifie ce que tu espères. Comment conclus-tu que Danny va pouvoir nous aider à nous insinuer dans l'installation? Nous pouvons fort bien trouver l'endroit et ne pas parvenir à nous y introduire.

Billy les regardait l'un et l'autre, l'air complètement ahuri comme s'ils parlaient chinois.

— Ce n'est pas seulement ce qui s'est passé dans le

285

rêve qui me le fait croire. C'est ce que j'ai *senti* pendant ce temps qui est le plus important et ça, je ne peux pas te l'expliquer. Simplement tu dois m'écouter quand je te dis que je suis *sûre* de son aide. Ai-je l'habitude d'agir à l'aveuglette ?

— Non, concéda Elliot qui se pencha à son tour sur la carte pour l'étudier plus à fond.

— Je t'avais dit qu'il nous montrerait où il était enfermé et comme prévu, il nous a tracé le chemin, donc je ne t'ai pas raconté des bobards... De la même manière, je te dis maintenant qu'il trouvera le moyen de nous faire pénétrer dans l'installation. Tu es vraiment difficile à convaincre, Elliot.

— Tu n'oublies qu'une chose dans ton bel enthousiasme. C'est qu'ainsi nous allons nous jeter dans leurs griffes.

— Les griffes de qui ? demanda le pauvre Billy qui ne comprenait goutte à ce dialogue.

— Elliot, réfléchis un peu : si nous restons cachés jusqu'à ce que nous ayons trouvé une autre solution, combien de temps avons-nous ? Très peu. Ils ne tarderont pas à nous rattraper et ils nous descendront.

— Ils vous descendront ? répéta Billy abasourdi.

— Nous avons pu nous en tirer jusqu'à maintenant, poursuivit Tina toujours sans prendre le temps d'éclairer la lanterne de leur hôte, parce que nous ne sommes pas restés passifs. Nous avons bougé et pris l'initiative. Si nous changeons de tactique, si nous nous terrons, je ne réponds plus de notre vie.

— Vous discutez comme si vous étiez en guerre, intervint Billy.

— Tu as probablement raison, répondit Elliot à Tina. J'ai appris une chose quand j'étais dans l'armée : il faut de temps à autre s'arrêter pour regrouper ses forces, mais si on s'arrête trop longtemps la marée change et on risque d'être submergé.

— Faut-il que j'aille écouter les nouvelles à la radio, savoir si oui ou non les Etats-Unis sont en guerre ? demanda Billy que les deux autres continuaient à ignorer complètement.

— De quoi d'autre aurons-nous besoin à part vêtements, chaussures et raquettes ? questionna Elliot.

— D'une jeep.

— Tu y vas fort !

— Pendant que vous y êtes, pourquoi pas un tank ? lança Billy.

Maintenant qu'ils avaient pris la décision de se fier au rêve, les deux complices étaient fort excités à l'idée de monter l'expédition de sauvetage. Les commentaires ou questions de Billy passaient au-dessus de leurs têtes.

— Ecoute, Elliot, il nous faut absolument une jeep ou un autre véhicule tous terrains. Réduisons les étapes de marche au strict nécessaire. Si on peut accéder là-bas en voiture, tant mieux. Il doit bien y avoir un chemin carrossable pour aller au Centre et en sortir, même s'il est bien caché. Si nous avons la chance de pouvoir emmener Danny, tu penses bien que le pauvre petit ne sera pas en état de marcher pendant des kilomètres au cœur de l'hiver.

— Je vais essayer de faire virer de l'argent de ma banque de Vegas mais il y a le risque qu'ils surveillent mon compte, ce qui les ferait rappliquer en vitesse. D'ailleurs, étant donné que les banques sont fermées à cause des fêtes, ça nous immobiliserait ici jusqu'à la semaine prochaine et ils auraient le temps de nous prendre au nid.

— Et ta carte American Express ?

— Pour régler *l'achat* d'un jeep ?

— Il n'y a pas de limitation de crédit ?

— Non, mais...

— J'ai lu une fois dans les journaux qu'un type s'était offert une Rolls Royce avec sa carte de crédit. Tu peux faire ce genre de choses quand ils savent que tu es en mesure de payer la totalité de la somme due un mois plus tard.

— Ça a l'air un peu fou mais je pense qu'on peut toujours essayer.

— Moi, j'ai une jeep, annonça Billy.

— Regarde dans l'annuaire l'adresse du concessionnaire local, dit Tina.

— *Je vous dis que j'ai une jeep,* cria Billy.

Elliot et Tina le regardèrent, un instant déconcertés par son intrusion dans leur dialogue.

— Je fais mon numéro chaque hiver à Lake Tahoe pendant quelques semaines, poursuivit calmement Billy, et vous imaginez le temps qu'il peut y faire, de la neige plein les bottes. Je déteste voler dans le tacot qui fait le vol régulier de Reno à Tahoe et vice-versa, un minuscule appareil pas possible, et je ne vous décris pas l'aéroport de Tahoe, tout ce qu'il y a de vieux jeu. J'arrive toujours en auto la veille de la première. Vraiment, par un sale temps la jeep est beaucoup moins risquée dans un bled de montagne.

— Et vous y partez bientôt ?

— Non, je ne commence qu'à la fin du mois.

— En aurez-vous besoin d'ici deux jours ?

— Non.

— Alors on peut vous l'emprunter ?

— Oui, je pense.

Tina se pencha par-dessus la table, saisit la tête de Billy entre ses deux mains et lui plaqua un gros baiser sur chaque joue en s'écriant :

— Est-ce que vous vous rendez compte, mon petit Billy, que vous nous sauvez littéralement la vie ?

— Fantastique, jubila Elliot. Il me semble que finalement ça s'annonce bien pour nous. Nous allons peut-être vraiment réussir à récupérer Danny !

Soudain, les roses du bouquet se mettent à tourbillonner comme des danseuses en tutus rouges. Stupéfait, Billy se lève d'un bond, renversant son siège. Les doubles rideaux s'ouvrent, se referment et ainsi de suite sans que personne ait tiré les cordons. Le lustre en cuivre décrit de lentes arabesques devant les yeux écarquillés du maître des lieux. Elliot qui est déjà passé par là compatit de plus en plus au désarroi du pauvre homme. Trente à quarante secondes après, tout retombe dans l'ordre et la pièce se réchauffe rapidement.

— Vous allez m'expliquer maintenant comment vous faites ce genre de choses ? demanda Billy.

— Ce n'est pas nous, répondit paisiblement Tina.

— Surtout ne me dites pas que c'est l'œuvre d'un fantôme.

— Ce n'est pas un fantôme, dit Elliot.

— Ecoutez, je vous prête volontiers ma jeep mais à condition que vous me mettiez au courant de ce qui se passe. Je sais que vous êtes follement pressés mais vous me devez bien ça... Pas dans le détail, mais au moins dans les grandes lignes. Sinon je vais me ronger ou mourir de curiosité.

— On lui dit? demanda Tina à Elliot.

— Billy, déclara celui-ci, ce serait peut-être plus prudent que vous vous teniez à l'écart de tout ça.

— Pas question!

— Nous avons à nos trousses des truands sacrément dangereux; s'ils apprennent que vous êtes au courant...

— Ecoutez-moi, je ne suis pas seulement un hypnotiseur, j'ai certains talents de magicien. C'est ce que je voulais être mais je n'étais pas assez doué, alors j'ai dû me résigner à faire ces numéros d'hypnotisme. Pourtant la magie reste mon grand amour. Indiquez-moi comment vous faites pour les roses et les rideaux... et aussi les coins de la carte... *s'il vous plaît.*

Le matin même Elliot s'était dit qu'il ne fallait pas qu'ils fussent les deux seules personnes au courant de la fausseté de la version officielle de la Sierra. S'ils étaient tués, il n'y aurait plus personne pour rétablir la vérité. Etant donné qu'ils avaient payé si cher le pathétique petit bout d'information obtenu, il ne pouvait accepter que tant de peine, de craintes et d'angoisses, n'eussent aucune contrepartie. Aussi demanda-t-il à Billy s'il avait un magnétophone.

— Oui, bien sûr, un petit appareil très ordinaire dont je me sers pour mon travail! Je l'utilise pour améliorer les textes que j'insère dans mon numéro, pour contrôler le timing, etc.

— Du moment qu'il fonctionne, on ne lui demande pas plus. Nous allons vous donner une version résumée de notre histoire et en même temps on l'enregistrera. J'enverrai la cassette à un de mes associés. Ça fera d'une pierre deux coups... et, ajouta-t-il à l'adresse de Tina, c'est toujours mieux que rien.

— Je vais vite chercher le magnétophone, dit Billy en sortant en trombe de la salle à manger.

Tina replia soigneusement la carte.

— Ça me fait du bien de te revoir avec le sourire, murmura Elliot.

— Je dois être vraiment timbrée, tu sais. Nous avons encore un tas de dangers à affronter, le voyage, les tueurs qui nous guettent à tous les coins de rue, les militaires du Centre. D'une minute à l'autre nous risquons de disparaître, alors pourquoi suis-je si heureuse tout à coup ?

— Je crois que c'est parce que nous prenons l'offensive, au lieu de nous cacher ; même si c'est le comble de la témérité, tant pis, on se sent plus fier de soi.

— Deux personnes seules contre une gigantesque organisation gouvernementale — ça en a tout l'air — ont-elles une chance de l'emporter ?... Enfin, on verra bien.

— J'ai toujours pensé que des individus sont plus aptes à prendre leurs responsabilités et à agir avec du sens moral qu'une collectivité. Espérons que ce n'est pas utopique.

A 1 h 30, Kurt Hensen entra dans le bureau de George Alexander dans le centre-ville de Reno et annonça :

— On a trouvé la voiture que Stryker avait louée chez Avis. Ils l'ont garée dans un parking public à trois cents mètres d'ici.

— Ils s'en sont servis récemment ?

— Non, le moteur est froid. Il y a du givre sur les vitres des portières et sur le pare-brise. Elle a dû y passer la nuit.

— Evidemment, il n'est pas stupide. Il a dû l'abandonner.

— Voulez-vous qu'on établisse une surveillance ?

— Oui, ça vaut mieux. Tôt ou tard ils vont faire une erreur, peut-être venir reprendre l'auto... Ça m'étonnerait, mais on ne sait jamais.

Hensen quitta la pièce. Alexander prit une pilule de

Valium dans un tube qu'il portait toujours sur lui et l'avala avec une gorgée d'eau glacée. Il avait toujours une carafe en argent sur son bureau. C'était la seconde pilule depuis son réveil il y avait à peine trois heures mais il se sentait nerveux.

Stryker et sa compagne s'avéraient des adversaires coriaces et astucieux. Ce n'était pas ce qu'il préférait. Il aimait mieux, de loin, avoir affaire à des gens mous et sans initiative.

Où pouvaient-ils bien être?

32

Les arbres à feuilles caduques, totalement dénudés, avaient l'allure lugubre de squelettes noircis brandissant de multiples bras crochus, tandis que les conifères — pins, sapins, mélèzes — étaient chargés de neige. Un vent aigre soufflait en provenance des hauts sommets déchiquetés qui se profilaient sur un ciel couvert et bas. Des tourbillons de flocons durs comme de la glace venaient heurter le pare-brise de la grosse jeep. Tina voyait avec épouvante se rapprocher l'imposante forêt. Ils avaient quitté l'Interstate 80, un quart d'heure auparavant, suivant l'itinéraire tracé par Danny et ils se dirigeaient vers le nord sur une route plus étroite. La ligne rouge qui les guidait se trouvait encore en bordure de la carte avec sur la gauche une vaste étendue de verts et de bleus ; bientôt ils allaient quitter cette route à deux voies encore relativement « civilisée », puisque asphaltée, pour un chemin indiqué comme « non pavé, macadamisé ».

Après avoir quitté la demeure de Billy Sandstone au volant de sa jeep, ils s'étaient bien gardés de revenir à l'hôtel, ayant tous les deux le même pressentiment... qu'un visiteur inamical était prêt à les y cueillir. Ils étaient allés dans un magasin de sport se pourvoir en vêtements et chaussures de montagne, sans oublier les raquettes, avaient acheté des conserves, vivres et boissons, tout ce qui est nécessaire à la survie dans les régions sauvages. Sans doute avaient-ils vu trop grand :

si tout se passait favorablement comme le rêve de Tina semblait le faire espérer, ils n'auraient pas besoin de tant de provisions, mais si la jeep avait une avarie ou s'il se produisait une complication quelconque il fallait être paré. Elliot s'était procuré également des munitions pour son pistolet. Il ne pouvait faire grand-chose de plus, c'était la lutte de David contre Goliath.

Ensuite ils étaient partis directement en direction de la montagne, s'arrêtant dans un restoroute pour se changer dans les toilettes. La combinaison fourrée imperméable d'Elliot était verte avec une raie jaune longitudinale sur les côtés, celle de Tina bleue avec une raie blanche. Ils ressemblaient à des skieurs en route vers les pentes. Arrivés à proximité de la montagne, ils constatèrent que l'obscurité n'allait pas tarder à tomber sur les vallées et les ravins et ils se demandèrent s'il était sage, dans ces conditions, de continuer. Ne valait-il pas mieux revenir à Reno, chercher une autre chambre d'hôtel et partir le lendemain dès l'aube ?... Ils n'en eurent envie ni l'un ni l'autre. Tant pis si la nuit qui approchait leur rendait la tâche plus difficile. Ce pouvait même être un avantage. En fait, ils ne voulaient pas, maintenant qu'ils s'étaient engagés avec un bel élan, revenir en arrière. Ils avaient l'impression d'avoir le vent en poupe et il ne fallait pas tenter la chance en remettant au lendemain.

Ils roulaient à présent sur une route vicinale étroite qui avait été dégagée au chasse-neige. Il ne restait que de petites plaques de neige glacée dans les nids-de-poule et deux hauts murs neigeux en bordure.

— On approche, annonça Tina, les yeux sur la carte qu'elle avait étalée sur ses genoux.

— Plutôt désolée comme région !

— On se dit que le reste du monde pourrait bien être rasé sans qu'ici on s'en aperçoive.

Depuis trois bons kilomètres ils n'avaient plus vu de maisons habitées ou de hangars à bois, et depuis plus longtemps encore ils n'avaient plus aperçu de voitures. Le crépuscule tombait sur la forêt hivernale et Elliot alluma ses phares. Devant eux, sur la gauche, le mur de neige s'interrompait sur une courte longueur. Il freina et s'arrêta devant la cassure. Une piste d'allure peu engageante partait de là en direction des bois ; pas beaucoup plus large qu'un sentier, elle s'enfonçait sous la voûte des arbres si bien qu'on ne devait y voir goutte au bout de quinze à vingt mètres. Elle aussi avait été dégagée au chasse-neige mais avec moins d'efficacité. Le sol n'était pas pavé mais le revêtement goudronné paraissait solide.

— Nous devons chercher d'après la carte un chemin « non pavé, macadamisé ».

— Ça doit être ça.

— Ça m'a plutôt l'air d'une piste forestière.

— Moi, ça me fait penser à la route qu'il faut emprunter pour aller au château de Dracula dans les vieux films d'horreur.

— S'il te plaît, je ne suis pas d'humeur à évoquer Dracula et compagnie. Ne me démoralise pas.

— Pardon, chérie.

— Cela dit, tu as tout à fait raison. Ce chemin semble mener tout droit au château de Dracula ou de l'Ogre qui terrifiait ma petite enfance.

Ils s'engagèrent sous les sombres sapins, vers le cœur de la forêt.

33

Dans la longue salle rectangulaire, à trois étages au-dessous du niveau du sol, les ordinateurs bourdonnaient, cliquetaient; émettaient la douce « musique » qui leur est propre. Le docteur Carlton Dombey, qui avait pris son service vingt minutes plus tôt, était assis à l'une des tables alignées le long du mur nord et tournait le dos à la rangée des ordinateurs. Il était en train d'étudier une série d'une demi-douzaine de radios et les jeux d'images digitalisées correspondants. Au bout d'un moment, il leva la tête et demanda à son confrère :

— Tu as jeté un coup d'œil aux radios cérébrales du gosse qui ont été prises ce matin ?

Le docteur Aaron Zachariah se détourna des écrans et répondit :

— Je ne savais pas qu'on en avait fait des nouvelles.

— Ouais, une série complète.

— Rien à signaler ?

— Si, la tache qui est apparue sur son lobe pariétal il y a six semaines...

— Eh bien ?

— Elle est devenue plus foncée et elle s'étend.

— Une tumeur maligne ?

— On ne peut rien dire encore.

— L'opinion de l'ordinateur ?

— Pas de diagnostic. La tache n'a pas toutes les caractéristiques spectrographiques d'une tumeur.

— Est-ce que ça pourrait être du tissu cicatriciel ?

— Pas exactement.

— Un caillot ?

— Non, là-dessus l'ordinateur est formel.

— Est-il foutu, ce sacré engin, de nous dire quelque chose d'intelligent ?

— Ma foi, dit Dombey en fronçant les sourcils, je ne sais pas si l'information qu'il donne est utile ou non. En tout cas elle est abracadabrante.

— Ne fais pas durer le suspense, accouche !

Zachariah s'approcha pour regarder les radios et Dombey déclara :

— Si on en croit l'ordinateur, l'excroissance est constituée de tissu cérébral normal.

— Quoi ? Répète.

— Il dit que ce pourrait être une nouvelle poussée de tissu cérébral.

— Mais c'est une absurdité.

— Je ne te le fais pas dire.

— Le cerveau ne se met pas tout à coup à bourgeonner, en dehors de cas pathologiques. Tu vois ça, de nouveaux nodules que jamais personne n'aurait observés ?

— Je sais.

— Il vaudrait mieux qu'une équipe de maintenance l'examine, ton ordinateur. C'est lui qui déraille.

— Figure-toi qu'on l'a vérifié de fond en comble et que tout — en principe — marche à la perfection.

— Comme le chauffage dans la chambre d'isolation, railla Zachariah.

Toujours penché sur le résultat des examens, se lissant la moustache d'une main, Dombey ajouta :

— L'ordinateur note que la croissance de la tache pariétale est directement proportionnelle au nombre de piqûres qu'on administre au gosse. Elle est apparue à la fin de la première série, il y a six semaines.

— Ce doit être une tumeur, conclut Zachariah.

— Il y a des chances.

Zachariah posa les yeux sur la fenêtre qui séparait la grande et la petite pièce et jura doucement :

— Ça y est, bon Dieu, ça remet ça.

Dombey, alerté, regarda à son tour : la vitre était en train de se couvrir de givre, tandis que son compagnon se précipitait pour regarder de tout près.

— Ecoute, j'ai remarqué une chose. Cette histoire de chute de température dans sa chambre a commencé au moment de l'apparition de la tache.

— Ah ?

— Ça ne te paraît pas une drôle de coïncidence ?

— Ça me paraît une coïncidence. Point, à la ligne. Je ne vois pas quel rapport cela pourrait avoir.

— Eh bien…

— Dis le fond de ta pensée.

— Je me demande s'il n'y a pas, contrairement à ce que tu penses, un rapport direct avec le givre.

— Tu veux dire que le gosse serait responsable du changement de température ?

— Est-ce possible ?

— Comment ?

— Je suis incapable de répondre.

— Je te signale que c'est toi qui as levé ce lièvre.

— N'empêche que je ne possède pas la réponse.

— C'est purement et simplement absurde. Mon vieux, si tu te mets à élaborer semblables suggestions, je ne fais ni une ni deux : je t'envoie les gars qui ont si bien vérifié le chauffage et l'ordinateur pour qu'ils tâchent de dégoter ce qu'il y a de défectueux dans ta cervelle. Hein, Carl ?

34

Cette piste qui s'enfonçait profondément dans la forêt était remarquablement lisse, sans ornières ni nids-de-poule, malgré son aspect des plus rustiques. La jeep racla cependant le sol par trois fois, à la suite d'une brusque déclivité, mais ce fut tout. Le couvert des arbres se faisait de plus en plus épais. Les branches alourdies de givre égratignaient fréquemment le toit de la voiture et leur bruit qui écorchait les oreilles évoquait pour Tina le grincement de la craie sur le tableau noir dans les années insouciantes où elle allait à l'école.

Plusieurs panneaux signalaient que le chemin était réservé exclusivement aux gardes forestiers ainsi qu'aux chercheurs munis d'un permis spécial.

— Tu crois que leur centre passe aux yeux du public pour un centre d'études sur l'environnement ? demanda Elliot.

— Non, d'après la carte, le centre d'études est à quatorze kilomètres en suivant cette route tout droit. Les instructions de Danny indiquent qu'il faut tourner vers le nord et faire encore sept kilomètres après l'avoir quittée.

— Juste le nombre de kilomètres que nous avons faits depuis que nous avons pris ce chemin, remarqua Elliot.

Les branches continuaient à balayer le toit de la jeep. Une neige poudreuse glissait le long du pare-brise et sur le capot. Les essuie-glaces la balayèrent et Tina se pencha pour essayer de voir à la lumière des phares si la bifurcation s'annonçait.

— Attention! cria-t-elle. Je crois que c'est ce que nous cherchons.

Pris de court malgré leur faible allure, il avait dépassé l'embranchement. Il stoppa, fit machine arrière jusqu'à ce que les phares éclairent l'entrée de la piste.

— Le chasse-neige n'y est pas passé, constata Elliot.

— Mais il y a de nombreuses traces de pneus.

— On dirait qu'il y a eu pas mal de circulation par ici... et récemment.

— En tout cas, c'est par ici que Danny nous a dit de passer.

— Bonne chose que nous ayons une jeep!

En effet la jeep, grâce à ses quatre roues motrices et à ses pneus bien équipés de chaînes, n'éprouvait aucune difficulté à rouler en dépit de l'épaisse couche de neige. Au bout d'une centaine de mètres le chemin se mit à grimper sec et tourna à angle aigu vers la droite, contournant la montagne. A la sortie du virage, la forêt s'éclaircissait considérablement et ils aperçurent le ciel pour la première fois depuis qu'ils avaient quitté la route vicinale.

Il faisait nuit. Devant eux s'allongeait une route complètement déblayée et pavée. De la vapeur se dégageait en certains endroits et elle paraissait sèche par places.

— Des résistances chauffantes sous le revêtement! dit Elliot.

— Bizarre, dans un coin aussi perdu!

Elliot stoppa cette fois pour saisir le pistolet dont il avait pris la précaution de remplir le magasin avant le départ. Il enleva les deux crans de sûreté et engagea une balle dans le canon. En cas d'urgence, tout était prêt.

— On peut encore faire marche arrière, proposa Tina.

— Tu en as envie?

— Bien sûr que non!

— Moi non plus.

Cent cinquante mètres plus loin, ils arrivèrent à un nouveau virage en épingle à cheveux. La route descendait au fond d'un ravin, tournait à angle aigu, cette fois vers la gauche et remontait la pente. Au bout de vingt mètres, elle était barrée par une haute grille ménagée dans une clôture de barbelés de près de trois mètres de haut dont les extrémités se perdaient, de part et d'autre, dans la forêt. Un panneau indiquait en grosses lettres : *Propriété Privée. Admission sur carte électronique. Défense d'entrer sous peine d'amende.*

— Ils veulent que ça ait l'air simplement d'une propriété bien gardée, dit Tina.

— C'est clair mais, que je sache, tu n'as pas le « Sésame ouvre-toi » ?

— Ne t'en fais pas, Danny y pourvoira. Je fais confiance à mon rêve.

— Combien de temps faudra-t-il rester là à attendre ?

— Pas longtemps, regarde…

— Bon Dieu ! fit Elliot stupéfait de voir la grille s'ouvrir.

La route chauffée continuait au-delà, s'enfonçant dans les ténèbres.

— Nous arrivons, Danny, annonça Tina d'une voix pleine de douceur.

— Qui sait ? C'est peut-être quelqu'un d'autre qui a ouvert la grille… Et si Danny n'y était pour rien et que ce soit un piège ?

— Non ! C'était mon Danny.

— Tu en es si sûre ?

— Absolument.

Elliot poussa un gros soupir et la jeep pénétra dans la zone interdite. La grille se referma immédiatement sur eux. La route grimpait ferme, s'accrochant à la pente, et passait tantôt entre d'énormes amas de rochers, tantôt entre des monticules de neige que le vent avait sculptés, leur prêtant des formes étranges. Elle se rétrécissait, s'élargissait à nouveau, montait, descendait… Les arbres semblaient de plus en plus grands. La jeep continua son ascension vers la haute montagne. La grille de la seconde entrée apparut au bout de deux kilomètres. Cette fois elle était flanquée sur la droite d'une guérite et une sentinelle en contrôlait l'ouverture.

Elliot stoppa et saisit son arme. La voiture était si proche du gardien qu'ils voyaient son visage inquisiteur derrière l'ouverture.

— Il doit se demander qui diable vient leur rendre visite. Il n'y a pas une circulation folle par ici, dit Elliot d'un ton apparemment dégagé.

Sur ce ils le virent décrocher son téléphone.

— Ça y est. Bon Dieu! Il faut s'en débarrasser... et sans traîner.

— Attends, dit Tina qui lui retint le bras au moment où il allait ouvrir la portière. Regarde: il secoue l'appareil. Le téléphone est détraqué.

Le garde raccrocha brutalement, prit un blouson posé sur le dossier de sa chaise, l'enfila, remonta la fermeture Eclair et sortit de sa guérite, une mitraillette à la main. La grille s'ouvrit d'elle-même. L'homme s'arrêta à mi-chemin entre son poste et la jeep, et fila, médusé, vers la grille quand il la vit s'ouvrir. Elliot appuya à fond sur l'accélérateur et la jeep bondit en avant. Le garde mit sa mitraillette en position. Tina leva les bras dans un geste automatique et totalement vain pour se protéger des balles... mais il n'y eut ni balles ni métal déchiqueté, ni vitres fracassées, ni sang ni douleur, même pas le bruit de la mitraillette en action. La jeep fila entre les deux battants de la grille et continua son ascension au milieu de minces filets de vapeur. Toujours pas d'impact de balles.

Un soudain virage. Elliot manœuvra avec peine le volant et Tina réalisa que la route passait au ras d'un immense et vertigineux précipice dont elle n'était protégée par aucun garde-fou. Il réussit à maintenir fermement la jeep sur la chaussée. A présent ils étaient hors de la portée du tir et jusqu'au prochain tournant il n'y avait rien en vue.

Elliot ralentit et demanda:

— Tu crois que c'est Danny qui fait tout cela?

— Ça doit être lui.

— Empêcher le téléphone de fonctionner, enrayer la mitraillette et ouvrir la grille? Mais quel *pouvoir* a ce gosse?

La neige commençait à tomber dru. Tina dit d'un ton hésitant :

— Je ne sais pas, je ne sais pas *qui* je vais trouver. Je ne sais pas ce qui lui est arrivé et je ne sais pas jusqu'à quel point cela l'a transformé.

Cette pensée la minait. Quel genre d'enfant allait-elle trouver au bout de ce long périple, au sommet de la montagne ?

35

Les sbires de George Alexander firent le tour des hôtels du centre-ville de Reno en montrant des photos de Christina Evans et d'Elliot Stryker. Ils parlèrent aux réceptionnistes, grooms, et autres membres du personnel hôtelier et enfin, à 16 h 30, ils obtinrent des renseignements valables d'une femme de chambre du Harrah qui reconnut le couple. Ils découvrirent dans la chambre 918 une valise bon marché, un peu de linge sale, des brosses à dents et autres affaires de toilette et surtout onze cartes dans un étui simili-cuir que Tina et Elliot, dans leur hâte et leur lassitude, avaient oubliées sur une table.

Alexander fut informé par téléphone de la découverte dès 17 h 05 et à 17 h 40 tous les objets étaient dans son bureau. Au fur et à mesure qu'il constatait la nature des cartes et qu'il réalisait que celle qui manquait était justement celle qui permettait d'accéder aux laboratoires du Programme Pandora, à l'étonnement succédèrent la rage et le désarroi.

— Quel culot ! s'écria-t-il, le teint cramoisi d'indignation.

Kurt Hensen qui était en train de fourrager dans les affaires qu'on venait de déposer demanda :

— Qu'est-ce qu'il y a ?

— Il y a qu'ils ont décampé en direction de la montagne pour essayer de s'introduire dans le Centre. C'est sûrement un salaud au courant du Programme qui leur a vendu la mèche et qui leur a donné des indications, trop vagues, alors ils ont eu besoin d'une carte.

Ce qui le mettait hors de lui c'était le sang-froid, l'obstination et l'esprit méthodique avec lesquels ce couple se comportait. Jusqu'à maintenant il s'était dit qu'ils devaient tous deux se terrer dans quelque refuge et que, terrorisés, ils ne risquaient pas d'en sortir avant longtemps. Après tout cette femme n'était jamais qu'une ancienne danseuse de music-hall, une « girl » ! Ces filles-là en général ne brillaient pas par leur intelligence. Bien sûr, Stryker avait fait partie des Services Secrets, mais il y avait belle lurette… D'où leur venaient leur force, leur hardiesse, leur endurance ? Ils recevaient sûrement une aide secrète. De quelle nature ?

Il médita en silence, intrigué au plus haut point par ce problème dont il ne voyait pas la solution. Hensen prit une des cartes au hasard et la regarda d'un œil distrait.

— Je ne vois pas pourquoi vous vous mettez dans un état pareil, dit-il. Même s'ils atteignent la grande entrée, ils y seront bloqués. Il y a des kilomètres et des kilomètres à parcourir au-delà de la clôture, avant d'arriver aux laboratoires et ils sont bigrement bien gardés.

Alexander, saisi d'une subite inspiration, crut avoir trouvé ce qui les faisait marcher et la raison qui expliquait leurs succès jusqu'à maintenant. Il déclara :

— Ils entreront facilement s'ils ont un ami à l'intérieur.

— Un ami ?

— Hé oui ! Non seulement une personne au courant du Programme Pandora a mis au courant la femme de ce qui est arrivé à son fils mais ce traître doit appartenir aux laboratoires et, à l'heure qu'il est, il doit leur ouvrir grand les portes. Ce salaud nous poignarde dans le dos et il va les aider à faire sortir le gosse de là.

Il attrapa le téléphone et fit le numéro du service de sécurité des laboratoires. La ligne semblait coupée : aucune sonnerie. Il raccrocha, fit de nouveaux essais sans plus de résultat ; il composa alors le numéro du directeur, le docteur Tamaguchi. Néant.

— Il a dû se passer quelque chose, impossible de les avoir.

— C'est peut être à cause de la tempête. La neige surcharge les lignes téléphoniques, ça arrive souvent.

— Allons, Kurt, ne dites pas de sottises, vous savez pertinemment que les lignes sont souterraines ; la tempête n'y est pour rien. Joignez immédiatement Jack Morgan, dites-lui de tenir l'hélicoptère prêt. Nous le retrouverons sur le terrain le plus vite possible.

— En tout cas il lui faut une demi-heure pour se préparer.

— Pas une minute de plus.

— Il refusera peut-être... si le temps est trop mauvais par là-haut.

— Il pourrait tomber des grêlons gros comme des ballons de basket que ça ne m'empêcherait pas de voler. On n'a pas le temps d'y aller en voiture. La question est réglée. Je suis sûr qu'il y a dû grabuge aux labos.

— Oui, mais l'hélico, la nuit, en pleine tempête... fit Hensen en plissant le front d'un air soucieux.

— Morgan est un as. Il a été pilote d'hélicoptère au Vietnam et, quand on a construit le pipeline en Alaska, il faisait partie de la patrouille de sécurité. Il s'en tirera : il a l'expérience des tempêtes de neige.

— Ce ne sera pas de la tarte.

— Si Morgan aimait la facilité, il promènerait les gosses à Disneyland.

— Ça me paraît du suicide pur et simple.

— Kurt, si vous vouliez vous la couler douce il ne fallait pas venir travailler sous mes ordres. Ce job demande qu'on prenne sans arrêt toutes sortes de risques. Ce n'est pas à moi de vous l'apprendre. Vous ne travaillez pas dans un ouvroir.

— J'appelle Morgan, dit Hensen, rougissant sous l'affront.

— C'est ça. Allez-y !

36

Scandé par le va-et-vient des essuie-glaces et le raclement des chaînes sur la chaussée, le voyage de la jeep se poursuivit à l'assaut de la dernière hauteur. Ils arrivèrent enfin à un énorme plateau situé sur un replat de la montagne. Elliot stoppa et surveilla d'un œil inquiet les alentours.

Le plateau était évidemment d'origine naturelle mais la main de l'homme s'y décelait dans la régularité des dimensions. C'était un rectangle presque parfait de trois cents mètres de long et deux cents de large. La terre avait été aplanie et tassée comme sur un camp d'aviation, puis pavée. Il ne s'y trouvait pas le moindre arbre ou rocher derrière lequel on pût éventuellement se cacher. De grêles lampadaires étaient disséminés çà et là, dispensant une faible lumière rougeâtre. De crainte certainement d'attirer l'attention des avions dont la route aérienne survolait les lieux, ou celle des campeurs se trouvant en d'autres parties de la montagne, l'éclairage était juste suffisant pour permettre aux caméras de sécurité d'obtenir des images nettes de tous les points du plateau. Elles étaient fixées à chacun des lampadaires et surveillaient la surface entière.

— Tu peux être sûre que les agents de sécurité nous observent sur leurs écrans vidéo, déclara Elliot d'un air moins que réjoui.

— A moins que Danny n'ait rendu leurs caméras inutilisables. Ça ne doit pas être plus sorcier pour lui que d'enrayer une mitraillette.

— Ouais, tu as raison, répondit Elliot, visiblement rasséréné.

Ils aperçurent à deux cents mètres un bâtiment bas, sans fenêtres, entièrement de plain-pied, qui s'étendait sur cent mètres de long.

— C'est là qu'ils ont dû enfermer le petit, dit Elliot.

— Et moi qui m'attendais à une énorme bâtisse, à un gigantesque complexe! s'écria Tina.

— Il est probable que c'est immense. Tu n'en vois qu'un petit bout. Ils ont dû sacrément creuser dans le roc. Je te parie qu'il y a plusieurs étages sous terre.

— Jusqu'en enfer…

— Je ne souhaite qu'une chose: qu'ils y restent jusqu'à la fin des temps… mais pas avant qu'on en fait sortir Danny.

Il redémarra lentement. La neige tombait toujours, teintée de rouge par l'étrange lumière, assez satanique elle aussi.

Quelques jeeps, deux Land-Rover et d'autres véhicules à quatre roues motrices étaient alignés devant le bâtiment.

— On dirait qu'il n'y a pas beaucoup d'occupants. Je croyais que le Centre était aux mains d'un imposant état-major.

— Là aussi, je crois que tu vois juste. Tu penses bien que le Gouvernement ne se donnerait pas toute cette peine pour mettre sur pied en pleine montagne, dans un coin perdu, un établissement ultra-secret pour qu'y gîte simplement une poignée de chercheurs. Je pense que la plupart des membres du personnel doivent se relayer, passer ici des mois ou quelques semaines selon les tâches qui leur sont confiées. Ils ne peuvent pas permettre une circulation intense sur une piste forestière censée servir uniquement aux gardes ou aux spécialistes en écologie. Ça risquerait d'attirer l'attention. Les supérieurs viennent sans doute régulièrement faire des tournées d'inspection en hélicoptère. Remarque, si ce Centre dépend des autorités militaires, les hommes qui travaillent ici doivent vivre dans les mêmes conditions que ceux qui servent sur un sous-marin: une « sortie à terre » à Reno entre deux « croisières », mais pour de longues périodes ils sont confinés ici.

Il se gara à côté d'une autre jeep, éteignit ses phares, coupa le contact. Sur le plateau régnait un silence absolu. Personne n'était encore sorti en trombe pour les appréhender. Danny avait dû faire le nécessaire pour paralyser leur système de sécurité vidéo. D'être ainsi parvenu quasiment au but sans encombre ne rassurait pas Elliot pour autant sur la suite des événements. Combien de temps encore Danny pourrait-il les protéger ? Ce gosse avait des pouvoirs psychiques stupéfiants, mais il n'était pas Dieu de Père. Tôt ou tard, il allait commettre une simple petite erreur, un oubli, et pour eux trois ce serait la mort.

— Ma foi, dit Tina, voulant paraître décontractée, on aurait pu faire l'économie des raquettes.

— Par contre cette corde peut nous être utile, riposta son compagnon en extirpant à la hâte le rouleau de cordage qui voisinait avec tout l'équipement de montagne derrière le siège. Nous allons certainement nous trouver nez à nez avec des agents de sécurité qu'il faudra abattre ou neutraliser.

— Si nous avons le choix, je préfère la seconde solution, plutôt la corde que le pistolet.

— Moi aussi, nettement ! Essayons de pénétrer dans le saint des saints…

Ils descendirent de la jeep. Le vent rôdait comme une bête qui gronde et leur infligeait des morsures glaciales sur la partie exposée du visage tandis que la neige leur volait dans les yeux telle une bave glacée.

Sur la façade en béton d'une monotonie grisâtre, seule se détachait une porte en acier blindé. Elle ne comportait ni serrure ni fente permettant d'y introduire une carte électronique et ne pouvait s'ouvrir que du dedans après que les visiteurs auraient été minutieusement observés grâce à la caméra suspendue au-dessus. Or cette lourde porte s'ouvrit. Encore l'œuvre de Danny ? Ou un garde armé jusqu'aux dents les guettait-il tapi dans l'ombre ? Elliot restait méfiant. Ils virent une chambre aux murs revêtus d'acier, de la taille d'un vaste ascenseur, brillamment éclairée et déserte. Ils en franchirent le seuil et la porte se referma derrière eux avec un bruit qui indiquait une fermeture hermétique. Une caméra ainsi que deux écrans de contrôle vidéo étaient logés dans le mur gauche de ce vestibule. Des zébrures zigzaguaient sur les écrans. A côté il y avait une plaque en verre lumineuse sur laquelle on était censé appliquer la paume de la main droite de manière à ce que l'ordinateur pût examiner les empreintes et les comparer à celles du personnel autorisé.

Elliot et Tina ne se soumirent pas à cet examen. Pourtant la porte intérieure s'ouvrit — avec le même bruit d'air comprimé — et ils passèrent dans la pièce voisine, où deux hommes en uniforme étaient assis devant les consoles sous un mur de vingt écrans de télévision. Pas la moindre image n'apparaissait sur les écrans.

Le plus jeune des gardes tourna la tête au bruit de la porte. Il tira aussi prestement qu'un cow-boy le monstrueux revolver qu'il portait au côté et appuya sur la détente. Dieu merci, Danny intervint et le coup ne partit pas. Elliot se refusait à abattre les deux hommes. Il leur cria :

— Vos revolvers sont inutilisables ! Facilitez-moi les choses ! Pas de drame !

Mais il transpirait à grosses gouttes et n'en menait pas large. « Pourvu que Danny puisse nous aider jusqu'au bout », marmonna-t-il. Voyant que son arme ne fonctionnait pas, le garde la jeta à la tête d'Elliot qui tenta d'esquiver le coup mais fut atteint près de l'oreille et valdingua contre la porte blindée. Tina hurla de terreur. Elliot vit le garde qui fonçait sur lui et, presque aveuglé par la douleur, il finit par tirer. La balle fracassa l'épaule gauche de l'assaillant et le fit pirouetter. Il tomba sur un bureau, éparpillant sur le sol quantité de feuilles blanches et roses, avant de s'écrouler par terre au milieu de la paperasse.

Luttant pour garder les yeux ouverts, Elliot visa l'autre garde qui avait tenté de tirer — sans plus de succès que son compagnon.

314

— Lâche ton revolver, assieds-toi, on va s'entendre.

— Comment avez-vous fait pour entrer ? Qui êtes-vous ? demanda le garde qui avait laissé tomber son arme.

— T'occupe pas ! Tiens-toi tranquille.

Mais l'autre insistait.

— Nous sommes la Justice, dit Tina.

A cinq minutes de Reno, en direction de l'ouest, l'hélicoptère se trouva aux prises avec la neige, des flocons durs, secs et granuleux qui sifflaient, comme du sable projeté avec force, en heurtant le pare-brise.

Jack Morgan jeta un coup d'œil en coin à George Alexander.

— On ne va pas rigoler...

— Oh ! ce n'est jamais qu'un peu de neige.

— Une tempête qui m'a l'air sacrément forte.

— Ce n'est pas la première fois que ça vous arrive.

— N'empêche que dans ces montagnes les courants descendants et les tourbillons sont diablement traîtres.

— Nous passerons bien, assura Alexander.

— Pt'êt ben qu'oui, pt'êt ben qu'non mais en tout cas on va bien se marrer.

— Vous êtes dingues tous les deux, pesta Hensen qui était assis derrière le pilote.

— Au Vietnam on m'avait surnommé « l'araignée » parce que d'après les gars j'ai une araignée au plafond. C'est vrai qu'ils avaient des raisons pour penser ça.

Et il éclata de rire.

Hensen caressait tendrement la mitraillette qui reposait sur ses genoux. Il ne se serait pas montré plus doux vis-à-vis d'une femme. Il ferma les yeux et essaya de s'occuper l'esprit en démontant et remontant son arme mentalement. Il se sentait l'estomac barbouillé et, malgré lui, voyait l'hélicoptère, pris par une rafale, tombant comme une pierre au fin fond d'un précipice.

37

Le blessé gémissait mais, autant que Tina pût en juger, il ne courait pas de danger mortel. La balle avait partiellement cautérisé la plaie sur son passage, le trou était propre et ne saignait pas exagérément.

— Ne t'en fais pas. Pour cette fois, tu ne mourras pas, dit Elliot.

— Je n'en ai plus pour longtemps, je le sens, hurlait-il.

— Non ; ça fait très mal mais ce n'est pas grave. La balle n'a touché aucun gros vaisseau.

— Qu'est-ce que tu en sais ? geignit le garde entre ses dents.

— J'en ai vu des tas, de blessures comme ça, quand j'étais au Vietnam. Tu t'en sortiras à condition de ne pas bouger ; si tu te tortilles comme un ver, tu peux te rompre un vaisseau et alors c'est une belle hémorragie et tu es cuit.

— Merde ! lança le garde effrayé.

— Compris ?

Le blessé fit oui de la tête. Il était blanc comme un linge et la sueur ruisselait sur son visage. Elliot ligota le plus âgé des deux sur une chaise et il transporta avec l'aide de Tina le blessé dans un débarras qu'ils fermèrent à clé.

— Et ta tête ? demanda tendrement Tina en posant le doigt sur la grosse bosse qui avait surgi près de la tempe d'Elliot.

— Ça brûle.

— Ça va devenir de toutes les couleurs.

— Ça va aller, ne te tourmente pas pour ça.

— Pas de vertige?

— Non.

— Tu ne vois pas double?

— Mais non, tu sais, le coup n'a pas été terrible. Il n'y a pas de traumatisme crânien, juste un fort mal de tête.

— Tu veux que je te dise…

— Quoi?

— Eh bien, je t'aime.

— Moi aussi.

Elle l'embrassa rapidement.

— Dépêchons-nous de trouver Danny et de le faire sortir d'ici.

Ils traversèrent la pièce, laissant derrière eux le garde ficelé. Tina portait ce qui restait de corde et Elliot tenait son pistolet. A l'opposé de la porte à glissière en acier par laquelle ils étaient entrés, s'en trouvait une autre, plus ordinaire d'aspect, qui donnait — comme Tina l'avait constaté quand elle avait regardé, après le coup de feu, s'il ne venait pas d'autres gardes à la rescousse — sur le point de jonction de deux couloirs. Ceux-ci étaient actuellement déserts, comme au moment où elle y avait jeté un œil. Le sol était carrelé, blanc, les murs blancs eux aussi, éclairés par des tubes fluorescents. L'un des couloirs s'allongeait sur quinze mètres de chaque côté, avec plusieurs portes et, sur la droite, quatre ascenseurs. Un autre couloir le coupait perpendiculairement et s'ouvrait devant eux, s'enfonçant d'au moins une centaine de mètres dans la montagne. Il était flanqué de chaque côté d'une rangée de portes et l'on apercevait encore d'autres couloirs qui le coupaient à angle droit.

— Tu crois que Danny est ici au rez-de-chaussée? chuchota Tina.

— Je ne sais pas.

— De quel côté allons-nous le chercher?

— On ne peut tout de même pas s'amuser à ouvrir toutes les portes pour voir…

— Sans compter que nous risquons de nous trouver nez à nez avec des gens…

318

— Et que ça risque d'avoir des conséquences...

— ... néfastes.

Ils restèrent un moment plantés là, regardant d'un air indécis à droite, à gauche, en face. Soudain à quelques mètres d'eux s'ouvrirent les portes d'un des ascenseurs. Tina s'aplatit, le dos au mur, Elliot braqua son pistolet sur la porte : personne ne sortit et, d'où ils étaient, ils ne pouvaient voir qui était à l'intérieur de la cabine. Les portes se refermèrent, et ils eurent la sensation désagréable que l'occupant avait perçu leur présence et était redescendu chercher de l'aide. Avant même qu'Elliot eût eu le temps de baisser son arme, les portes se rouvrirent, puis elles se fermèrent, se rouvrirent et ainsi de suite ; l'atmosphère se refroidit. Avec un soupir de soulagement, Tina murmura :

— C'est Danny, il nous montre le chemin.

Néanmoins ils se faufilèrent à pas de loup, avec mille précautions, jusque dans la cabine dont les portes se refermèrent... Ils virent sur le tableau qu'ils étaient au quatrième niveau, le premier devant être le plus profondément enfoui sous la terre. L'ascenseur normalement ne pouvait se mettre en marche qu'après insertion d'une carte électronique dans une fente au-dessus de leurs têtes. Mais avec l'aide de Danny point n'était besoin d'une autorisation de l'ordinateur. Il faisait froid dans l'ascenseur et, tandis que le voyant lumineux indiquait le passage, du 4 au 3 puis au 2, Tina vit son haleine monter dans l'air telle une bouffée de fumée de cigarette. Au niveau 2 les portes s'ouvrirent, et ils sortirent dans un couloir identique à celui qu'ils avaient quitté deux étages plus haut. L'atmosphère se réchauffa. Quelques mètres plus loin une porte était entrebâillée et ils perçurent un bourdonnement de voix masculines et féminines, sans distinguer les mots, mais la conversation était apparemment animée et des rires fusaient.

Tina ne se faisait aucune illusion : si quelqu'un sortait de cette pièce et les apercevait, ils étaient cuits. Danny avait fait des miracles en manipulant à distance les objets mais il ne pouvait contrôler les êtres humains, comme par exemple le garde qu'Elliot avait été contraint de blesser. Et avec un seul pistolet, comment pourraient-ils tenir tête à une douzaine d'agents de sécurité armés jusqu'aux dents? En admettant que son fils pût enrayer revolvers ou mitraillettes, ils ne pourraient échapper qu'au prix d'un massacre que ni Elliot ni elle n'auraient le courage de perpétrer, même pour sauver leur peau.

Un nouvel éclat de rire jaillit. Ils se regardèrent, indécis.

— Qu'est-ce qu'on fait? demanda Elliot. Où aller?
— Je ne sais vraiment pas...

La surface à explorer était vaste : plus de cent mètres d'un côté et au moins cinquante de l'autre ; dans les cinq ou six mille mètres carrés... Et combien de pièces? quarante? cinquante? soixante? Peut-être cent, en comptant les cagibis. Juste au moment où Tina sentait le désespoir la gagner, le froid se fit sentir et elle jeta un coup d'œil circulaire, attendant un signal de l'enfant. Quelle ne fut pas leur stupéfaction de voir, au-dessus de leur tête, le tube fluorescent clignoter puis un second suivi d'un troisième, tous en allant vers la gauche. Ils suivirent cette étrange signalisation qui les conduisit au bout d'un couloir assez court, où étaient situés les ascenseurs, jusqu'à une porte blindée et hermétique, comme on en trouve dans les sous-marins, qui brillait légèrement dans la pénombre. Quand ils en approchèrent, le volant qui servait de poignée se mit à tourner. Elliot passa le premier puisque c'était lui qui tenait le pistolet. Tina lui emboîta le pas.

Ils arrivèrent dans une salle oblongue. Au fond, dans le mur qui constituait le petit côté du rectangle, était percée une grande fenêtre qui devait donner sur une chambre froide à en juger par le givre qui recouvrait les vitres. A droite de cette fenêtre, il y avait une porte blindée semblable à celle qui venait de s'ouvrir pour leur livrer passage. Le mur de gauche était occupé sur toute sa longueur par des écrans d'ordinateurs. Jamais Tina n'avait vu un tel déploiement de tubes cathodiques. Des tables étaient alignées contre le mur de droite, chargées de papiers, de dossiers et d'instruments qu'elle ne pouvait identifier.

Un homme aux cheveux frisés et à la moustache hérissée était assis à une de ces tables. Grand, carré d'épaules, la cinquantaine, vêtu d'une blouse blanche de médecin, il était en train de compulser des notes. Un autre, plus jeune, rasé de près, également vêtu de blanc, assis devant un terminal, prenait connaissance des informations qui surgissaient sur l'écran. Tous deux avaient tourné la tête au bruit de la porte et, médusés, fixaient les visiteurs intempestifs sans dire un mot.

Elliot braqua sur eux son pistolet équipé d'un silencieux.

— Tina, ordonna-t-il, ferme la porte et verrouille-la si possible. Si les agents de sécurité découvrent que nous avons pénétré dans le Centre, qu'au moins ils ne puissent pas s'emparer de nous trop vite.

Elle mit la porte d'acier en branle et celle-ci malgré son poids se referma le plus aisément du monde, comme une porte ordinaire. Elle tourna le volant et manœuvra un petit dispositif qui le bloqua, empêchant ainsi l'ouverture.

— C'est fait.

L'homme placé devant l'écran se mit à taper sur le clavier du programmateur.

— Arrêtez tout de suite ! cria Elliot.

Il réalisa que l'homme ne s'arrêterait pas avant d'avoir donné l'alerte par l'intermédiaire de l'ordinateur, aussi tira-t-il instantanément dans l'écran qui se volatilisa en milliers de petits bouts de verre. L'homme cria et éloigna son fauteuil à roulettes du clavier. Le bloc mémoire fut à son tour fracassé par une balle ; l'ordinateur sembla un court instant balbutier comme un individu qu'on serait en train de bâillonner puis se tut.

— Mais qu'est-ce que ça veut dire ? clama l'homme de l'ordinateur. Pour qui vous prenez-vous ?

— Pour le seul qui ait une arme à sa disposition, rétorqua sèchement Elliot. Et si ça ne vous plaît pas, je peux vous fermer la gueule comme à votre appareil. Foutez votre cul sur cette chaise sinon je tire dans votre sale tronche.

Jamais Tina n'avait entendu Elliot user d'un tel langage et sur un tel ton. Son visage reflétait une telle haine qu'elle en fut glacée jusqu'aux os : elle ne le reconnaissait plus. Le jeune homme en blouse blanche dut être impressionné, lui aussi, car il obéit, pâle comme un mort.

— Bon, ça ira, dit Elliot s'adressant aux deux hommes. Si vous vous montrez coopérants, je ne vous toucherai pas. Vous, dit-il en désignant le plus âgé du bout de son pistolet, votre nom ?

— Carl Dombey.

— Qu'est-ce que vous fichez ici ?

— J'y travaille, dit Dombey, interloqué.

— Quel genre de travail ?

— Je suis un chercheur.

— En quoi ?

— Je suis diplômé en biologie et chimie organique.

— Et vous, le junior ?

— Ça vous regarde ? fit-il grossièrement.

Elliot lui posa le canon de son arme sur l'arête du nez.

— Docteur Zachariah.

— Egalement diplômé en biologie ?

— Oui, je suis spécialisé en bactériologie et virologie.

Elliot baissa son arme en la laissant pointée dans leur direction.

— Nous avons des questions à poser et je pense, messieurs, que vous serez en mesure de nous répondre, déclara-t-il, ayant repris un ton d'homme civilisé.

Dombey, qui n'avait aucune envie de jouer au héros comme son collègue, resta docilement immobile sur son siège et demanda :

— Quel genre de questions ?

— Nous voulons savoir ce qu'est devenu mon fils. Danny Evans, dit Tina. Nous voulons savoir ce que vous lui avez fait et où il se trouve à l'heure qu'il est.

Elle se rendit immédiatement compte de l'impact de ses paroles sur les deux hommes : Dombey roulait des yeux en boules de loto ; quant à Zachariah, il n'aurait pas eu l'air plus stupéfait s'il l'avait vue morte et ressuscitée devant ses yeux.

— Seigneur ! s'exclama Dombey.

— Mais comment avez-vous pu venir jusqu'ici, c'est incroyable ! Comment est-ce possible ? dit Zachariah.

— C'est parfaitement possible, riposta son collègue. C'était inévitable. Depuis le début je me doutais que ça finirait par une catastrophe, tout ça sentait trop mauvais, ça ne pouvait pas se terminer autrement. Je répondrai à toutes vos questions, Mrs Evans.

Et il poussa un soupir comme si tout à coup il venait d'être soulagé d'un grand poids.

Zachariah se précipita sur lui :

— Pas question ! Tu ne peux pas faire ça !

— Ah ! tu t'imagines que tu vas me clouer le bec ? Eh bien, ouvre tes oreilles et écoute pour ta gouverne tout ce que je vais dire.

— Tu as prêté serment, ne l'oublie pas. Tu as juré de ne jamais rien dévoiler. Si tu parles, rends-toi compte du scandale : outrage aux autorités, révélation de secrets militaires... Tu seras considéré comme un traître. Réfléchis, c'est ta patrie que tu trahis.

— Pas du tout, je trahis cette organisation, peut-être mes collègues, mais pas mon pays. Ma patrie, comme tu dis, est loin d'être parfaite mais ce qu'on a fait à Danny Evans serait jugé abominable par l'ensemble de la nation si elle était au courant. Ce projet est l'œuvre d'une poignée de mégalomanes.

— Allons donc ! Le docteur Tamaguchi n'est pas un mégalomane.

— Qu'est-ce qu'il te faut ! Il se croit un grand savant dont les œuvres passeront à la postérité. Et tous les types qui gravitent autour de lui, tous ceux qui le protègent, les chercheurs et les gars de la Sécurité, tous ceux-là ont des prétentions incroyables, je te dirai même qu'à mes yeux ce sont des cinglés. Ce qu'on a fait à ce gosse ne constitue pas un progrès scientifique, un « grand pas en avant », non, c'est criminel, et je m'en lave les mains. Je parlerai. Allez-y, Mrs Evans, posez vos questions.

— C'est toi qui es devenu dingue, tais-toi !

Elliot prit la corde que tenait Tina et lui confia son arme en disant :

— Je crois que je vais être obligé de ligoter et de bâillonner ce cher docteur Zachariah pour qu'on puisse écouter en paix les révélations du docteur Dombey. N'hésite surtout pas à tirer s'ils font un geste de trop.

— Ne t'en fais pas, je n'aurai aucun scrupule.

— Vous ne me toucherez pas, s'écria Zachariah tandis que, souriant, Elliot s'approchait, corde en main.

Un courant d'air glacé s'abattit sur l'hélicoptère, lui faisant brusquement perdre de l'altitude. Jack Morgan arriva à le stabiliser et le redressa, ne manquant que de très peu les cimes des arbres. Le vent était un rude adversaire qui faisait se cabrer l'appareil.

— Hou! C'est pire que de dompter un étalon, sauvage, lança le pilote.

A la lumière des phares on ne voyait rien si ce n'était la neige qui tourbillonnait rageusement.

— C'est de la folie douce, gémit Hensen. Ce n'est pas une tempête ordinaire, c'est un vrai blizzard.

— Bon Dieu, Morgan! Je sais que vous avez tout ce qu'il faut pour nous en sortir, s'exclama Alexander, ignorant la remarque de Hensen.

— Peut-être... J'aimerais en être aussi sûr que vous. Enfin... Je vais tâcher d'aborder le plateau par l'arrière en utilisant le vent au lieu d'essayer de lutter contre. Je vais couper au-dessus de la prochaine vallée et ensuite virer en direction du Centre, parce qu'il faut faire gaffe aux courants contraires, qui sont salement dangereux. Ça nous prendra un peu plus de temps mais au moins on a une petite chance de se poser sinon...

A ce moment précis une bourrasque particulièrement violente projeta les flocons de neige avec une telle violence contre la pare-brise qu'aux oreilles de Kurt Hensen le bruit évoqua celui d'une rafale de mitrailleuse.

38

Zachariah gisait sur le sol, dûment ligoté et bâillonné. Ses yeux lançaient des éclairs de haine et de fureur.

— Vous voudrez sans doute voir d'abord votre enfant et je vous expliquerai ensuite comment on en est venu à l'installer ici.

— Où est-il? demanda Tina, tremblante.

— Dans la chambre d'isolement, dit Dombey en montrant du doigt la fenêtre qui donnait sur l'autre pièce. Venez.

Il s'approcha des vitres toujours givrées et désigna de minuscules endroits où le givre n'avait pas pris. Pendant un instant Tina resta pétrifiée sur place. Elle avait peur de voir ce qu'on avait fait à son enfant. Elliot lui effleura l'épaule.

— Ne fais pas davantage languir le petit, il t'appelle au secours depuis si longtemps.

Prenant son courage à deux mains, elle réussit à faire un pas, deux... et avant d'avoir eu le temps de le réaliser elle était le nez collé contre la vitre, à côté de Dombey. Elle vit le lit d'hôpital au centre de la pièce, avec tout l'équipement électronique. Danny, allongé sur le dos, couvert jusqu'au menton, mais la tête relevée par un oreiller, les yeux fixés sur la fenêtre, regardait sa mère entre les barreaux.

— Danny, murmura-t-elle tout doucement, envahie par cette crainte irrationnelle de le voir disparaître pour toujours si elle parlait trop fort.

Son visage s'était terriblement amenuisé. Avec son teint blême et ses traits tirés, il avait l'air d'un petit vieux... lui qui avait tout juste douze ans. Dombey, sentant l'effroi maternel, expliqua :

— Il est très amaigri. Ça fait six à sept semaines qu'il n'a pu avaler que des liquides, et seulement en petite quantité. Son estomac ne supporte rien d'autre.

Les yeux surtout frappaient Tina, des yeux sombres, grands et arrondis comme avant mais à présent enfoncés dans leurs orbites, avec de profonds cernes noirs. Et dans le regard, une expression totalement différente, autre. Jamais elle n'avait vu chez quiconque une expression aussi étrange. Cela la fit frissonner... et une immense pitié l'envahit.

Le petit cligna les yeux et, avec un effort qui parut lui coûter énormément de fatigue, il sortit un bras de dessous les draps et le tendit vers elle, un bras décharné où il n'y avait plus que la peau et les os, une véritable allumette qu'il passa entre deux barreaux, et il ouvrit une main pathétique dans un effort désespéré pour atteindre sa mère.

D'une voix chevrotante, elle dit à Dombey :

— Je veux m'approcher de lui, le tenir dans mes bras.

— Bien sûr, fit Dombey.

Ils s'approchèrent tous trois du sas hermétique qui conduisait à la chambre vitrée.

— Pourquoi est-il isolé comme cela ? demanda Elliot. Est-il malade ?

— Pas vraiment, déclara le biologiste, visiblement perturbé par l'aveu qu'il allait leur faire. Il est sur le point de mourir d'inanition parce qu'il n'a rien pu garder comme nourriture depuis si longtemps, mais il ne souffre d'aucune infection en ce moment. Il en a eu précédemment, à plusieurs reprises, mais pas actuellement. On lui avait inoculé une maladie fabriquée artificiellement en laboratoire, et il est le seul à avoir survécu : car il possède un anticorps naturel qui l'aide à lutter contre ce virus très particulier puisque synthétique. Le docteur Tamaguchi, qui est à la tête de ce Centre, a fait pression sur nous, je dirais même qu'il ne nous a pas laissé une seconde de répit jusqu'à ce que nous ayons réussi à isoler cet anticorps et à comprendre comment l'enfant avait réussi à détruire le virus. Après cela, évidemment, aux yeux de Tamaguchi, Danny ne servait plus à faire avancer la science, donc devenait totalement inutile. C'est la raison pour laquelle il a décidé de lui réinjecter le virus autant de fois qu'il le faudrait jusqu'à ce que mort s'ensuive. Il tenait à tester combien de fois jouerait ce fameux anticorps. En effet, il n'y a pas d'immunité permanente contre ce virus. De même que pour les angines à strepto-coque ou le rhume de cerveau ou un cancer, on peut l'attraper trente-six fois si on a la chance — ou la déveine — de résister à la première. Aujourd'hui je peux vous dire que ça fait la quatorzième fois que votre fils résiste victorieusement au virus. Bien qu'il s'affaiblisse de jour en jour, bizarrement il en vient à bout de plus en plus vite. N'empêche qu'à ce petit jeu il s'épuise. Cette maladie aura finalement raison de lui, du moins in-directement, parce qu'elle lui sape ses forces. Au-jourd'hui, il est débarrassé du virus, mais demain ils ont l'intention de lui refaire une piqûre.

— Quelle horreur! s'écria Elliot au comble de l'in-dignation.

— Je n'arrive pas à vous croire, dit Tina. C'est mons-trueux.

— Et encore, fit Dombey lugubrement, vous ne savez encore que la moitié de l'histoire.

Il tourna le volant pour ouvrir la porte de communica-tion également en acier.

Quelques minutes auparavant, quand Tina avait vu son fils, quand elle avait contemplé ce pauvre enfant qui n'était plus que l'ombre de lui-même, elle s'était juré de ne pas verser une larme. Danny ne devait pas surtout pas la voir pleurer, il avait besoin de tout son amour, de toute sa sollicitude, de tous ses soins et il ne fallait pas le bouleverser; les émotions violentes pouvaient lui être fatales. À présent, tandis qu'elle s'approchait du lit, elle se mordait les lèvres jusqu'au sang et concentrait toutes ses forces pour ne pas éclater en sanglots.

En la voyant arriver, Danny, malgré son intense

fatigue, réussit à s'asseoir en s'accrochant de ses doigts tremblants à un barreau du lit, et il lui tendit la main. Elle parvint, les jambes flageolantes, à avancer jusqu'à lui, le cœur battant, la gorge serrée, à la fois radieuse de le revoir en vie et épouvantée par son aspect physique. Ses petits doigts s'agrippèrent désespérément aux siens.

— Danny, mon Danny, mon trésor.

Les souffrances, les angoisses, les craintes, accumulées pendant des mois et des mois n'empêchèrent pas Danny d'esquisser un pâle petit sourire, un sourire si fragile qu'on l'aurait cru prêt à s'envoler au moindre souffle. Elle se rappela son expression joyeuse des jours d'autrefois et cela lui brisa le cœur.

— Maman, murmura-t-il.

Un pauvre filet de voix dont elle ne reconnut pas le timbre.

— Je suis là, mon petit chéri.

Il se mit à frissonner.

— Le cauchemar est fini, Danny. Tout va bien.

— Maman... Maman.

Son visage se crispa, le sourire s'effaça, il gémit:

— Oooohh Maman!

Elle abattit la partie latérale du lit, s'assit et le prit dans ses bras, avec l'impression d'étreindre un malheureux pantin désarticulé, une créature maigrelette et craintive qui n'avait rien de commun avec le beau garçon dynamique et heureux qu'il avait été. Elle le serra avec précaution, comme si elle avait peur de le casser mais elle fut stupéfaite de la fougue avec laquelle, lui, il l'embrassa, de la force qui subsistait dans cet organisme dévasté. Secoué par les sanglots, il posa son visage contre son cou, et elle sentit sur sa peau les larmes de son enfant. Elle ne put se contenir plus longtemps. Leurs larmes se mêlèrent, un flot de larmes. Elle le pressait sur son cœur et elle sentait sous sa main chaque vertèbre, chaque côte, proéminente comme sur un squelette. Elle pleura de plus belle en l'attirant sur ses genoux. Avec tous les fils qui le reliaient aux appareils de monitoring, il lui faisait de plus en plus penser à une marionnette abandonnée. Elle aperçut, sortant de sa chemise de nuit,

328

ses jambes décharnées qui n'auraient plus la force de le porter. Elle le berça, lui glissa des mots doux, tendres, comme à un bébé, et sanglota à perdre haleine.

Danny était vivant.

39

L'idée de Jack Morgan de contourner la montagne au lieu de la survoler se révéla fort astucieuse et Alexander était de plus en plus confiant en leur bonne étoile. Il sentait que les appréhensions pourtant très vives de Kurt Hensen — qui appréciait encore moins l'hélicoptère que l'avion — s'étaient apaisées un peu.

L'appareil volait vers le nord dans le fond de la vallée, rasant presque la rivière gelée et contraint de se frayer un chemin à travers les flocons qui tombaient en bataillons serrés bien qu'il fût abrité du plus fort des bourrasques par les immenses conifères qui bordaient le cours d'eau. Celui-ci, d'une teinte argentée quasi lumineuse, constituait une piste aisée à suivre. Par moments, l'hélicoptère se faisait bousculer par des coups de vent mais il les encaissait vaillamment comme un bon boxeur qui continue le combat sans trop risquer le knock-out définitif.

— On se pose bientôt? demanda Alexander.

— Dix minutes, un quart d'heure, à moins que...

— A moins que quoi?

— A moins que les pales ne se couvrent de glace, que l'arbre de transmission et les joints du rotor ne gèlent...

— C'est possible?

— C'est envisageable. Je peux aussi cafouiller dans l'obscurité au moment de me poser et percuter le versant de la montagne.

— Ne jouez pas l'oiseau de mauvais augure, Morgan. Pour moi vous êtes un as et je me fie à vous.

— On n'est jamais à l'abri d'une connerie. C'est ça qui fait le charme de vie, non?

Tina prépara Danny à sa sortie du Centre. Elle commença par détacher les électrodes fixées en huit endroits à sa tête et à son corps. Quand elle décolla le sparadrap, il poussa un petit cri de douleur et elle découvrit avec horreur combien sa peau était irritée. On n'avait visiblement rien fait pour la protéger.

Pendant ce temps Elliot interrogeait Carl Dombey.

— Que fait-on ici? Des recherches militaires?

— Oui.

— Uniquement sur les armes bactériologiques?

— Biologiques et chimiques. On expérimente de nouveaux combinés d'ADN. Il y a toujours au moins trente projets en cours.

— Je pensais que les Etats-Unis avaient abandonné la compétition depuis longtemps dans le domaine de la recherche des armes chimiques et biologiques?

— Vis-à-vis de l'opinion publique oui, mais en fait on continue. Nixon a été le premier Président à déclarer que les Etats-Unis ne s'abaisseraient pas à utiliser ces armes déshonorantes et, depuis, tous ceux qui lui ont succédé en ont dit autant. N'empêche que les recherches se poursuivent et qu'on est obligé de s'y mettre sérieusement. Les Russes ont trois réussites à leur actif en ce domaine; nous, nous n'avons que ce virus dont je vous ai parlé. Les Russes croient à la guerre chimique et biologique, ils n'y voient rien d'immoral. Ils s'en sont servis en Afghanistan et ils ont tué dans les vingt mille personnes avec ce que nous appelons des armes non conventionnelles. S'ils se disaient qu'ils ont un nouveau microbe terriblement efficace à leur disposition et que nous, de notre côté, nous ne pouvons riposter faute d'en avoir trouvé un encore plus performant, ils s'en serviraient contre nous sans le moindre scrupule.

— Attention! Si, pour dépasser les Russes dans ce genre de compétition, nous en arrivons à des situations comme celle-ci où un pauvre gosse innocent se trouve pris dans l'engrenage et réduit en bouillie, nous devenons aussi monstrueux que les leaders soviétiques, non ? Et si, par crainte de l'ennemi, nous finissons par lui ressembler, n'est-ce pas une autre façon d'être vaincus ?

Domby acquiesça d'un hochement de tête et lissa sa moustache d'un air pensif.

— Je tourne et retourne cette question dans ma tête depuis le premier jour où Danny s'est retrouvé ici. Le problème est le suivant : il y a des mégalos qui sont attirés par ce genre de recherches parce que c'est secret et que leur instinct de puissance est flatté à l'idée que, grâce à eux, des centaines de milliers d'hommes pourraient être anéantis. C'est la raison pour laquelle des gars comme Tamaguchi, comme Aaron Zachariah, se sont lancés là-dedans. Ils abusent de leur pouvoir, ils pervertissent le travail, ils feraient n'importe quoi pour accélérer les expériences et obtenir des résultats avant tous les autres. D'un autre côté, si, par crainte des abus que des gens comme Tamaguchi peuvent commettre, nous nous laissons dépasser par nos ennemis, nous risquons de disparaître de la planète. L'enjeu est vital… alors il faut accepter ce qu'on considère comme le moindre mal.

Pendant que Dombey discourait, Tina continuait à détacher les électrodes avec mille précautions pour ne pas faire souffrir Danny. L'enfant se serrait contre elle mais il gardait les yeux fixés sur le chercheur.

— Toutes ces histoires de guerre bactériologique, je m'en fiche, déclara-t-elle. Je veux savoir comment mon fils a échoué ici chez ces salauds.

— Pour le comprendre, il faut remonter à un événement qui a eu lieu il y a vingt mois : un savant russe nommé Ilia Poparopov s'est réfugié aux Etats-Unis, emportant avec lui le microfilm d'un dossier ultra-secret concernant une nouvelle arme bactériologique, la plus dangereuse jamais découverte. Les Russes l'appellent « Gorki 400 » parce que c'est le résultat des recherches de leurs laboratoires situés près de Gorki. Il s'agit de la quatre centième souche viable de micro-organismes créée dans ce centre. C'est l'arme parfaite qui touche uniquement les êtres humains. Aucune autre créature porteuse et, comme la syphilis, le Gorki 400 ne peut survivre plus d'une minute hors du corps humain, ce qui signifie qu'il ne peut contaminer des objets ou des endroits divers, contrairement à d'autres bactéries virulentes, l'anthrax entre autres. Très peu de temps après la mort, quand le cadavre n'a plus que 30 degrés de température, le Gorki 400 meurt également. Vous voyez l'intérêt ?

Tina était trop absorbée par ses soins à Danny pour se soucier de ce que Dombey pouvait dire, mais Elliot saisit très bien où il voulait en venir.

— Si je vous comprends bien, dit-il, les Russes pourraient s'en servir pour effacer de la carte une ville ou un pays et occuper les lieux sur-le-champ sans être obligés de procéder à une décontamination dangereuse et coûteuse ?

— Effectivement. Et le Gorki 400 présente encore d'autres supériorités sur la plupart des autres agents infectieux : il suffit de quatre heures pour qu'on devienne contagieux, ce qui est un délai d'incubation incroyablement court. Une fois contaminé, on ne résiste pas plus de vingt-quatre heures. La plupart des victimes meurent dans les six heures qui suivent. Gorki 400 tue à cent pour cent, il n'y a aucune chance de s'en sortir. Les Russes ont fait l'expérience sur je ne sais combien de prisonniers politiques. Ils n'ont jamais découvert d'anticorps ou d'antibiotique efficace contre lui. Le virus gagne le cerveau et il secrète une toxine qui ravage les tissus cérébraux à la manière d'un acide. Toute la partie du cerveau qui commande aux fonctions autonomes est détruite, provoquant l'arrêt du fonctionnement des poumons, du cœur, etc.

— Et Danny, lui, a résisté ?

— Oui, et à notre connaissance, il est le seul.

Tina plia en deux la couverture qui était sur le lit pour en envelopper Danny quand ils l'emmèneraient dehors jusqu'à la jeep.

— Mais au début, pourquoi l'a-t-on contaminé, lui ? demanda-t-elle.

— Cela a été accidentel.

— On m'a déjà raconté ce genre de bobards.

— Mais c'est la stricte vérité. Après qu'Ilia Poparopov eut choisi la liberté, comme on dit, on l'a amené ici et nous avons immédiatement commencé à travailler avec lui pour produire un virus identique, ce à quoi on a abouti relativement vite. Ensuite nous l'avons étudié, cherchant si nous ne pouvions découvrir un caractère qui aurait échappé aux Russes.

— Et il y a eu une négligence ? intervint Elliot.

— Oui. L'un d'entre nous a été négligent et, surtout, stupide. Il y a presque treize mois, quand Danny et les autres scouts étaient partis en expédition, un de nos chercheurs, Larry Bollinger, un drôle de type, s'est accidentellement contaminé un matin qu'il travaillait tout seul ici même.

La main de Danny s'était crispée dans celle de Tina et elle lui caressa doucement la tête pour l'apaiser. Elle lança à Dombey :

— Mais enfin vous avez sûrement pensé à des mesures de protection. C'est insensé. Il devait bien y avoir des précautions d'urgence à prendre pour le cas où...

— Evidemment, coupa Dombey, on vous le serine dès le premier jour où on travaille ici. Il faut déclencher l'alarme, sceller la salle où l'on travaille et, s'il y a une chambre d'isolement contiguë, y entrer et en fermer la porte avec le même luxe de précautions. Une équipe de décontamination survient immédiatement pour nettoyer ce que vous avez laissé en plan dans le laboratoire. Et, quand vous êtes personnellement contaminé, vous êtes traité si c'est curable. Dans le cas contraire, on vous place dans une chambre d'isolement où l'on s'occupe de vous jusqu'à votre mort. C'est parce qu'il y a un risque sérieux que notre salaire est si élevé. Ça fait partie du job.

— Peut-être, mais ce Larry Bollinger n'a apparemment pas suivi les consignes, dit Tina avec amertume.

Elle avait de la peine à entortiller l'enfant dans la couverture parce qu'il ne voulait pas desserrer son étreinte. Moyennant des paroles tendres, des caresses et des baisers, elle réussit à lui faire lâcher prise et garder les bras le long du corps sous la couverture.

— Il a craqué et il a complètement perdu les pédales, expliqua Dombey, visiblement gêné d'avoir eu un collègue capable de manquer à ses devoirs les plus élémentaires.

Et il se mit à arpenter la pièce tout en parlant.

— Il savait la rapidité avec laquelle agit le Gorki 400, il a paniqué et cru qu'il pouvait fuir l'infection. Il a quitté le laboratoire, s'est équipé de vêtements chauds et est sorti du Centre. Comme il n'avait pas de permission et qu'il n'a pas pu se trouver dans sa hâte un bon motif pour justifier qu'il avait besoin d'une des jeeps, il a dû partir à pied. Il a dit aux gardes qu'il allait marcher dans la neige, raquettes aux pieds, pendant deux heures. Beaucoup d'entre nous aiment ce genre d'exercice. Ça défoule et ça permet de sortir de ce trou. En fait, ce Bollinger n'était absolument pas un sportif. Une fois hors de vue, il a dû ôter ses raquettes et suivre la route que vous avez sans doute prise. Avant d'arriver à la grille près de laquelle il y a toujours un homme en faction, il a grimpé sur l'arête, a remis ses raquettes pour pouvoir contourner l'entrée surveillée, repris la route et jeté les raquettes. Les agents de sécurité les ont retrouvées après coup. Il a dû parvenir à la dernière grille deux heures et demie après avoir quitté le Centre, donc trois heures après la contamination. C'est sans doute au même moment qu'un chercheur est entré dans le labo, a vu le flacon contenant la culture du Gorki 400 brisé sur le sol et a donné l'alerte. Bollinger avait pu passer au-dessus des barbelés et il s'est dirigé vers le centre de recherches écologiques. Sorti de la forêt en direction de la route vicinale, il avait à peine fait quatre kilomètres...

— Qu'il s'est trouvé nez à nez avec Jaborski et ses scouts, termina Elliot.

— Et c'est comme ça qu'il les a contaminés, conclut Tina qui tenait sur ses genoux Danny dans son cocon bien chaud.

— Eh oui, fit Dombey. Il a dû les rejoindre cinq ou six heures après s'être trouvé en contact avec le virus ; il était épuisé par la marche et de plus il devait commencer à ressentir les premiers symptômes: vertiges, légères nausées. Le chef scout avait laissé le minibus dans une clairière, à deux kilomètres de là, et le groupe avait franchi cette distance à pied avant de tomber sur Bollinger. Ils avaient l'intention de s'enfoncer sous les arbres pour camper tranquillement loin de toute trace de civilisàtion : c'était leur première nuit sous la tente. Quand Bollinger a appris qu'ils étaient en possession d'un véhicule, il a absolument voulu les convaincre de le conduire jusqu'à Reno. Devant leur manque d'enthousiasme, il a inventé une histoire, d'un camarade qu'il aurait dû abandonner dans la montagne avec une jambe cassée. Jaborski n'a pas été dupe un seul instant, il lui a finalement offert de l'amener au centre écologique où une expédition de secours pourrait être organisée mais Bollinger s'est mis dans un état épouvantable, proche de l'hystérie, et les responsables du groupe commençaient à se dire qu'ils étaient en face d'un type dangereux, quand l'équipe des agents de sécurité est arrivée. Bollinger a essayé de fuir, il a tenté de déchirer la combinaison de décontamination d'un des agents ct ils ont été forcés de l'abattre.

— Les astronautes, dit Danny de sa toute petite voix.

Les adultes le regardèrent, étonnés. Pelotonné dans sa couverture jaune, il avait l'air tout apeuré. Il répéta :

— Les astronautes sont venus et ils nous ont emportés.

— Ah ! oui, fit Domby. C'est à cause de leurs combinaisons de décontamination qu'il les a pris pour des astronautes. Ils ont amené ici les scouts et leurs chefs pour les isoler. Le lendemain, ils étaient tous morts, sauf Danny... Vous savez la suite, conclut Dombey en soupirant.

40

L'hélicoptère poursuivait sa route vers le nord en se guidant sur le cours d'eau gelé. En contemplant ce paysage hivernal blafard, Alexander pensait aux cimetières qu'il avait fréquentés dans sa vie. Il avait toujours aimé à se promener parmi les tombes. Depuis sa plus tendre enfance, la mort le fascinait. Il cherchait à mieux saisir son processus, sa signification. Qu'y avait-il de l'autre côté ? Mais cela ne lui donnait pas envie pour autant d'aller y voir — prématurément. Il ne voulait pas mourir, mais il tenait à *savoir*. Chaque fois qu'il avait donné la mort de sa propre main, il avait eu l'impression de tisser un nouveau lien avec le monde d'outre-tombe et il espérait qu'à force de multiplier ces liens il se verrait offrir une vision. Un jour, quand il se tiendrait auprès de la tombe d'une de ses victimes, qui sait ? Peut-être celle-ci lui ferait-elle don d'un instant de clairvoyance et il réaliserait vraiment ce que c'était que de mourir.

— On n'en a plus pour longtemps, déclara Jack Morgan.

Alexander scruta d'un œil anxieux l'obscurité entre les flocons qui tourbillonnaient. L'hélico se mouvait comme un aveugle qui foncerait en avant dans un inconnu plein d'embûches. Il tâta son arme en songeant à Christina Evans et à Kurt Hensen :

— Abattez immédiatement Stryker. Nous n'avons pas besoin de lui. Mais ne touchez pas à la femme, je veux l'interroger. Elle me dira qui est le traître qui l'a aidée dans le laboratoire, même si je dois employer la torture.

Quand Dombey se tut après leur avoir donné tous les éclaircissements désirés, Tina demanda :

— Danny me fait peur. Il a l'air si mal en point. Même s'il est débarrassé du virus, pensez-vous qu'il va pouvoir se remettre ?

— Je le pense. Il a simplement besoin de reprendre du poids. Ces derniers temps il ne pouvait rien garder parce qu'on lui avait sans cesse réinjecté cette cochonnerie. A présent vous allez pouvoir le nourrir progressivement et tout ira bien. Ah ! il y a une chose…

Une nuance d'inquiétude dans la voix de Dombey suffit à affoler Tina.

— Que voulez-vous dire ? demanda-t-elle, la gorge serrée.

— Nous avons remarqué dernièrement l'existence d'une grosseur sur le lobe pariétal.

— Mon Dieu !

— Ne vous inquiétez pas. Apparemment cela n'a rien de dangereux, ce n'est pas une tumeur, maligne ou bénigne. D'après les examens cela ne présente aucune des caractéristiques d'une tumeur, ce n'est pas non plus du tissu cicatriciel ni un caillot.

— Mais alors qu'est-ce que cela peut être ? demanda Elliot.

— D'après l'ordinateur, expliqua Dombey en se passant la main dans sa tignasse frisée, cette grosseur semble constituée de tissus cérébraux sains. C'est inexplicable, mais, comme nous l'avons testée une centaine de fois et que nous n'avons découvert aucune propriété qui infirme ce diagnostic, nous sommes bien obligés de nous incliner. Cela dépasse notre entendement. Emmenez-le chez un neurologue, chez une douzaine de spécialistes du cerveau jusqu'à ce qu'on puisse vous expliquer ce phénomène. Pour nous, cela n'a rien d'inquiétant, mais il vaut mieux rester vigilant.

Tina lança un coup d'œil à Elliot. La même pensée se faisait jour chez l'un et chez l'autre : cette grosseur avait-elle quelque chose à voir avec le développement des pouvoirs psychiques de l'enfant? Ces dons qui existaient chez lui en puissance s'étaient-ils finalement manifestés à la suite des contacts répétés de son organisme avec le virus? Ce n'était pas plus tiré par les cheveux que sa rencontre incroyable avec le chercheur impliqué dans le Programme Pandora et cela expliquait les prodiges dont Elliot et elle avaient été témoins.

Elliot, craignant qu'elle n'exprimât son opinion et n'alertât Dombey, regarda sa montre et s'empressa de déclarer qu'il fallait partir sans tarder.

— Avant de partir, conseilla Dombey, prenez donc les dossiers concernant le cas de Danny. Ils se trouvent sur la table la plus proche de la porte de sortie de la grande salle. Ils confirmeront le récit que vous ferez à la presse. Je vous en prie, faites votre possible pour que la presse entière divulgue cette terrible histoire et prenez garde à vous. Vous êtes des victimes toutes désignées puisque vous êtes les seuls à connaître la vérité.

— Nous l'avons déjà appris à nos dépens, dit Elliot.

— Elliot, demanda Tina, tu veux bien porter Danny? Il est incapable de mettre le pied par terre. Il n'est pas trop lourd pour moi, étant donné sa maigreur, mais, ainsi enveloppé, j'ai peur de le laisser glisser.

— D'accord! répondit Elliot qui lui tendit le pistolet et s'approcha du lit.

— Je vais vous demander une faveur, dit Dombey.

— Laquelle?

— Amenez Zachariah ici. Enlevez-lui le bâillon et ligotez-moi, bâillonnez-moi et laissez-moi dans la grande salle. Je leur ferai croire que c'est lui qui a coopéré avec vous, et vous, de votre côté, quand vous ferez votre récit à la presse, vous pourrez l'insinuer.

— Après tout ce que vous avez dit à Zachariah sur les mégalomanes qui dirigent ce Centre — vous n'aviez pas de mots assez forts pour qualifier ce qu'on y fait —, vous désirez continuer à travailler ici? dit Tina éberluée.

— Que voulez-vous, la vie d'ermite me plaît et le salaire est intéressant. Si je pars et que je me fasse embaucher dans un organisme de recherches civil — ce qui ne me sera pas difficile —, je laisse le champ libre à ces cinglés. Il y a ici pas mal de gens qui ont le sens de leurs responsabilités... si nous partons il n'y aura plus personne pour contrebalancer l'influence de types comme Tamaguchi et il enrôlera des gens de son acabit pour nous remplacer. Vous vous rendez compte du genre d'expériences auxquelles ils pourraient se livrer alors en toute impunité ?

— Mais voyons ! Quand la presse divulguera ce qu'on y fait, ce Centre sera certainement supprimé.

— N'en croyez rien. Notre travail ne peut être interrompu. Il faut absolument maintenir l'équilibre de forces avec les Russes. Les pouvoirs publics feindront de fermer le Centre mais ils n'en feront rien. Ils ficheront à la porte Tamaguchi et certains de ses plus proches collaborateurs. Il y aura sûrement un grand nettoyage par le vide, Dieu merci ! Mais, si je peux leur faire avaler que c'est Zachariah qui a ébruité l'affaire, si je peux me maintenir ici, j'aurai peut-être une promotion intéressante et je pourrai acquérir une influence plus importante sur le Programme... et de gros émoluments.

— Bon, fit Elliot. J'accepte, mais faisons vite.

Ils transportèrent Zachariah dans la chambre d'isolement et enlevèrent son bâillon. Il se tortillait dans la corde qui le saucissonnait et lança des imprécations contre Elliot, Tina et son confrère. Une fois passés avec Danny dans la grande salle et même avec la grosse porte de communication en acier fermée, ils l'entendirent encore jurer et pester. Tandis qu'Elliot se servait de ce qui lui restait de corde pour ligoter Dombey, celui-ci demanda :

— Juste une petite question.

— Je vous écoute.

— Qui diable vous a mis au courant pour le petit, et qui vous a fait pénétrer jusqu'ici ?

Tina, perplexe, ne sut que répondre.

— O.K., O.K., reprit Dombey, je comprends que vous ne vouliez pas trahir quelqu'un qui vous a aidés. Dites-moi seulement s'il s'agit d'un agent de sécurité ou d'un membre de l'équipe médicale. Pour ma part je serais content si c'était un collègue qui finalement avait eu le bon réflexe.

Tina interrogea Elliot du regard et il fit *non* de la tête. Mieux valait ne pas révéler les pouvoirs psychiques de Danny. On le prendrait pour un dingue ou un prodige, on voudrait le mettre à l'épreuve, toutes choses qui lui seraient néfastes.En outre, si les gens du Centre apprenaient que ces nouveaux dons étaient sans doute liés à l'existence de cette grosseur sur son lobe pariétal, ils exigeraient de le garder pour le tester. Décidément, elle n'en soufflerait mot à personne avant qu'Elliot et elle n'aient pu mesurer l'impact qu'une telle révélation aurait sur son existence.

— C'est en effet quelqu'un du corps médical, dit Elliot, qui ne se fit aucun scrupule de mentir étant donné les circonstances. C'est grâce à son aide que nous avons pu franchir tous les obstacles.

— A la bonne heure ! Comme je serais heureux si j'avais eu le cran d'en faire autant.

Sur ce Elliot lui enfonça un mouchoir roulé en boule dans la bouche. Tina ouvrit la porte.

— Mon garçon, tu es léger comme une plume, dit Elliot en soulevant Danny. Il faut qu'on t'emmène dare-dare dans un McDonald pour te gaver de hamburgers et de frites.

Danny lui sourit. Tina, pistolet à la main, marchait en tête. On entendait toujours des rires s'échapper de la pièce voisine des ascenseurs mais le couloir resta désert. Danny agit sur les portes de l'ascenseur qui s'ouvrirent devant eux et sur la cabine qui monta. Son front était plissé, comme s'il se concentrait de toutes ses forces, mais aucun autre signe n'accompagnait cette action « magique » sur les objets. A l'étage supérieur les corridors étaient silencieux et déserts. Dans sa loge, l'agent de sécurité était toujours ligoté et bâillonné sur son siège. Il les regarda avec une expression à la fois rageuse et craintive. Ils traversèrent le hall d'entrée et débouchèrent à l'air libre, saisis par le froid intense, la neige leur cingla le visage.

Dominant les gémissements du vent, on entendit un

bruit de moteur. Tina l'identifia instantanément : c'était un hélicoptère. D'ailleurs il leur suffit de lever les yeux pour le voir surgir à l'ouest du plateau.

— Vite, vite, cria Elliot. Montons dans la jeep.

Ils se ruèrent vers la voiture. Tina prit Danny des bras d'Elliot, l'installa à l'arrière et se glissa à ses côtés tandis que son compagnon, déjà au volant, essayait de démarrer. Le moteur était froid et ne réagit pas tout de suite. L'hélicoptère approchait.

— Qui est dedans ? demanda Danny qui regardait par la vitre latérale.

— Je ne sais pas, mais ce sont sûrement des méchants, comme le monstre de la bande dessinée que tu m'as fait voir en rêve. Ils ne veulent pas que nous te sortions d'ici.

Danny continuait à fixer l'appareil et son front se plissa à nouveau. Le moteur de la jeep se mit en route.

— Merci, mon Dieu ! murmura Elliot.

Tina vit les rides profondes qui sillonnaient le front de son fils. Elle réalisa ce qui allait se passer et chuchota :

— Danny, attends !

Penché vers le hublot pour regarder la jeep, Alexander dit à Morgan :

— Posez-vous juste devant eux, Jack.

— D'accord.

A Hensen qui tenait la mitraillette, il répéta :

— Visez Stryker, mais pas la femme.

Brusquement, l'hélicoptère, qui n'était plus qu'à quelques mètres du sol, fit un bond et piqua vers le ciel.

— Que se passe-t-il ? s'exclama Alexander, stupéfait.

— C'est le manche à balai, dit Morgan, et Alexander surprit dans sa voix une nuance d'angoisse, pour la première fois depuis le début de ce vol cauchemardesque. Je ne peux plus le contrôler. Il est gelé.

Ils montaient de plus en plus haut dans les ténèbres et soudain le moteur se tut.

— Nom de Dieu ! cria Morgan.

Hensen hurla de terreur. Alexander vit la mort qui fonçait sur lui et il sut que sa curiosité sur l'Au-Delà n'allait pas tarder à être satisfaite.

Ils quittèrent le plateau, laissant derrière eux les décombres fumants de l'hélico et Danny déclara :

— Ne t'en fais pas, maman. C'était des méchants.

« *Il y a un temps pour tout,* se souvint Tina, *un temps pour tuer et un temps pour guérir.* »

Elle serra Danny contre elle et plongea son regard dans ses yeux sombres, mais elle ne parvenait pas à trouver un réconfort dans ce passage de la Bible, dont pourtant elle s'était servie pour remonter le moral d'Elliot. Dans les yeux de son fils elle lisait trop de souffrances, une expérience prématurée de trop de choses... Elle songea à l'avenir. Que leur réservait-il ?

TABLE DES MATIÈRES

Achevé d'imprimer en février 1990
sur les presses de l'Imprimerie Bussière
à Saint-Amand (Cher)

PRESSES POCKET - 8, rue Garancière - 75285 Paris
Tél. : 46-34-12-80

— N° d'imp. 405. —
Dépôt légal : mars 1990.
Imprimé en France